# LE PETIT HÉRITIER

Ouvrage traduit avec le concours du Centre national du livre

Titre original : *El pequeno heredero*
Éditeur original : Editodial Lumen
© Gustavo Martin Garzo, 1997
Pour la traduction française :
© Flammarion, 2002
ISBN : 2-08-068217-2

Gustavo MARTÍN GARZO

# LE PETIT HÉRITIER

*Traduit de l'espagnol
par Gabriel Iaculli*

Flammarion

À Tita.

*Je ne puis croire être née pour être malheureuse.*

Madame du Châtelet.

# 1

Il n'avait pas bougé, mais l'une des poules d'eau jaillit des buissons comme poussée par un ressort. Aussitôt, les autres la suivirent. Isma les sentit voleter au ras de l'eau, et il eut juste le temps, en se relevant, d'assister à leur fuite précipitée vers la rive opposée. Elles filaient sur la rivière en laissant derrière elles une traînée d'éclaboussures. Elles étaient trois, deux femelles et un mâle. Il les avait vues nager en direction des joncs, fendant l'eau, leurs petites têtes bien droites, et s'était approché pour les épier. Mais elles étaient trop malignes, on aurait dit qu'elles pouvaient voir à travers les obstacles. Il sentit un pincement de déception, parce qu'il essayait depuis plusieurs jours de découvrir leurs nids. Elles les construisaient sur un support parmi les joncs et les autres plantes aquatiques et se servaient, pour les décorer, de fleurs et de morceaux de papier. Il mit les mains devant sa bouche pour tenter d'imiter leurs appels rauques, couric-couric. Puis il resta un moment les yeux fixés sur le courant. Parfois, elles plongeaient et nageaient entre deux eaux, presque sans donner signe de leur présence.

Il faisait très chaud et l'eau de la rivière glissait doucement, huileuse, charriant des débris végétaux que le courant déposait sur les rives. Les moustiques se lançaient en nuées sur le visage et le cou d'Isma. Ils se gorgeaient de sang, et sa peau se couvrait de taches rouges quand il les écrasait du plat de

11

la main. Une libellule rasa la surface de l'eau, s'arrêta à un certain point de son parcours et demeura immobile, comme si le temps avait cessé d'exister. Il songea à Pilar, et aussi qu'il devait aller chercher le lait, mais il ne fit pas le moindre mouvement.

Il contemplait maintenant un morceau de papier, doucement bercé par l'eau, et crut reconnaître une page des catalogues de Mme Benilde. On les lui envoyait par courrier tous les deux ou trois mois, et l'arrivée de chaque nouveau numéro était un véritable événement au village, surtout pour les filles. La nouvelle courait de bouche à oreille et des rassemblements tumultueux se formaient, on se bousculait pour le voir. Reme et ses amies étaient capables de passer des soirées entières à admirer les dernières modes de la ville et ces robes merveilleuses qui faisaient ressembler les femmes à des actrices de cinéma. Isma s'asseyait à côté d'elles pour les regarder tourner et tourner encore les pages auxquelles elles prêtaient la plus grande attention, comme si un secret s'y cachait qu'elles seules pouvaient découvrir. Le courant poussa la feuille vers les racines d'un arbre, et Isma se leva pour aller la repêcher. Mais il ne put faire deux pas. De nouveau, il sentit le fourmillement d'un côté de son corps et aussitôt après les contractions du pied. Puis il y eut ce silence, tel que toute chose semblait dépourvue de voix. Quand il voulut s'en assurer, il était assis par terre. Le pot au lait était près de lui, mais il n'osait pas bouger. Il avait peur, s'il tendait la main dans sa direction, de ne pouvoir le toucher. Que rien de tout ce qui l'entourait ne fût réel.

Il entendit des appels. C'étaient Chuchi et le Rat. Ils remuaient les bras comme s'ils venaient vers lui à toute allure, alors qu'ils marchaient normalement. Jandri a demandé où tu étais passé, lui cria le Rat, du haut du talus. Le Rat dépassait Chuchi d'une tête et exigeait de lui qu'il lui obéît en tout. Presque toujours de façon gratuite, sans même lui dire pourquoi il lui demandait ceci ou cela. Chuchi se complaisait en cette dépendance. Il suivait partout son cousin, se soumettait à tous ses caprices, bien qu'il eût douze ans et fût de quelques mois son aîné. Il imitait très bien les cris des animaux et était enchanté quand le Rat lui demandait de les refaire. Il était ensuite pris d'un fou rire tel qu'il se roulait par terre comme un cochon.

Tu baves, lui dit Chuchi avec une expression d'égarement. Un filet de salive pendait aux lèvres d'Isma. Il coulait sur son menton et avait fait une tache d'humidité sur son tricot. Il s'essuya avec le dos de la main et s'écarta des deux autres. Il n'aimait pas être vu quand il était comme ça. À ces moments-là, tout ce qui l'entourait prenait un aspect étrange, il y avait entre lui et les choses une sorte d'abîme qu'il ne pouvait franchir. Le Rat et Chuchi remontèrent le talus comme si de rien n'était et il les vit se diriger vers la Quebrada.

Il courut vers le pont, ses chaussures à la main. Il pensait à Pilar et à l'engueulade qui l'attendait s'il tardait à lui apporter le lait. Une bande de grives étaient posées près de l'abattoir ; il cria en agitant les bras. Les grives prirent leur essor et, après avoir survolé la rivière pendant quelques secondes, se posèrent sur l'autre rive. La terre avait là une couleur rosée qui rappela à Isma le papier buvard de l'école. Les grives étaient les taches d'encre.

Il vit de loin Miguel Óscar, qui venait de traverser le pont et menait son âne par la longe. Ils marchaient lentement tous les deux, avec le même air mélancolique, donnant l'impression qu'ils allaient soudainement se tourner l'un vers l'autre et se mettre tout tranquillement à échanger quelques mots. Sans s'arrêter de courir, il l'appela, et Miguel Óscar s'arrêta pour l'attendre. En arrivant près de lui, Isma caressa l'âne. Il ne pouvait plus parler, tant il avait couru. Miguel Óscar posa les yeux sur la tache d'humidité du tricot. Il avait soixante ans et rien ne lui échappait. Tu ne devrais pas t'approcher de la rivière avec cette chaleur, lui dit-il, l'air contrarié. Isma venait le voir presque tous les après-midi. La rivière se divisait en deux bras et formait une petite île. C'est là que Miguel

13

Óscar avait son jardin. Un soir, ça lui était arrivé alors qu'il était à côté de lui, et quand il avait repris connaissance, il était dans les bras d'Óscar, la tête contre sa poitrine, Óscar se balançant tout doucement, comme s'il le berçait. Leurs regards s'étaient croisés à ce moment-là, et Miguel Óscar s'était figé, embarrassé, parce qu'il avait honte d'avoir été surpris en train de le tenir dans ses bras comme ça. Va-t'en, lui avait-il dit en ramassant son chapeau et en se levant brusquement. Mais, avant de se remettre au travail, il s'était tourné vers lui et lui avait essuyé la bouche avec son mouchoir. Une douce odeur de miel montait des fleurs, entre lesquelles se démenaient les abeilles. Ils venaient d'arroser, et les tomates encore vertes se détachaient sur le feuillage délicat. Il lui semblait que tous ces plants cachaient quelque chose, peut-être une porte. Une porte dans la terre, par laquelle on pouvait passer dans un autre monde. Et il regrettait de ne pouvoir la trouver.

Je viendrai te voir tout à l'heure, lui dit Isma qui repartit en courant. Il s'arrêta de l'autre côté du pont en apercevant deux petits oiseaux de rivière qui se déplaçaient tout près du bord de l'eau en zigzag puis reprenaient leur vol. On aurait dit des éclairs gris. Les femmes étaient sur la rive et Isma courut vers elles. Elles lavaient là le linge, malgré les protestations des bergers, qui se plaignaient que leurs brebis ne voulaient plus boire après parce que l'eau avait un goût de savon. Elles travaillaient jusqu'à ce que leurs mains deviennent rouges à force de frotter, mais dans une atmosphère joyeuse, de fête, presque, comme gagnées par la légèreté de l'écume et du courant. Il chercha Reme des yeux, mais elle n'était pas venue laver le linge, cet après-midi. Gabina, elle, était là, et il alla la rejoindre d'un pas décidé. Le pot au lait se balançait au bout de son bras, le soleil faisait briller l'étain, et on pouvait croire qu'il y avait dedans un liquide mystérieux. Si tu veux, je t'aide, dit-il. Gabina avait fini de laver le linge et s'apprêtait à l'étendre. Ils le firent ensemble. L'odeur du savon se mêlait à celle de l'herbe et c'était comme si lui et Gabina avaient un pouvoir qui n'appartenait qu'à eux. Quand ils eurent fini, ils allèrent rejoindre les autres. Les femmes parlaient d'une fille du village. De l'étranger avec lequel elle avait dansé et de son escapade sur la route. Elles se mirent à rire et à lancer des plaisanteries. Elle est revenue toute décoiffée, lança l'une d'elles au milieu du charivari des autres. Isma en eut assez de les écouter. Je m'en vais, dit-il à Gabina, mais elle était si captivée par la conversation qu'elle ne l'entendit même pas.

Il s'arrêta à l'enclos aux canards. Celui qui se trouvait sur l'aire de Millán. Il y avait là des douzaines de canetons. De loin, ils ressemblaient à des fleurs bizarres, capables de bouger. Mais leurs criaillements ne tardaient pas à dissiper l'illusion. Ils se déplaçaient en fouillant l'herbe et se vautraient dans une petite mare voisine, qu'ils semblaient préférer à la rivière, malgré les cachettes entre les roseaux et ses eaux somnolentes pleines d'algues et de larges feuilles.

Quand il arriva à la maison, Pilar était fâchée. Par sa faute, la petite n'avait pas mangé. J'étais avec Gabina, lui dit Isma, essayant de se trouver une excuse. Pilar avait elle aussi fait la lessive. Le linge pendait sur l'étendoir, mais la scène, ici, n'avait rien de joyeux, l'odeur du linge n'était pas la même. Pilar n'avait même pas le temps de descendre le laver à la rivière. Elle ne s'arrêtait pas de la journée et, comme si ce n'était pas suffisant, il avait fallu qu'elle ait cette petite. Je suis vieille, disait-elle, je n'aurai plus assez de force pour la voir grandir. Elle semblait désespérée, mais quand elle lui changeait les couches, en la tenant par les jambes, il suffisait qu'elle voie son petit derrière pour être envahie de tendresse. Il avait posé le pot au lait au milieu de la cour et Pilar alla le chercher. Elle lui demanda de s'occuper de la petite pendant qu'elle préparait la bouillie. L'enfant venait d'apprendre à marcher et s'agitait dans la basse-cour en poursuivant tout ce qu'elle trouvait sur son passage, surtout les poules qui couraient, pathétiques, d'un côté à l'autre. Elle n'avait pas l'air de savoir où elle se trouvait ni ce que tout ça pouvait bien vouloir dire. Le derrière à l'air, elle promenait tout autour d'elle un regard où se lisaient à la fois la surprise et la méchanceté. Pilar s'approcha avec la bouillie et la petite, vorace, courut à sa rencontre. Isma s'assit à côté d'elle pour la regarder manger. Pilar ne lui avait pas rempli la bouche que l'enfant avait déjà tout avalé. Il semblait impossible qu'elle ne s'étrangle pas. Quand elle eut fini, elle resta tranquille dans les bras de sa mère et s'endormit aussitôt, comme une porte qui se ferme. Il faut que tu ailles chercher la cire, lui dit Pilar à voix basse pour ne pas la réveiller. On achetait la cire au sacristain, qui la recueillait sur les torchères où l'on mettait les cierges, et on s'en servait pour faire briller le carrelage. Pendant un moment, après avoir passé la cire, on ne pouvait pas marcher dessus. Un jour, une hirondelle était entrée dans la maison et avait voleté dans tous les sens, comme hypnotisée par l'éclat et la couleur rouge des carreaux. Je ne peux pas, maintenant, lui répondit Ismael, les larmes aux yeux. Il avait peur que Pilar l'envoie à l'église et lui fasse rater son rendez-vous avec Jandri. Mais elle haussa les épaules. Les pieds de la petite à présent endormie pendaient, inertes, sur sa jupe, et ils rappelèrent à Ismael les oisillons encore vivants tombés du lit.

Il alla sur la place chercher Jandri. Les garçons jouaient à la pelote et leurs chemises étaient trempées de sueur. La balle rebondissait contre le mur de l'église avec un bruit sec, comme si elle allait éclater. Jandri jouait en rigolant, et quand il obtenait un point, il fêtait ça en faisant claquer ses talons. Il aimait fréquenter les gitans, les imiter en tout, comme s'il était du même sang qu'eux. Pourquoi s'en faire ? semblait-il dire ; est-ce que ça en vaut seulement la peine ? Pourquoi essayer de vivre ensemble, plutôt que chacun à sa guise, en faisant ce qui lui chante ? Ismael lui adressa un salut de la main et, pendant une interruption de la partie, s'approcha de lui pour lui dire qu'ils devaient aller à Medina de Rioseco chercher de la glace. La fabrique était là-bas, à huit kilomètres, et ils faisaient le trajet à bicyclette.

En revenant, ils s'arrêtèrent au bord du ruisseau. Ils cueilli-
rent du cresson, et, au moment où Isma ne se méfiait pas,
Jandri lui glissa une grenouille dans le pantalon. Le ciel était
blanc, et les martinets y traçaient de grands cercles, toujours
plus haut. Bientôt, on ne pourrait plus les voir. Ils étaient
capables de passer la nuit en l'air, parce qu'ils pouvaient
voler en dormant. Jandri et lui arrêtèrent de se battre. Ils écou-
tèrent les bruits du soir. Le chant des grenouilles et des grillons, la rumeur de l'eau vive, le grincement lent d'une
charrette rentrant des champs. Aucun des deux ne parlait. Ils
accueillaient en eux toutes les choses de l'unique monde
qu'ils connaissaient.

Quand ils arrivèrent au village, il faisait presque nuit. Ils
passèrent devant les bâtiments de l'école, où le grand mûrier,
dans la cour, avait l'air d'un arbre noir. Jandri fit une
remarque méprisante. Il pesta contre don Abelardo, le maître,
contre l'obligation d'aller en classe. À quoi ça servait ? Jandri
n'allait plus à l'école, et quand il avait été forcé de le faire,
il s'était souvent enfui. L'école était à côté de la maison de
doña Gregoria, qui ne sortait que pour aller à l'église. Il fallait
l'y conduire en chaise roulante. C'était Ventura le Boiteux
qui l'emmenait, poussant avec peine dans les rues cette chaise
imposante, dans laquelle le corps de doña Gregoria brimbalait
à chaque cahot comme si d'un moment à l'autre elle allait
valser dans les airs.

La cour de doña Gregoria jouxtait celle de l'école et c'était
le plus souvent par là que Jandri et ses amis s'échappaient
quand ils étaient encore petits. Doña Gregoria guettait à la
fenêtre et envoyait Ventura le Boiteux à leur poursuite. Ils
s'esquivaient comme des lapins. Jandri lui raconta qu'un
après-midi, Ventura le Boiteux avait réussi à leur barrer le
passage. Lui avait pu s'échapper, mais Ventura avait attrapé
Tasio par l'oreille et l'avait conduit devant doña Gregoria,
qui lui avait tapé sur les jambes à coups de canne. Je vais
vous en donner une, de leçon, moi, et elle avait ordonné à
son serviteur de le conduire à l'écurie et de l'attacher à l'un

des râteliers avec des menottes, parce que doña Gregoria avait chez elle des menottes semblables à celles des gendarmes. C'était une espèce de sorcière. La nuit, elle n'allumait pas les lampes et se traînait par terre, où on l'avait trouvée plus d'une fois. On disait qu'elle fricotait avec les ténèbres.

Le pauvre Tasio y a passé le pire après-midi de sa vie. Il était en larmes quand Ventura le Boiteux est venu le libérer. La prochaine fois, lui a-t-il dit avec un regard assassin, tu restes là pour toujours. Tasio a déguerpi plus mort que vif, et pendant bien longtemps, il n'a pas voulu entendre parler de faire l'école buissonnière, et surtout pas en passant par cette cour maudite. Il s'asseyait au fond de la classe et assistait sans broncher aux leçons de don Abelardo, mais avec l'esprit ailleurs, car, quand celui-ci lui posait une question, il ne savait même pas de quoi on parlait. Il a aussi refusé, pendant un certain temps, d'adresser la parole à Jandri. Il disait que ce n'était pas un ami de l'avoir abandonné comme ça à son sort. Jandri haussait les épaules, pour faire entendre que tout le monde en pareil cas aurait fait comme lui, et que cette accusation ne méritait pas de réponse.

Ils dépassèrent les classes et pédalèrent jusqu'à la place. Quelqu'un avait cassé les rares ampoules et l'obscurité était presque complète. La bicyclette de Jandri avait un phare, mais pas la sienne. Le phare était fixé sur le guidon et la lumière semblait jaillir de ses mains. Isma le surveillait du coin de l'œil et tâchait de se maintenir à ses côtés. Il écoutait le vrombissement autoritaire des pneus sur la chaussée ordonner : Écartez-vous, la voie doit être libre ! Le pinceau de lumière promenait sur l'asphalte un doigt accusateur qui semblait chercher un contrevenant à cet ordre. Jandri se mit à faire le fou et à zigzaguer, et lui à l'imiter. Ils venaient d'apercevoir l'Arc, et savoir qu'ils étaient arrivés provoquait toujours en eux ce déferlement de bonheur. Ils s'arrêtèrent ensemble devant la mairie. Il faisait chaud, et Jandri écarta la toile de sac qui protégeait le pain de glace. C'était un plaisir de le voir. Ils se sentaient euphoriques, seuls détenteurs du secret de ce transport délicat. Les nièces de Mme Benilde passèrent, Jandri les appela. C'est la dernière invention, dit-il. La bicyclette réfrigérée. Elles s'approchèrent, amusées, et Jandri leur montra la glace. L'aînée, Rosarito, lui plaisait, aussi en rajouta-t-il un peu. Ils m'en font cadeau, fit-il avec un sourire, je n'ai qu'à aller à la fabrique. Bien sûr, lui dit l'autre, qui s'appelait Marta, ils te l'offrent sur ta bonne mine. Jandri n'était pas beau, mais il y avait sur son visage une étrange détermination, comme s'il était capable de n'importe quelle folie. Donne-nous-en un peu, dit-elle. Jandri prit son couteau et cassa un peu de glace, qu'elles se passèrent sur les bras et les joues. Il leur en donna encore. Tu vas te prendre une bonne raclée, lui dit Marta. Je peux en faire ce que je veux de cette glace, lui rétorqua Jandri en faisant glisser le bout de ses doigts sur le pain. Même la jeter dans le canal. Vas-y, alors, fit Rosarito sur un ton de défi. Elle avait beau jeu, sachant que chez lui on avait besoin de la glace pour conserver le poisson et que s'il faisait une chose pareille sa mère et ses sœurs le battraient jusqu'au sang. Mais il faut que ce soit tout de suite, insista-t-elle. Jandri serra très fort les lèvres et, après avoir soutenu son regard pendant quelques secondes, détourna les yeux. Tout doux, lui dit Rosarito, c'est la vie, et elle est dure. Sur ce, elle fit signe à sa sœur, la prit par le bras, et elles s'éloignèrent. Jandri les suivit du regard. Ce sont de sales garces, souffla-t-il en attrapant sa bicyclette par le guidon. Il repartit et Isma le suivit en silence.

Ils allèrent à l'écurie, couvrirent la glace de paille pour la protéger de la chaleur, mais rien n'était plus pareil et pendant tout ce temps Jandri ne lui adressa pas la parole. Il faisait comme s'il était seul. Comme s'ils n'étaient pas allés ensemble au ruisseau, n'avaient pas ri et cueilli du cresson, ni roulé ensemble à bicyclette sur la route. Le ciel était plein d'étoiles. Isma savait qu'elles formaient des figures et que chacune de ces figures portait un nom différent. Un soir, Miguel Óscar les lui avait montrées du doigt en les nommant : Andromède, Sirius, La Voie lactée, la Grande Ourse et la Petite Ourse. Puis il lui avait dit que certaines gens croient que le sort des hommes y est inscrit, et qu'il suffit d'apprendre à déchiffrer cette écriture pour pouvoir lire sa destinée. La sienne y était-elle écrite ? Et celle de Reme, ou celle de Pilar ? Et celle de doña Gregoria aussi ? Était-il écrit, avant que ça lui arrive, qu'elle deviendrait folle et qu'elle aimerait l'obscurité ?

Ils ne se dirent même pas au revoir. Jandri se dirigea vers le bar, lui vers la maison. Pilar était dans la cuisine et donnait à manger aux petits. Dès qu'elle tournait le dos, ils se disputaient en silence et brutalement la nourriture, se l'arrachaient les uns aux autres, en venant aux mains s'il le fallait. Isma s'assit avec eux. Tu as trouvé les nids ? lui demanda Felipón. Ils entendirent la voix de don Bernardo. Elle n'avait pas l'air de venir de son appartement, mais de traverser les murs, comme les voix des revenants, et Pilar se retourna avec une expression d'épuisement profond. La cuisine sentait le poivron et le vinaigre. Elle s'adressa à Jose Fausto. Va dire au père que je monte tout de suite. Jose Fausto quitta la table comme un boulet de canon et Rafa le suivit aussitôt. On entendit leurs pas sur le parquet d'en haut puis les coups sur la porte de don Bernardo quand ils frappèrent avant d'entrer. Ils redescendirent à toute allure. Ça sent la merde, dit Rafa en montrant les escaliers. Jose Fausto et Felipón pouffèrent de rire, et Pilar, qui leur servait le dîner, leur tapa sur la tête et les bras avec la cuiller en bois.

Quand ils furent couchés, Isma repensa à Jandri et aux sottises qu'il avait faites sur le chemin. Surtout au moment où il avait mis les pieds sur le guidon et crié aux quatre vents qu'en plus d'être réfrigérée, cette bicyclette était à réaction. Il dut s'enfouir sous les couvertures et se fermer la bouche des deux mains parce qu'il ne pouvait s'empêcher de rire. Il pensa aussi à ce qui serait arrivé si Jandri avait écouté Rosarito et jeté le pain de glace dans le canal. Chez Jandri, il fallait de la glace pour tenir les poissons au frais. Ils se levaient très tôt et livraient les commandes de porte en porte. Quand les

Racos arrivaient, le travail était déjà fait. Les Racos avaient une fourgonnette réfrigérante et ils s'arrêtaient sur la place. Ils n'apportaient pas le poisson à domicile. Ils le criaient devant leur camion et les femmes devaient aller le chercher. D'après eux, on ne pouvait trouver de poisson plus frais. Il fallait en prendre et en laisser, eux aussi avaient leurs astuces, mais la concurrence était rude. La fourgonnette avait un grand ventilateur en haut, et c'était merveille de la voir, parce qu'elle ne semblait pas être arrivée par la route mais descendue du ciel comme les hélicoptères.

Isma se retourna dans le lit. Felipón, endormi à côté de lui, occupait en grande partie sa place, et il batailla pour le pousser. Ce fut peine perdue, Felipón était deux fois plus volumineux que lui. Par la fenêtre ouverte entraient les rumeurs du crépuscule, les voix d'une conversation lointaine, le hennissement d'un cheval, les aboiements des chiens. Il y avait dans tous ces sons une tristesse cachée, une tristesse qui n'avait rien à voir avec la pauvreté ou la maladie, mais qui faisait partie de la vie, comme l'eau ou le vent. Était-ce pareil pour tout le monde ? On ne pouvait le savoir, parce que, comme disait Mme Benilde, il n'y avait pas qu'un seul jour. Le jour de Jandri n'était pas égal au sien, ni celui d'Andreona semblable à celui de Jandri. Tous les jours étaient différents, parce que chacun avait son maître, comme les alvéoles des ruches. Celui de Quico, comment avait-il été ? Était-il vrai qu'il se levait la nuit pour laver et cirer les carreaux afin qu'Andreona n'eût pas à le faire le lendemain, et qu'en revenant du travail il s'asseyait à côté d'elle pour coudre ? Et celui de Pilar ? Il ne voulait pas y penser, à ce qu'était le jour de Pilar, parce qu'il y avait là trop de douleur.

Reme aussi avait un jour pour elle. Mais Reme, d'après ce que disait madame Benilde, était un vrai coucou, et ce qui lui plaisait le plus, c'était de vivre dans les jours des autres. Aller en volant de l'un à l'autre, comme si les jours étaient des feuillages d'arbres et qu'elle devait les visiter un à un. Il se demanda si elle savait ce qui était arrivé à Tasio quand Ventura le Boiteux l'avait attaché au râtelier avec les menottes. Doña Gregoria lui en avait-elle parlé, de ces menottes ? Les avait-elles vues ? Reme allait chez doña Gregoria pour lui apporter le pain et les gâteaux secs, et aussi pour voir Puri, qui travaillait là comme servante. Elles causaient souvent avec la vieille dame. Les premiers temps, elles avaient eu peur d'elle, mais elles avaient fini par s'habituer ; dans le fond, elle n'était pas si différente des autres vieilles. Elle aussi était curieuse, et leur posait des questions sur des gens que ni Reme ni Puri ne connaissaient, parce qu'il y avait longtemps qu'elle ne mettait plus le nez dehors et que pour elle le village était pareil à celui qu'elle avait connu dans sa jeunesse.

Isma revit alors ce qui se passa l'après-midi où Reme devait aller apporter des gâteaux chez la vieille, et où il profita de l'occasion pour l'accompagner : Doña Gregoria leur ordonna d'entrer dans la salle à manger et s'entêta à leur offrir des galettes (elle les tenait dans une boîte sous le tandour et quand elle souleva les tapis de table pour la prendre, une odeur de moisi et de malpropreté envahit la pièce). Elle n'avait pas l'air d'une sorcière, mais quand elle lui demanda qui étaient ses parents, Isma eut la gorge si serrée qu'il n'osa pas répondre. Reme le fit à sa place. Elle raconta brièvement son histoire, et ajouta pour conclure, en le poussant du coude : Il a failli finir calotin. Doña Gregoria avait de longs cheveux blancs, le visage plein de rides, mais ses yeux étincelaient comme des cristaux. Tout à coup, ils entendirent un bruit, et elle se figea, avec une expression hagarde. Silence, leur dit-elle avec autorité. Ils se tinrent tous les trois tranquilles pendant un moment interminable, au cours duquel le bruit se répéta deux fois. On aurait dit des soupirs d'êtres invisibles. Quand ils cessèrent, doña Gregoria chassa ses visiteurs sans ménagement. Dehors, dehors, leur lança-t-elle, très agitée. Ils ne lui laissèrent pas le temps de répéter son ordre. Ils sortirent de là et, avant d'avoir fait deux pas dans la rue, se mirent à courir. Ils ne s'arrêtèrent que devant la boulangerie. Une fois entrés, ils éclatèrent de rire. Silence, disait Reme en imitant doña Gregoria, silence ! Et ils rirent si bien qu'ils finirent par tomber entre les sacs de farine. Mais, en vérité, ils avaient eu peur.

Reme vivait seule avec son père, qui s'appelait Nino et était l'un des boulangers du village. La boulangerie était un petit local avec une table en bois et le four dans le fond. C'était Nino qui pétrissait la pâte et préparait le pain. Il passait la nuit à travailler et ne se couchait pas avant le lever du jour. Alors, Reme le remplaçait à la boulangerie. Elle nettoyait les huches et la table et vendait le pain aux clientes. Si l'une d'elles voulait faire des gâteaux ou des madeleines, elle lui cédait sa place devant la table. Les femmes apportaient ce qu'il leur fallait, la farine, le beurre, les œufs, et Reme préparait la pâte avec elles et s'occupait du four. Isma allait habituellement la voir l'après-midi, quand elle était moins occupée. Mais avant, il passait très souvent chez madame Benilde. Il lui faisait une commission, et pendant qu'elle ne regardait pas, il glissait sous sa chemise l'un des catalogues. Un peu plus tard, Reme et lui le regardaient ensemble. Reme le parcourait avec une expression sérieuse. De temps en temps, elle s'interrompait et se tournait vers lui. Tu crois que j'ai une belle poitrine ? Et les mains ? Si je me mettais cette robe, je serais aussi belle que ça ? Isma lui répondait que oui, et elle le pressait contre elle de toutes ses forces. Tu es un ange, lui disait-elle, et quand elle le tenait dans ses bras, il lui venait des envies de la mordre.

Il n'y avait aucun doute possible, Reme lui semblait beaucoup plus belle que toutes ces petites dames minaudières. On ne pouvait pas non plus, à son avis, la comparer à aucune des filles du village. Elle ne ressemblait pas à Andreona, ni à Gabina. Elle ne ressemblait pas à Rosarito, ni à Puri, ni à aucune de ses cousines. Elle ne ressemblait pas à Humi. Humi était furieuse contre elle parce qu'elle lui avait pris son amoureux, c'est du moins ce qu'elle racontait. L'amoureux en question, c'était Javi, l'un des ouvriers de la compagnie d'électricité. Ils étaient arrivés au village au début du printemps et travaillaient à l'extension du réseau. Javi était venu d'Estrémadure avec l'équipe, et il vivait à l'auberge comme tous ses compagnons. Une fois leur travail terminé, au milieu de l'après-midi, ils sortaient endimanchés se promener dans le village. Il était normal qu'ils plaisent aux filles, parce qu'ils avaient l'odeur des chevaux que l'on vient de bouchonner, mais Humi n'avait pas raison de dire que Reme le lui avait soufflé. Humi et Javi s'étaient promenés ensemble, ils s'étaient quelquefois esquivés, sur la route et au bord de la rivière, mais il n'y avait pas grand-chose à dire de plus, du moins pour Javi, et Humi pouvait bien s'entêter autant qu'elle voudrait à aller raconter à tout le monde qu'il était son fiancé. Parce que celle qui avait vraiment intéressé Javi dès le premier moment, c'était Reme.

Et c'était lui qui lui donnait les cigarettes et lui avait fait prendre la mauvaise habitude de fumer. Du tabac américain, que ceux de la compagnie d'électricité obtenaient en contrebande. Il n'était pas comme celui que l'on fumait au village, mais blond. Et il n'y avait pas non plus à le rouler. Il arrivait en petits paquets bien serrés, pareils à des étuis, et les cigarettes avaient une forme parfaite qui faisait plaisir à voir. Javi les offrait à Reme, qui les fumait en cachette, une fois que son père était couché. Si Isma était là, elle le laissait tirer quelques bouffées, et quand ils entendaient quelqu'un approcher, ils chassaient la fumée avec le tablier. Reme était très bavarde et le mettait au courant de tout ce qui se passait au village. Elle lui racontait aussi des histoires, celle du jeune berger et du serpent de Rioseco, celle des sacs de bave, celle d'Ulloa qui s'était pendu après avoir tout perdu au jeu. Elle lui racontait même son histoire à lui, son arrivée au village et ce qu'il avait fait quand il était tout petit. Isma ne savait pas distinguer le vrai du faux, dans tout ça, mais aussitôt que Reme se mettait à parler, plus rien d'autre au monde ne comptait pour lui. Il l'écoutait avec une attention telle, si captivée et absolue, qu'elle devait souvent s'interrompre parce que, lorsqu'elle le regardait, il lui faisait peur. Elle n'aimait pas le voir rester ainsi suspendu à ses lèvres comme si c'étaient ses paroles qui l'entraînaient hors du monde. Ne m'écoute pas comme ça bouche ouverte, lui disait-elle, contrariée, tu ne fais plus que baver. Isma sortait un peu de sa transe, et elle poursuivait son récit.

Pilar et Rojo étaient des petits cousins. Pilar était la cousine germaine de sa mère, après la mort de laquelle elle l'avait pris en charge alors qu'il n'avait que quelques mois. C'étaient les religieuses qui lui avaient demandé de s'occuper de lui quand, le voyant sous-alimenté et chétif comme il l'était, elles s'étaient dit qu'il ne survivrait pas un mois de plus à l'hospice. Seules les attentions d'une vraie mère pourront le sauver, dirent-elles à Pilar dans la lettre qu'elles lui écrivirent. Pilar l'accepta à contrecœur, avec l'idée de le garder seulement jusqu'à ce qu'il se fût un peu remplumé, mais elle finit par s'attacher à lui.

Reme lui raconta qu'il était arrivé dans un panier à œufs. Une voisine devait l'amener, à laquelle il lui était arrivé quelque chose au dernier moment, et on l'avait confié aux soins du contrôleur du train, dans un panier, comme un poulet. Elle avait alors douze ans. Elle se trouvait à la gare de Rioseco, où elle attendait une tante de son père, quand elle avait remarqué ce panier que l'on descendait du train. On l'avait laissé sur un banc, avec d'autres paquets que les voyageurs étaient venus retirer peu à peu. Le panier était resté seul, et elle, qui avait entendu quelque chose, s'en était approchée, par curiosité. Il était là, si maigre et si faible qu'il avait à peine la force de pleurer. Elle avait été la première à s'en rendre compte, mais elle ne l'avait dit à personne. À ce moment-là, elle avait décidé de l'emmener avec elle. Un peu plus tard, Pilar était venue le chercher, et l'illusion s'était dissipée. Toutefois, elle avait été si forte qu'elle ne put jamais s'empêcher, par la suite, d'estimer avoir sur lui plus de droits que quiconque, parce qu'elle l'avait trouvé la première. À cet instant précis, disait-elle souvent à Isma, qui l'écoutait les yeux écarquillés, j'ai su que tu m'étais destiné.

Isma était assis sur la table, pendant que Reme, affairée, allait et venait dans le petit local en lui parlant de tout ça. Ses jupes virevoltaient contre ses cuisses quand elle saisissait une chose ou l'autre, et il suivait avec attention tous ses mouvements. Reme ne racontait jamais les histoires de la même manière. Tantôt il était arrivé au village dans un panier, tantôt dans une caisse à œufs et, parfois, enveloppé dans un couvre-pied en laine. Tu étais laid comme tous les diables et tu avais les mains bleuies par le froid, mais dès que je t'ai vu, tu as été à moi. Reme faisait une pause, et après l'avoir regardé avec une expression vaguement amusée, elle reprenait son histoire où elle l'avait laissée.

On t'a porté chez Pilar, mais je ne pouvais pas vivre sans te voir, et je m'échappais pour aller te dorloter et être près de toi. Après, mon père me battait, mais ça m'était égal. J'étais même contente qu'il le fasse, parce que j'avais l'impression, en m'exposant à ces châtiments, que je prouvais à tout le monde que jamais on ne pourrait me dominer. Je changeais tes couches, je te donnais à manger, je te chantais des berceuses pour que tu t'endormes. Pilar me parlait des religieuses, disant qu'il allait falloir leur écrire un de ces jours pour qu'elles viennent te chercher, et je lui répondais que tu étais encore trop chétif, qu'il fallait attendre encore un peu. C'est pour ça que quand il t'arrivait quelque chose, quand tu rendais, ou quand tu avais la colique, ou de l'urticaire, j'étais toute contente, parce que comme ça, on ne parlait plus de la lettre.

# 2

Elle marchait le menton en avant, ondoyant, dansant presque. Elle adorait s'approcher d'Isma de cette manière, surtout s'il y avait des femmes présentes, comme pour leur dire : Vous pouvez lui remplir les poches de bonbons, vous pouvez le prendre dans vos bras et le couvrir de baisers, mais c'est à moi qu'il appartient vraiment. Reme avait dix-sept ans et lui six, mais elle lui avait toujours dit qu'elle attendrait qu'il soit grand et le prendrait pour mari. Elle le plaçait contre le mur et mesurait sa hauteur en rayant le plâtre avec un couteau. Reme avait aussi fait une marque indiquant sa propre taille. Celles d'Isma montaient, mois après mois, et la sienne était toujours la même. Reme lui disait que quand il la dépasserait d'une main, parce que les hommes doivent toujours être plus grands que les femmes, ils se marieraient. Ce sera dans combien de temps ? lui demandait Isma, et elle haussait les épaules. C'est à toi de décider, disait-elle, les yeux posés sur le goûter, lui faisant comprendre que tout dépendait de ce qu'il mangerait. Isma n'avait jamais d'appétit, ce qui la désespérait. La nourriture était pour elle une grande affaire. À peine était-il revenu de l'école qu'elle lui préparait une tranche de pain sur laquelle elle étendait du saindoux et qu'elle saupoudrait de sucre, et il ne pouvait se lever de table avant de l'avoir terminée. Isma la mangeait sans plaisir et essayait souvent d'en cacher une partie. J'ai fini, disait-il, mais il suffisait à Reme de le regarder dans les yeux pour savoir s'il lui avait menti. Un après-midi où Isma avait laissé tomber la tartine presque entière entre deux sacs de farine, Reme fut si fâchée qu'elle lui dit de ne plus jamais revenir. Moi, je me fais du souci, ajouta-t-elle avec une grimace de dégoût, et toi, tu ne penses qu'à me tromper. Isma revint le lendemain, mais il trouva porte close. Il l'appela, et Reme finit par se montrer à la fenêtre. Elle lui dit que, cet après-midi, elle ne le laisserait pas entrer. Je ne peux pas, ajouta-t-elle, parce que je suis sûre que tu ne m'aimes pas. Isma se mit à tournailler dans la rue. On aurait dit un chien perdu. Il revenait sans cesse à sa porte et se frottait contre le bois. Reme était si occupée qu'elle l'avait oublié. Il se mit alors à pleuvoir. Une averse terrible. Reme entendit la pluie battre contre les vitres et le béton de la rue, où elle grésillait comme l'huile de friture. Elle regarda par la fenêtre et vit Isma. Elle pensait qu'il était rentré chez lui, mais il était toujours là, immobile, au milieu de la rue. Il ne faisait rien pour se protéger et l'eau lui tombait dessus sans qu'il parût s'en rendre compte. Elle sortit le chercher en courant. Tu es fou, lui dit-elle, tu es un enfant fou. Elle le dévêtit et le frictionna avec une couverture. Il paraissait avoir diminué de volume, tel un poulet mouillé. Reme le coiffa, en humectant le bout de ses doigts d'un peu de salive. Quand elle eut fini, elle approcha sa chaise de celle d'Isma jusqu'à ce que leurs épaules se touchent. Tous deux restèrent assis là, éclairés par le cercle de lumière que dessinait l'ampoule, tandis qu'au dehors, dans la rue, la pluie ne cessait de tomber.

Deux ou trois jours plus tard, Reme était dans la cour quand elle l'entendit arriver. Elle s'approcha de la fenêtre et le vit s'asseoir devant la table. Prête à frapper au carreau pour lui faire signe, elle suspendit son geste. Non sans une raison particulière. Elle venait d'acheter des amandes pralinées, et le paquet était sur la table. C'était la sucrerie préférée d'Isma, et elle trouva amusant d'observer ses réactions face à la tentation (c'était pour lui qu'elle avait acheté les pralines). Tout d'abord, il n'y toucha pas. Il se levait et retournait s'asseoir, sans lâcher les amandes du regard. Enfin, il en mangea une et sortit dans la rue. Quelques secondes après, il était de retour et ouvrait de nouveau le paquet. Cette fois-là, il en prit deux, ressortit et resta un peu plus longtemps dans la rue. Quand il revint, ce fut pour s'asseoir sur la table. Il prit une autre amande sans se donner la peine de refermer le paquet. Puis il en prit encore une. Et ainsi de suite, l'une après l'autre, et toujours plus vite, jusqu'à ce qu'il eût la bouche pleine. Bientôt, il les eut toutes mangées. Reme le vit prendre le paquet vide et chercher un endroit où le cacher ; alors, elle entra dans la boulangerie comme si elle venait de la rue. Elle dit bonjour à Isma et, après avoir mis un peu d'ordre sur la table, se mit à chercher les amandes. Je les avais bien mises là, disait-elle. Isma la regardait, les yeux grands ouverts, et la situation stimulait Reme de plus belle. Elle se mit à appeler les amandes. Amandes, amandes, où êtes-vous passées ? Elle s'immobilisait, faisait mine d'écouter. Elle répéta plusieurs fois la question et finit par y répondre à la place des amandes, d'une petite voix traînante qui semblait vraiment venir d'un endroit caché. Ici, disaient les amandes. Reme allait dans une mauvaise direction et ouvrait le placard. Dans le placard ? Nooon, piaillaient-elles. Reme regardait de tous les côtés et se dirigeait vers le coin où se trouvaient les cruches. Dans l'une des cruches ? insistait-elle. Nooon, répondaient-elles de nouveau. Reme avait accroché sur l'un des murs un de ces calendriers où figurait l'image d'un bébé, et qui vantait les mérites d'une marque de fourrage sec. Elle s'était approchée de l'image et la montrait du doigt. C'est l'enfant de ce fourrage qui vous a mangées ? Nooon, lui répondaient-elles, c'est l'autre, l'autre, le garçon en chair et en os. Reme jeta un regard du coin de l'œil sur Isma et vit qu'il était aussi blanc que le mur. La scène avait eu sur lui un effet dévastateur. Il faut le punir, dirent les amandes, il faut lui ouvrir le ventre avec un couteau et le lui remplir de pierres, pour qu'il ne te mente plus jamais. Reme alla vers le tiroir où elle rangeait les couteaux. Puis elle chercha Isma du regard et vit qu'il n'avait pu supporter cette tension et venait de vomir sur la table. Il n'avait même pas eu le temps d'écarter ses mains. Il était consterné et ses yeux se tournaient vers Reme avec une expression suppliante. Ce fut comme si une épée lui traversait la poitrine. Elle courut, vola vers lui et le prit dans ses bras. Oh, mon pauvre petit, lui dit-elle en lui caressant la tête, ce n'était qu'un jeu, rien qu'un jeu.

Plus tard, dans la nuit qui suivit, Reme ne put dormir. Elle pensait à tout ce que ce pauvre enfant endurait par sa faute, et son cœur débordait de remords. Non, non, elle ne pouvait pas continuer d'agir ainsi, comme si elle avait tout pouvoir sur sa vie. Et elle le revoyait au milieu de la rue sous la pluie, attendant qu'elle lui ouvrît la porte, ou devant la table, après qu'il eut vomi par sa faute, et il lui sembla qu'il n'y avait au monde personne d'aussi cruel qu'elle. Elle chercha quel châtiment elle pourrait s'infliger, et elle choisit le plus dur, s'interdire d'aller sur la place pendant trois jours de suite. Le plus dur, en effet, parce que Javi y jouait toutes les fins d'après-midi à la pelote. Elle ferma les yeux. Un vent très violent soufflait, elle l'entendait ululer dans la cour. Jamais personne ne t'aimera, disait ce vent. Et Reme se pelotonnait davantage sous ses couvertures. Mais, en même temps, elle ne pouvait se cacher sa joie. Était-ce mal, d'éprouver pareille chose ? Elle savait maintenant que l'amour était un sentiment secret, exclusif, très doux et suprêmement cruel. Elle se sentait fière de l'héberger dans son cœur.

Le lendemain matin, elle se leva folle de joie, avec des envies irrésistibles de se mettre à danser. Ah, que dimanche était encore loin ! Il lui semblait que si la musique s'était fait entendre à ce moment-là, ses pieds auraient bougé tout seuls et se seraient mis à valser en cadence. Se pouvait-il que l'on se mît à danser sans plus jamais s'arrêter ? Ne serait-ce pas merveilleux ? Et elle se vit tout faire en dansant, du matin au soir. En dansant dans toutes les pièces, à la boulangerie, dans la cour, pendant qu'elle donnait à manger aux poules stupides. Quand elle sortait dans la rue et quand elle allait faire les courses. La fille du vent, se dit-elle, avant de songer à ses projets pour la soirée. Javi et Jesu avaient défié les gitans, et la partie devait avoir lieu sur la place, contre le mur de l'église. Pour rien au monde elle n'aurait voulu la manquer. Elle voyait Javi et Jesu se congratuler, victorieux, leurs chemises trempées de sueur, et elle et les autres filles courir à leur rencontre pour les féliciter. S'arrachant l'une à l'autre la parole de la bouche, comme si les mots étaient les baisers qu'elles ne pouvaient leur donner. Elle ne se souvenait pas de sa promesse de la veille. Ou, pour mieux dire, elle s'en souvenait, bien entendu, mais aujourd'hui n'était pas hier. On aurait dit que chaque jour avait son propre cours et qu'on ne pouvait que le suivre, toujours dans l'attente d'une surprise, d'un événement imprévu, en une découverte continuelle.

Elle sortit dans la cour. Les poules gloussaient, somnolentes, secouant la rosée de leurs ailes, et les canards avançaient entre les tas de bois en lançant des cancans mélancoliques. Elle se rendit compte qu'elle vivait à la fois en elle-même et hors d'elle-même, et que la partie qui était à l'intérieur observait l'autre avec douleur. C'était cette partie qui se vengeait, qui parfois ne pouvait plus supporter le poids de ce vide et devenait intraitable. Mais, ce matin, il n'en allait pas ainsi. L'air était pur, et toutes les deux se déplaçaient d'un même élan. Si elle faisait un pas ou s'arrêtait, l'autre faisait aussitôt de même ; si elles se mettaient à tourner, elles ne tardaient pas à s'imiter. Et elles n'étaient pas dans des endroits différents, séparées par un abîme d'incompréhension, mais du même côté. Différentes et égales, comme une image et son reflet. Ni l'une ni l'autre ne voulaient souffrir.

Soudain, le ciel et la terre changèrent ; le figuier qu'elle apercevait par-dessus la clôture n'était plus le même, les nuages ne ressemblaient plus à ceux de tout à l'heure, toutes les créatures se mouvaient comme si elles étaient remplies d'or pur et radieuses. Elle songea qu'elle avait en elle le pouvoir de tout faire sien. Cet enfant était sien, et Javi pouvait être sien, pour peu qu'elle le voulût. Il lui apparut qu'elle n'avait qu'à le choisir lui aussi pour qu'il fût contraint de lui obéir.

Il se peut que je t'attende, dit-elle à Isma en lui mettant dans les mains une tartine de saindoux. En de pareils moments, Reme était semblable à un oiseau, astucieuse, défiante et rapace. Elle revenait sans cesse à sa rengaine. Il devait manger. Non pas un peu, sans appétit, en prenant ces airs qui faisaient peine, mais sauvagement, engloutir des poulets et des lapins entiers, comme font les serpents. Avant de te marier avec moi, lui dit-elle en prenant une pose de mannequin, il faudra que tu te montres capable de t'occuper d'une femme. Isma la regarda, la gorge nouée. Les jupes de Reme voltigeaient, étroitement serrées à la taille ; quand elle se penchait au-dessus du feu et goûtait la nourriture avec une cuillère, une mèche de cheveux glissait sur son oreille et il pouvait voir de côté, sous le chemisier, le frémissement de ses seins. Et ce n'est pas facile, loin de là, poursuivit-elle, parce que les femmes sont folles. Elles veulent toutes vivre dans une maison en or.

Ses yeux étaient pleins d'étincelles. Ils brillaient avec tant de cruauté et de douceur qu'Isma ne pouvait la lâcher du regard. Mange, au lieu de me regarder, lui dit Reme, et elle poursuivit aussitôt son numéro. La première chose qu'elle ferait quand elle se marierait, ce serait de demander par courrier les catalogues. Mais elle ne ferait pas comme madame Benilde, qui se contentait de les feuilleter, elle passerait toute la journée à commander une chose après l'autre. Il n'y aurait pas de femme plus capricieuse qu'elle et il devrait travailler sans arrêt, à toute heure du jour, pour lui passer tous ses caprices. Elle arrangea les mèches de cheveux sur son front et ajouta : Nous serons comme Andreona et Quico.

Isma s'arrêta devant la rigole pour observer l'eau qui semblait courir au fond d'une gorge. Il vit Quico, occupé à arroser le maïs. Il s'approcha de lui en donnant des coups de pied dans les cailloux. Tu es beau comme un sou neuf, lui dit

Quico en posant la main en visière au-dessus de ses yeux pour se faire de l'ombre. On dirait que tu vas au bal. Reme venait de le peigner. Il était passé à la boulangerie, mais s'était vite lassé parce que Reme avait des clients. Au moment où il sortait, elle l'arrêta devant la porte, le peigne à la main. Viens, tu as l'air d'un oursin, et, l'emmenant dans la cour, elle prit le temps de le coiffer. Regarde, lui avait alors dit Reme en sortant une lettre de son tablier, Andreona m'a écrit. Reviens un peu plus tard, on la lira ensemble. Quico se remit au travail. L'eau glissait entre les sillons et il la guidait adroitement à l'aide de la houe. Elle courait, pleine d'entrain, arrachant les petites pierres et formant une écume marron. Le vent agitait les feuilles de maïs, qui se cognaient les unes contre les autres avec un bruit métallique. Il entendit chanter un chardonneret. Il en avait entendu chanter un, avec Reme, pendant qu'elle le coiffait. Je crois que c'est un chardonneret, lui avait-elle dit en approchant les lèvres de son oreille. Ils étaient restés immobiles pendant un moment à attendre qu'il chantât de nouveau. Et voilà que celui-ci recommençait, lui, mais d'un autre endroit. Il crut l'apercevoir dans l'un des arbres proches de la citerne. Il était perché très haut, à l'extrémité d'une branche, mais on ne pouvait distinguer ses couleurs parce qu'elles étaient dans l'ombre et se confondaient avec les contours des feuilles. Il se souvint de l'un des chardonnerets de don Abelardo, le maître. Reme et lui allaient le voir et le maître était fier de leur montrer à quel point l'oiseau était habile. Il lui avait construit une cage. D'un côté, il y avait une charrette en miniature qui contenait les graines, attachée à une ficelle. Le chardonneret devait tirer sur la ficelle avec son bec, retenir l'anneau intermédiaire avec sa patte, tirer de nouveau sur la ficelle, et ainsi de suite, jusqu'à ce que le grain fût à sa portée. Une autre ficelle était attachée à un petit seau rempli d'eau, et l'oiseau devait faire de même pour boire. Don Abelardo disait que l'adresse des chardonnerets était connue depuis l'Antiquité. Celui-là était mort au cours de l'hiver. C'était son oiseau préféré et il avait eu une peine telle que sa bouche s'était couverte de cloques. Les enfants n'avaient pas eu classe pendant trois jours, et on leur avait dit qu'il était souffrant. Et il l'était, mais d'une maladie de l'âme. Ni les dons ni l'intelligence ne peuvent rien contre ces maladies-là, leur avait-il expliqué par la suite. Reme avait été au courant de tout parce que doña Carmen, la femme du maître, en avait parlé au village. Elle haïssait les oiseaux, et celui-là en particulier. Reme pensait qu'elle en était jalouse. Don Abelardo l'appelait Nabuco, parce que son autre passion était la musique.

Il remplissait la maison d'oiseaux, et doña Carmen le menaçait de les lâcher tous. D'après elle, il n'y avait déjà que trop de créatures de Dieu sous son toit. Elle disait ça parce qu'elle avait sept enfants et que, malgré son âge, elle était chaque année enceinte. Ce n'est pas possible, se lamentait-elle devant madame Benilde, c'est la faute de ces oiseaux. D'après elle, don Abelardo s'excitait en observant leurs effusions, ce mélange de résolution et d'égarement avec lequel ils évoluaient dans leurs cages, et après, la nuit, il ne la laissait pas en paix. Je suis sûre qu'ils l'incitent à la luxure. Doña Carmen soutenait aussi que c'étaient eux qui le distrayaient, l'empêchaient de se concentrer sur ses livres. Parce que don Abelardo, après ses classes, devait étudier. Il était galicien, et son école dépendait d'une association de bienfaisance. Doña Gregoria avait cédé le terrain qu'occupait l'école et finançait son entretien, mais don Abelardo gagnait un salaire de misère et aspirait à devenir instituteur dans une école d'État. Voilà pourquoi il préparait le concours d'admission et s'enfermait tous les jours après les classes dans le grenier de la maison. Pour étudier, à ce qu'il prétendait. Mais doña Carmen le soupçonnait de passer ses heures libres à dorloter et à observer les oiseaux au lieu de travailler et n'était pas étonnée qu'il fût recalé une année après l'autre.

Quico s'était enfoncé dans le champ de maïs. Il portait un foulard noué autour du cou et se déplaçait dans l'étang vert des plantes qui lui arrivaient à peine au-dessus des hanches.

C'était un véritable géant et sa force physique allait de pair avec sa taille exceptionnelle. Il buvait plus que de raison et, en dépit de son tempérament paisible, il était capable, sous les effets de l'alcool, de se livrer à des actes tout à fait inconsidérés. Les garçons le savaient et, après l'avoir poussé à boire, ils lui lançaient toutes sortes de défis, comme soulever une charrette pleine de foin, dont il sortait toujours vainqueur.

Tout cela, c'était avant qu'Andreona fût entrée en scène. Depuis, il était devenu aussi lent et balourd que les vaches, et il avait cessé de boire. Les gars l'appelaient quand il passait devant le bar, mais il ne tournait même pas la tête, comme s'il se préparait à une épreuve décisive et ne devait plus gaspiller son temps ni ses forces pour quoi que ce fût qui ne la concernait pas. Quelle était cette nouvelle épreuve ? Andreona l'avait su, elle, dès le premier moment, et lui demandait une chose après l'autre, souvent sans aucun besoin réel, seulement pour voir jusqu'où il pouvait aller. Quico ne rechigna jamais à la satisfaire, si bien que, brusquement, elle eut peur. Elle comprit que Quico ferait sans hésiter n'importe quoi pour elle. Même la pire des atrocités, car il ne pouvait qu'être absous, dès lors que c'était elle qui le lui avait demandé. Elle voulut reculer, mais il était trop tard.

Leurs fiançailles furent un véritable événement au village. Nul ne pouvait y croire, car Andreona était une belle fille qui avait une ribambelle de prétendants, et Quico un homme avare de paroles et pas très dégourdi. On les vit pourtant un après-midi passer bras dessus bras dessous. Dans l'entourage d'Andreona, on s'émut, et ses amies tâchèrent de la ramener à elle, mais elle les regarda avec une expression de lassitude. Elle devint inquiète et craintive, et n'importe quelle anicroche la faisait pleurer. On eût dit que cet amour lui faisait peur. Ce fut Chuchi qui vint raconter que Quico la portait dans ses bras sur le bord de la rivière. Il était près de la fabrique de farine quand il les avait vus longer le talus. Ils s'étaient arrêtés, Quico avait soulevé Andreona et était reparti en la portant dans ses bras. Personne ne voulut le croire, mais les garçons allèrent à la rivière le lendemain et confirmèrent ensuite ce que Chuchi avait dit. Peu à peu, les autres les virent aussi. Quico ne regardait même pas autour de lui. Ils arrivaient au pont du moulin, et il prenait dans ses bras Andreona, qui lui demandait juste une seconde pour enlever ses chaussures. Puis elle les portait dans sa main avec le plus grand soin, comme si elles étaient remplies de l'eau la plus pure et qu'elle craignait de la répandre en faisant un faux mouvement.

Quico continuait d'arroser, et Isma le suivit jusqu'à la citerne. À la surface glissaient les araignées d'eau. On aurait dit des insectes follets qui ne pensaient qu'à s'amuser. Andreona a écrit à Reme, lui dit-il. Quico s'arrêta, la seule mention de ce nom semblait lui causer une douleur profonde. Elle lui dit, ajouta Isma, bien qu'il n'eût pas lu la lettre, qu'elle pense beaucoup à toi. Il reporta son attention sur les araignées d'eau, qui se poursuivaient maintenant en dessinant des cercles, touchant à peine le léger voile de l'eau, et paraissaient se moquer de tout. Isma les observait en retenant son souffle. Le chardonneret chanta de nouveau et, cette fois, il en entendit un autre lui répondre. Ils recommencèrent plusieurs fois de suite, chacun attendant que l'autre eût fini pour donner de la voix. Leurs chants semblaient ardents et tendres, comme s'ils échangeaient des messages secrets. Il s'approcha une fois encore de Quico et lui demanda des nouvelles de Tasio. C'était un de ses cousins à qui il allait parfois prêter main forte, même s'ils finissaient toujours par se disputer, parce que Quico lui reprochait de ne pas vouloir travailler. Ce qui plaisait à Tasio, c'était la pêche. Il entrait dans les rivières et les ruisseaux et pêchait les écrevisses et les poissons à la main. Chaque fois qu'il tenait une proie, il lançait un regard triomphant à ses compagnons, les yeux brillants comme des lustres.

Je crois qu'il est au Cercado, lui dit Quico en retournant la terre avec la houe. Isma remarqua que tout ce qu'il faisait maintenant, c'était noyer le terrain. Quico était déchaussé et ses pieds s'enfonçaient dans la boue couleur chocolat, où de minuscules filets d'eau s'ouvraient un passage. Quand les pieds nus l'écrasaient, une pâte molle apparaissait entre les orteils. Ensuite, l'eau remplissait le creux laissé par le talon.

Dans l'éloignement, on apercevait le canal bordé de peupliers et de pommiers et, plus loin encore, les contreforts des montagnes. Ils formaient une chaîne de petites hauteurs parsemées de buissons. Un chemin de sable blanc serpentait dans leur direction et se perdait au loin. Les terres semées d'orge abondaient. Leur couleur était plus claire que les terres à blé, plus nombreuses aux abords de la route. Quico s'attarda à regarder avec inquiétude le ciel couvert. On n'avait plus besoin de pluie à présent. La moisson était proche et l'humidité la retarderait et empêcherait les épis de grener. Il faudrait qu'il pleuve, murmura Quico, comme s'il ne savait pas ce qu'il disait. Il ne parlait guère et pouvait laisser passer des après-midi entiers sans dire un seul mot. Était-ce nécessaire ? Quico devait croire que non. Les mots n'étaient pas bons à garder les odeurs, ni à expliquer pourquoi on avait faim ou besoin d'être en compagnie de quelqu'un. Ils n'étaient pas davantage bons à arroser le maïs ou à surveiller le bétail. Plus encore, mieux valait travailler en silence. En cela, il ne différait pas des animaux, qui ne parlent pas non plus. Les premiers mois de son mariage, Andreona disait souvent en plaisantant que vivre auprès de lui c'était un peu vivre en compagnie d'un veau. D'un veau qui se serait habitué à entrer dans les maisons et à manger à table avec les hommes. Un veau qui aurait épousé une femme. Elle le disait en souriant, légèrement stupéfaite, semant de longs silences dans la conversation, comme si le bonheur était quelque chose de trop étrange pour que l'on pût en parler.

Un soir, Andreona était venue voir Reme à la boulangerie et lui avait raconté ces choses-là tout en préparant des biscuits. Reme l'écoutait, les yeux brillants, cherchant apparemment à s'imaginer ce que pouvait être une telle vie. Une vie où un homme l'aimerait avec une détermination aveugle, mû par des forces qui ne lui appartenaient pas et qu'il ne pouvait contrôler. Comme s'il existait une loi suprême à laquelle il fallait forcément se soumettre. Isma, à plat ventre par terre, le menton dans ses mains, écoutait la conversation. Reme baissa les yeux sur lui et lui sourit. Moi aussi je vis avec un petit veau, dit-elle en ouvrant ses bras pour l'inviter à venir la rejoindre. Isma ne fit qu'un bond et se réfugia dans son giron. Toutes les deux rirent aussitôt. Andreona lui fit des chatouilles. Ah, si tu n'étais pas aussi pitchounet ! Reme le serrait très fort et il sentait la pression de ses seins. En s'écartant, il regarda le tissu qui les couvrait. Chuchi lui avait dit que toutes les femmes avaient les seins pleins de lait et qu'il suffisait de les presser un peu pour le faire sortir. Que souvent, quand elles partaient en courant, c'était parce que ça leur arrivait et qu'elles avaient honte d'être vues comme ça. Reme portait un tablier à carreaux, tout poudré de farine, et Isma le toucha à la hauteur de la poitrine. Hé, fit Reme en souriant, mais quel petit effronté ! Andreona rit et devint aussi rouge que si l'on avait allumé un feu dans un des coins de la pièce.

Il vit Quico, accroupi, lui faire signe de ne pas bouger. Trop tard. Ils entendirent un fort claquement de toile qui se déchire, puis une vibration, un froissement d'ailes. Un énorme hibou sortit d'un arbuste et s'envola vers le ciel. Saleté de hibou ! bougonna Quico. Ils le regardèrent s'élever lourdement et gagner en légèreté à mesure qu'il montait. Il traversa la route, en direction de la rivière. Très loin, presque à l'horizon, on apercevait la rangée de poteaux soutenant les nouveaux fils électriques. C'étaient Javi et ses compagnons qui les installaient, et même s'il ne voyait personne, Isma se dit qu'ils devaient être par-là, à travailler dans le coin. La semaine précédente, Javi avait passé deux après-midi à la boulangerie. Il s'asseyait à côté de lui à la table et pendant que Reme faisait son travail, ils jouaient tous les deux aux cartes. Le dernier après-midi, ils avaient joué tous les trois. Quand Javi était parti, Reme avait modelé un petit bonhomme avec la pâte à pain qui restait, écrit son nom dessus et dit des paroles étranges, comme le faisaient les sorcières, avant de le mettre au four. Ils n'avaient pas bougé jusqu'à ce qu'il fût cuit. Maintenant, lui avait dit Reme en prenant une voix grave et en faisant les gros yeux, mais il voyait bien qu'elle se retenait à grand peine de rire, il va falloir qu'il nous obéisse. Et ils l'avaient mangé. Ce samedi-là, ils s'étaient donné rendez-vous pour aller danser.

Quico, maintenant assis près de la citerne, roulait une cigarette. Donne-moi une bouffée, lui dit Isma. Le goût était beaucoup plus fort que celui des cigarettes que fumait Reme, et il se mit à tousser. Quico resta là à le regarder d'un air perdu et absent. Il fumait d'une drôle de manière, parce qu'il gardait toute la fumée qu'il avalait à l'intérieur de son corps. Il s'allongea ensuite dans l'herbe. Comme le bétail, il paraissait encore plus grand couché que debout. Bon, je m'en vais, fit Isma en époussetant son fond de pantalon. Quico ne lui répondit pas. Il resta étendu, les yeux fermés. Isma se souvint de ce qu'avait raconté un soir Andreona. Parfois, quand elle se réveillait en pleine nuit, Quico n'était pas à côté d'elle. Elle le cherchait dans toute la maison, et le trouvait dans les endroits les plus inattendus. Une fois, elle l'avait découvert par terre, dans la cuisine, comme s'il n'avait pas besoin d'un lit pour dormir. Et après les avoir regardés, lui et Reme, d'un air profondément accablé, elle avait ajouté : Ça me fait de la peine, de le voir comme ça. Il me semble que je devrais faire quelque chose pour l'aider, mais je ne vois pas comment, et il ne me dit rien.

Il alla à l'enclos de don Andrés. Tasio trayait les vaches. Le lait sortait avec force quand il tirait sur les pis et formait une écume blanche. Il donnait des envies de se mettre à quatre pattes et de plonger la tête dans le seau pour boire. Quand il put en détacher les yeux, il s'approcha de Tasio et l'interrogea sur Ventura le Boiteux et sur ce que Jandri lui avait raconté. Tasio le regarda avec une expression étonnée. Jandri m'a dit, insista Isma, que doña Gregoria a des menottes, et que quand tu étais petit elle t'avait fait attacher avec par Ventura le Boiteux. Tasio remplaça le seau plein par un seau vide. Il avait l'air de vouloir gagner du temps en cherchant ce qu'il pourrait bien dire. Jandri est un peu malade de là, fit-il en se touchant la tempe. Les seaux étaient pleins et Tasio les porta à la fromagerie. Ils ne se dirent rien d'autre. Le lait tremblait dans l'ouverture des seaux comme un être vivant. Il fallait le battre très fort jusqu'à ce que se forme le caillé. Alors, on le pressait dans un linge. L'odeur aigre, les caillots d'une blancheur incomparable qui contrastaient avec la crasse des mains lui donnèrent vaguement mal au cœur.

En fin d'après-midi, il alla voir la partie de pelote. La tension était grande. Pour répondre au défi que leur avaient lancé Javi et Jesu, les gitans avaient invité un étranger. Au village, personne ne le connaissait. Il était arrivé à bicyclette au milieu de l'après-midi et, avant la partie, il avait étudié le terrain. Les irrégularités du mur de l'église contre lequel ils allaient jouer, celles du sol où rebondirait la balle. On apprit seulement son nom, Penicilina, quand les autres gitans arrivèrent. Ils se saluèrent en se donnant des accolades affectueuses, et une grande jovialité régna aussitôt entre eux. Javi et Jesu les regardaient, irrités. Surtout Jesu, qui voyait en cette insouciance une forme de dédain. Ils vont pleurer, tout à l'heure, fit-il entre ses dents quand un des gitans se mit à chanter et les autres à l'encourager. Penicilina, cependant, ne participait guère aux réjouissances. Son expression était grave et à chaque instant il se détachait du groupe et retournait examiner le mur, s'y collant, le regardant d'en bas, ou allant s'accroupir à des distances diverses. Les enfants le regardaient faire, étonnés. Chuchi et Juan Pototo s'accroupissaient eux aussi pour essayer vainement de comprendre le sens de ces gestes.

La partie fut d'emblée sans merci. Jesu et Javi mirent en jeu toute leur habileté et leur acharnement, mais ils s'aperçurent vite qu'ils avaient sous-estimé leur rival. C'était à peine si Penicilina devait courir pour attraper la balle, qui se précipitait et revenait dans ses mains comme attirée par un aimant. Ses compagnons intervenaient rarement dans la partie. Ils le suivaient partout et, quand il marquait un point, s'élançaient vers lui et faisaient claquer leurs talons. Il semblait impossible qu'un pareil échalas pût fournir une telle énergie, et Javi eut beau se donner à fond, les points s'accumulèrent contre lui. Les filles, qui n'avaient pas cessé de lancer des encouragements à Javi et Jesu, se turent bientôt, certaines qu'ils allaient perdre. Seul Jesu refusait de l'admettre, s'entêtait à renvoyer des coups impossibles, sans se rendre compte que le gitan était le seul joueur sur le terrain, qu'un seul effort de sa part suffisait à les priver de tout recours. Il aurait pu les battre les yeux fermés.

La partie terminée, ils allèrent au bar. Jesu était effondré et Jandri riait sans discontinuer, comme s'il fêtait la victoire des gitans. En fait, c'était bien ce qu'il faisait, et il avait désiré dès le premier moment qu'ils fussent victorieux. Jesu était son rival. Il avait jeté son dévolu sur Rosarito aussitôt arrivé au village, et c'était pour ça que Jandri le détestait. Le voir humilié compensait d'autres offenses. Javi, lui, ne se sentait même pas vexé, peu lui importait d'être battu. De plus, le jeu du gitan l'enthousiasmait. Ce Penicilina n'a pas son pareil, ne cessait-il de répéter. On l'appelait ainsi parce que la pénicilline lui avait sauvé la vie quand il était petit. Il souffrait d'une maladie très grave. Ses mains étaient délicates, avec une peau très fine, il devait les bander après chaque partie, parce que, comme le raconta Jandri un peu plus tard, il avait une maladie bizarre et elles lui faisaient terriblement mal pendant des jours et des jours. Rien ne calmait cette douleur. Pourtant, il ne pouvait se passer de jouer. C'était seulement pendant qu'il lançait la pelote et se mesurait à ses adversaires qu'il cessait d'être un malheureux. Isma ne savait pas si c'était vrai ou s'il s'agissait encore d'un mensonge de Jandri, mais la première chose que fit Penicilina en entrant dans le bar, ce fut de demander de l'eau avec des glaçons et de tremper ses mains dans la cuvette. Les enfants s'étaient attroupés autour de lui au moment où il avait commencé à les bander et il les leur avaient tendues pour qu'ils pussent les toucher. Jamais Isma n'avait senti une peau aussi fine.

Ils étaient chez Martiniano quand les filles entrèrent. Elles ne mettaient pas les pieds dans les bars, d'habitude, mais Rosarito avait agi sur un coup de tête et les autres s'étaient précipitées à sa suite. Leurs robes, agglutinées devant le comptoir, ressemblaient à une masse de plumes ondulante. Le silence se fit dans le bar. Jandri s'approcha de Rosarito et lui dit de sortir de là, mais elle fit la sourde oreille. Nous voulons un soda, dit-elle en regardant Jesu dans les yeux. Un gitan dit qu'il les invitait, ce qui jeta de l'huile sur le feu. Ce fut Javi qui calma les esprits. Il demanda un peu de calme, et déclara que c'était un jour particulier, et que Jesu et lui offraient à boire à tout le monde. Puis il se mit à faire son numéro à la barre. Il y avait une poutrelle qui traversait le local d'un côté à l'autre, il se pendait à l'une des extrémités et faisait à la seule force de ses bras l'aller-retour. Tous s'y essayaient, mais les rares concurrents qui réussissaient à effectuer le parcours dans un sens se révélaient incapables de le faire dans l'autre sans poser pied à terre. L'atmosphère se détendit avec ces démonstrations de force ; toutefois, le calme ne se rétablit complètement que quand les filles eurent bu leur boisson gazeuse et sortirent dans la rue. Un peu plus tard, ils les virent sur la place. Elles se tenaient devant l'église, sous les acacias, et elles regardèrent les garçons du village par-dessus leurs épaules. Elles se donnaient un air important, comme si elles attendaient quelqu'un qui tardait à venir, ou quelque chose qui n'arrivait pas.

Isma était déjà rentré à la maison quand en glissant les mains dans ses poches il trouva les boucles d'oreilles de Reme. Elle les avait mises pour aller regarder la partie de pelote, mais elles lui faisaient mal et elle les lui avait confiées. Tiens, garde-les moi, je n'ai pas de poche. Il décida d'aller les lui rapporter. Je reviens, dit-il à Pilar, qui s'apprêtait à donner à manger à la petite. La bouillie était brûlante et l'enfant somnolait, écarlate, derrière la vapeur tournoyante. Dans la rue, il se mit à courir. Il se sentait léger comme une plume. Le vent lui rafraîchissait le visage et les jambes et il lui semblait que s'il avait soufflé un tout petit peu plus fort, il n'aurait eu qu'à ouvrir les bras pour se mettre à voler. Il entendit des chuchotements. Reme était avec Javi. Ils fumaient devant la porte. Javi gesticulait et Reme le regardait, captivée. Ah, tu es là, murmura-t-elle, légèrement désappointée. Javi leur dit au revoir et s'en alla. Il faudra que nous parlions, toi et moi, lui dit-elle tout bas. Je voudrais que tu m'aides à faire quelque chose. Ils s'assirent sur les marches et regardèrent les étoiles. Reme était particulièrement caressante. Elle se serrait contre lui et à tout moment lui donnait des baisers et lui soufflait à l'oreille. Isma riait. Il sentait la chaleur de son corps et son souffle entrer et sortir de sa poitrine comme si deux ailes l'éventaient. Isma lui rendit les boucles. Ah, j'avais oublié, fit-elle, et elle les fit jouer dans sa main, qu'elle tendit ensuite devant elle, paume ouverte. Elles brillaient, tels de petits éclats d'étoiles. Nous devrions partir, lui dit-elle. Dans une ville. Javi m'a dit qu'il pourrait me trouver du travail et qu'avec ce que je gagnerais j'aurais de quoi louer une maison pour moi toute seule. Elle resta un moment à le regarder. Bon, se reprit-elle, et pour toi aussi. Nous nous enfuirions tous les deux. Sa voix ténue et légère paraissait venir d'un puits profond. Chut, fit-elle brusquement. Ils entendirent un bruit étrange, métallique. On aurait dit que quelqu'un donnait des coups avec une barre de fer. Qu'il était en prison et cherchait à s'évader.

Comme il rentrait à la maison, Isma perçut derrière lui un bruit de pas. Il se retourna vivement et crut voir dans l'obscurité un éclat blanc. Il pensa à ce gitan, Penicilina, et se dit que l'éclat provenait peut-être de ses mains bandées, mais il eut beau rester un bon moment à scruter l'ombre qui l'environnait, il ne put le distinguer. Pilar était dans la cuisine. Tu devrais monter voir le père Bernardo, lui dit-elle. Il a demandé après toi. Mais il s'assit devant la table, les yeux rivés sur le feu. Felipón le tira par la manche. Viens, Isma, on va se coucher. Sa voix semblait venir de loin, être passée à travers les murs. Allez, on va se coucher, insista-t-il. Il le regardait avec une expression de panique. Quand ils arrivèrent devant le lit, Felipón l'aida à se déshabiller. Il ne sentait pas son bras, sa bouche et son cou étaient pleins de bave. Felipón l'essuya avec un mouchoir, et lorsque les contractions du pied commencèrent, il se jeta sur lui et l'immobilisa. Ne fais pas ça, lui dit Felipón, prêt à pleurer. Il avait onze ans, cinq de plus qu'Isma, mais c'était Isma qui devait le rassurer. Surtout la nuit, quand il avait peur de l'obscurité et que le moindre bruit le faisait sursauter. Felipón s'endormit aussitôt, mais Isma fut long à trouver le sommeil. Il ne pouvait détacher ses pensées de Penicilina, ni de ce que Jandri leur avait raconté à propos de ses mains, qui le faisaient terriblement souffrir mais ne pouvaient pourtant l'empêcher de jouer. Il se dit que lui aussi était peut-être réveillé en ce moment, à cause de la douleur.

# 3

Ils frappèrent à la porte et entendirent des pas à l'intérieur de la maison. Puis, aussitôt, la voix de Marta la Pétoche demanda qui c'était. C'est moi, répondit Rafa. La petite était malade et Pilar les avait envoyés demander à don César, le médecin, quand il pourrait les recevoir. Don César avait un sabre accroché au mur de l'entrée, et Ernesto, le plus petit d'eux trois, en avait souvent entendu parler. C'était pour ça qu'en apprenant où Rafa et Isma allaient, il avait fait des pieds et des mains pour les accompagner. Tu vas voir Marta la Pétoche, s'était empressé de dire Rafa pour le décourager. Mais Ernesto ne s'était pas laissé embobeliner.

Le sabre avait une poignée dorée et sa longue lame glissait sur le mur comme un éclair aveuglant. En le regardant avec un peu d'attention, on voyait les taches rouges. Elles étaient près de la pointe, et don César avait dit à Rafa que c'était du véritable sang, que son grand-père s'était battu en duel. Marta la Pétoche se montra dans l'entrebâillement de la porte. Son visage, dans la pénombre, était violet, d'un violet sombre, où la colère se concentrait dans le regard. Qu'est-ce que vous voulez ? leur demanda-t-elle. Ils blêmirent tous les trois. Voir don César, répondit Rafa. Ernesto s'était caché derrière Isma en s'agrippant très fort à ses jambes. On racontait que Marta la Pétoche avait une cage chez elle et que, quand elle rencontrait un garçon dans la rue, elle l'entraînait, l'y enfermait et l'affamait ensuite, parce qu'elle voulait qu'il meure pour le mettre à sécher dans la cour et garder son squelette. Quand ils ne voulaient pas manger, voilà ce que leur disait Pilar. Je vais appeler Marta la Pétoche pour qu'elle vous mette dans sa cage.

Maintenant, il ne peut pas sortir, dit-elle aigrement, et elle leur claqua la porte au nez. Ils restèrent sur place, incapables de prendre une décision. S'ils retournaient à la maison sans avoir fait ce que Pilar leur avait demandé, elle se fâcherait, et s'ils frappaient encore une fois à la porte, ils risquaient le pire. Ils regagnèrent la rue. Il faisait très chaud ; un chien s'approcha d'eux craintivement en inclinant la tête de côté. Il avait l'air de leur dire qu'il ne savait plus où il était. Ernesto le caressa. Cette salope va me le payer, murmura Rafa, qui n'avait pas encore réagi. Il retourna à la porte du docteur, sur laquelle il se mit à tambouriner. Vive nos frères américains ! cria-t-il. Isma l'attrapa par le bras et partit en courant, sachant que la riposte de Marta la Pétoche n'allait pas se faire attendre. Cette phrase la mettait en fureur, parce qu'elle avait fait d'elle la risée du village. Marta la Pétoche était devant l'école quand était arrivée la première camionnette de lait en poudre et de fromage de l'Aide américaine, et, en voyant les caisses énormes que l'on déchargeait, pleines de lait et de fromage pour les enfants, qu'elle aimait en fait irrésistiblement, emportée par l'émotion, elle s'était écriée : Vive nos frères américains ! au milieu de la stupéfaction générale. Elle s'élança à la poursuite de Rafa comme une furie et ils durent s'enfuir en courant à toute vitesse. Ensuite, comme ils l'avaient prévu, ce fut Pilar qui se fâcha. Elle s'en prit à Rafa. Tu n'es bon à rien, fit-elle en lui tirant les cheveux. Elle souleva la petite, qui avait une forte fièvre et, la tenant dans ses bras, alla trouver elle-même don César.

Après le déjeuner, ils allèrent se baigner à la Quebrada. La Quebrada était un pont de planches et de cordes, au-dessus d'énormes blocs en ciment dressés dans le lit de la rivière ; sans doute avait-on un jour voulu jeter là un pont, sans jamais le terminer. Ils se baignaient à cet endroit, le plus profond de la rivière. La grande discussion de l'après-midi, c'était la partie de pelote. Ce Penicilina est un génie, disait le Rat, tout en tirant des pierres à Chuchi, de toutes ses forces, en essayant de l'atteindre. Et Chuchi faisait ce qu'il pouvait pour les éviter. Mais quand il fut frappé à la jambe, il se mit à pleurer. Tu es une nouille, lui dit Felipón. Toutefois, quand le Rat se dirigea vers les piliers pour sauter dans l'eau, Chuchi le suivit en reniflant. Il avait la peau rêche, sombre, et il se jetait à l'eau comme un chien perdu. Chuchi ! cria Ernesto, d'en haut, fais le chien ! Et Chuchi se mit à aboyer. Nino était assis sur le pont, jambes pendantes, et les balançait d'un côté à l'autre. Elles bougeaient comme des roues de vélo. Il vit les filles arriver. Ennemi en vue ! lança-t-il en faisant un porte-voix de ses mains. Ils leur envoyèrent ce qui leur tombait sous la main, des algues, de la vase, des grenouilles à moitié pourries. Les filles s'arrêtèrent sur le talus. Les projectiles volaient dans leur direction mais n'arrivaient pas à les atteindre, parce qu'elles étaient trop loin. Les petites comme les grandes les regardaient avec une expression de dignité offensée. Descendez ! leur cria Chuchi qui, plus agité que jamais, se lança aussitôt dans l'eau. Il doit être enragé, dit le Basque, que les démonstrations de Chuchi mettaient toujours mal à l'aise. Chuchi était remonté sur un pilier et sautait de l'un à l'autre sans cesser d'aboyer et de gesticuler, si bien que l'on aurait dit qu'il avait vraiment la rage. L'une des filles ne put s'empêcher de rire. On voyait bien qu'elles mouraient d'envie de se baigner. Venez, insista le Rat, on ne vous fera rien.

Il y avait une nouvelle. Qui c'est ? demanda Rafa, qui avait gagné la rive avec le Rat. Elles lui dirent seulement qu'elle s'appelait Conchita et que c'était la cousine d'Antonino. Elle est de Madrid. Sole et Isa gardèrent leurs culottes et coururent vers la rivière. Les autres les imitèrent aussitôt. Elles entraient dans l'eau peu à peu, la tâtaient d'abord du pied, contrairement à eux, qui le faisaient brusquement, comme s'ils vou-

47

laient fendre le courant. Il ne resta sur la rive que la nouvelle. Tu n'y vas pas, toi ? lui demanda le Rat. La fille hésita quelques instants, puis fit glisser sa robe par-dessus sa tête et resta en culotte comme les autres. Ses petits seins pointaient et son corps était d'un blanc crémeux. Rafa et le Rat remarquèrent alors que son visage avait une expression curieuse, de supériorité et de dédain ; elle donnait l'impression de savoir des choses qu'elle gardait pour elle.

Les filles ne se mêlèrent pas à eux. Elles barbotèrent un peu dans l'eau, puis se rhabillèrent en vitesse et escaladèrent le talus, les plus petites avançant par à-coups derrière les autres, comme le font les poussins quand ils suivent leur mère. On se verra plus tard ! leur cria Rafa en agitant sa main levée. Les garçons avaient décidé de rester encore un peu, mais Isma en eut vite assez. Je vais voir Mme Maura, dit-il à Felipón. Il monta le talus en courant et rattrapa les filles sur l'aire de Millán. Elles s'étaient arrêtées pour regarder les canards, qui avançaient avec l'expression étourdie que leur donnaient leurs becs plats et leurs joues rebondies. Bonjour, Sole, dit-il à l'une d'elles en la dépassant. Sole était une cousine germaine, et elle lui répondit en agitant son petit mouchoir rouge, faisant semblant de lui dire adieu pour toujours, comme au cinéma. La nouvelle se tourna aussi vers lui. Il perçut de nouveau dans ses yeux une profondeur et une sorte de recul dédaigneux, très semblable à celui des oiseaux à l'instant où ils prennent leur essor.

Il allait vers la place, quand il se souvint que le père Bernardo l'avait demandé et changea de direction. Le père vivait dans deux pièces, à l'étage de la maison de Pilar. En fait, la maison était à lui, et il les hébergeait ; en échange, Pilar lavait son linge et le nourrissait. Il sortait à peine de ces deux pièces, où régnait le plus grand désordre, parce qu'il refusait tout nettoyage. Pilar devait profiter des rares moments où il s'absentait pour donner un coup de balai, ce qui le mettait ensuite dans des colères noires. Ce n'étaient que livres empilés de tous les côtés, chapelets d'aulx, vieilles chiffes, chandelles à demi consumées. Parfois, l'odeur qui y régnait était insupportable, lorsqu'il se soulageait le ventre et oubliait de demander que l'on vide le pot de chambre, glissé sous le lit. Il était franciscain et, avant de revenir au village, avait vécu de nombreuses années en Terre sainte, d'où il avait été expulsé, disaient les uns, pour des raisons de santé, disaient les autres.

Isma frappa à la porte et don Bernardo lui dit d'entrer. Il était au lit, enfoui sous les couvertures, et seuls ses yeux et quatre touffes de cheveux blancs en dépassaient. Vous n'allez pas vous lever ? lui demanda Isma. Il y avait près d'un mois qu'il ne l'avait pas fait. Je suis bon pour la refonte, dit le père. Mais l'énergie, dans son regard, semblait affirmer le contraire. En fait, il se levait en cachette et, au moindre bruit, regagnait son lit en un éclair. Pilar m'a dit, ajouta Isma en allant ouvrir la fenêtre, parce que l'air de la chambre était irrespirable, que vous vouliez me voir. Les yeux du père roulèrent du côté de la fenêtre, clignant à cause de la lumière. Le soleil n'allait pas tarder à se coucher. Tout était calme, baigné d'une lumière étincelante et métallique, et les bêlements des brebis qui rentraient au bercail leur parvenaient de la rue. Le père ne répondit pas. Isma ramassa quelques livres éparpillés autour du lit et les empila à côté de la table de nuit. Bon, dit-il en s'approchant de la porte, si vous voulez quelque chose, faites-moi appeler. Il l'entendit marmotter son sermon. Il est semé corruptible, il ressuscite incorruptible. Il est semé méprisable, il ressuscite glorieux. Il est semé infirme, il ressuscite plein de force ; Isma dévala les marches quatre à quatre et fila à la cuisine. Le pot au lait plein était sur la table. Il regarda d'un côté et de l'autre, pour s'assurer que Pilar n'était pas dans les parages, et but en plongeant la tête dans le pot et en aspirant le lait. Il est semé corps animal, il ressuscite corps spirituel, murmura-t-il, les lèvres brillantes de lait.

Le bal avait lieu sur la place, au-dessus du bar, au premier étage. Il y avait un Pianola et un phono, que l'on faisait marcher indifféremment à la demande de la clientèle. C'était une salle étroite, avec des bancs qui couraient tout au long des murs et un petit comptoir dans chaque coin. Les mères de famille s'asseyaient sur les bancs pour surveiller leurs filles et critiquer les couples les plus intrépides, qui se faufilaient le plus souvent à l'une ou à l'autre des extrémités de la salle. Les gamins se regroupaient autour du Pianola, dont ils tournaient la manivelle à tour de rôle, pendant que les filles dansaient ensemble, sans perdre de vue leurs frères aînés, se préparant pour le grand moment où elles pourraient elles aussi virevolter dans les bras d'un garçon.

Sole dansait avec l'étrangère et, en voyant entrer Isma, elle lui fit signe de s'approcher. Elle portait une robe blanche et un nœud dans les cheveux. Le parquet était rayé et les murs pleins d'écaillures, mais elle évoluait comme si elle s'était trouvée dans la salle d'un palais. Conchita veut danser avec toi, lui dit-elle en se dressant sur la pointe des pieds. Conchita le regardait fixement, immobile au milieu de la pagaille. Sa robe était rose, parsemée de petites fleurs bleues, très ample, avec des manches bouffantes aux épaules, pareilles à de petits lampions, qui restaient impeccables, comme par miracle. Isma allait se diriger vers elles quand quelque chose le fit changer d'avis. Il lui sembla que l'étrangère le regardait avec une expression moqueuse. Je vais au Pianola, souffla-t-il. Mais Conchita lui barra le passage et le prit par la main. Elle semblait n'avoir honte de rien. Ils avancèrent jusqu'au milieu de la salle, et se mirent à danser. Isma ne connaissait pas les pas, elle prit l'initiative. C'est moi qui conduis, lui murmura-t-elle à l'oreille. C'était la première fois qu'il l'entendait parler. Cette fille doit être muette, avait dit le Rat quand elle était partie avec les autres. Conchita le dépassait d'une tête. Elle avait une queue-de-cheval qui semblait animée de mouvements propres, comme celle des animaux, et une odeur de liseron. Il vit Reme arriver avec Gabina et Marta ; derrière elles entrèrent les garçons. Parmi eux, il y avait Javi et Jesu, et celui-ci promenait encore une mine de carême signifiant qu'il ne s'était pas remis de la défaite de la veille. Ils allèrent choisir un disque et se mirent à danser.

*Dieu t'a donné la beauté céleste, María Dolores...*

Ils se déplaçaient tous en même temps, gravitant sur le parquet, et Sole avait raison, la salle était celle d'un palais.

*Tes yeux ne lancent pas des regards, mais des rayons de soleil.*

Reme dansait avec Jesu, et dans l'un de ses tours, ses yeux rencontrèrent ceux d'Isma et étincelèrent. Elle se sentait pareille à une feuille livrée au vent. Le pouvoir de la musique l'emportait, et il lui semblait par moments que ses pieds ne touchaient plus le sol et qu'ils se mouvaient seuls en l'air.

*Laisse-moi chanter pour toi, brune de mes amours.*

C'était comme flotter dans la mer, comme si une vague la soulevait tout en haut de sa crête. Il lui semblait que d'un moment à l'autre elle allait voir des calmars filer devant ses yeux.
À la fin de la chanson, elle courut vers Isma. Elle était radieuse de bonheur. Qui est cette si jolie fille ? Pour lui présenter Conchita, Isma répéta les paroles de Sole, et ajouta qu'elle était de Madrid. Reme s'approcha de son oreille et lui dit tout bas sur un ton de reproche feint qu'elle était morte de jalousie. Puis, pendant le bal, elle observa Conchita à plusieurs reprises. Elle dansait avec les uns et les autres, mais on voyait nettement que celui avec qui elle avait envie d'être, c'était Javi. Avec lui, elle se transfigurait. Elle dansait inclinée en avant, tout son corps tremblait, et la salle était un navire auquel elle aurait donné l'ordre de lever l'ancre. Elle s'était verni les ongles et portait sur la poitrine une médaille de l'Enfant Jésus. La chaîne en or se détachait sur sa peau d'une façon osée et pernicieuse.

Isma ne dansait plus maintenant avec Conchita, mais se tenait près du Pianola, et Ursi lui demanda de le remplacer à la manivelle. Il tournait et tournait et la musique montait de l'intérieur de l'appareil telle une bourrasque, une bourrasque si violente que les couples devaient lutter pour tenir debout et tanguaient, comme ivres. Reme s'approcha pour lui donner un baiser. Elle avait mis du rouge à lèvres et la marque resta sur la joue d'Isma. Essuie-toi, lui dit-elle, sinon Conchita va se fâcher. Puis elle se tourna avec coquetterie et lui demanda à l'oreille : Devine un peu ce que j'ai mis dessous. Javi l'appela de l'autre bout de la salle et elle s'éloigna en courant sans attendre la réponse. Il éprouva de nouveau le désir de la suivre, de la suivre partout où elle allait pour voir ce qu'elle faisait.

Un moment plus tard, Rafa vint se placer derrière lui. Ils sont sur l'aire, lui dit-il. Ils quittèrent la salle ensemble et, une fois dans la rue, se mirent à courir. On fait la course, cria Rafa. Rafa était plus grand que lui et il le perdit vite de vue. On voyait, au bout du chemin éclairé par la lumière de la lune, le rideau d'arbres de la rivière. Le vent agitait leur feuillage, qui frémissait en produisant un bruit mystérieux. Il pensa au père Bernardo. Pourquoi vivons-nous ? semblait dire ce bruit.

Il tourna en direction de l'aire de La Vega. Ils étaient tous là, y compris Conchita. Les joues de Rafa étaient rouges, après l'effort, et Isa lui dit qu'il avait l'air d'un crabe. Chuchi se mit à rire, Rafa lui jeta un regard assassin. Ernesto raconta alors ce qu'avait fait Marta la Pétoche, ce que Rafa lui avait crié devant la porte et comment ils s'étaient enfuis en courant pour ne pas recevoir de coups de balai. Elle filait comme un lièvre, dit Ernesto en se mettant à boiter exagérément, encouragé par leurs rires. Une voiture avait renversé Marta la Pétoche, et, depuis, elle traînait la jambe.

Le Rat s'adressa à l'étrangère. Et toi, tu as perdu ta langue ? Elle ne daigna même pas le regarder. Elle s'écarta du groupe, fit quelques pas, et les autres filles, même Sole, la suivirent. À ce moment-là, elle adressa à Isma un regard complice, qui semblait dire : Tu es le seul à qui j'ai adressé la parole. Ils étaient tous silencieux. Les filles faisaient cercle autour de l'étrangère, les garçons se surveillaient les uns les autres. Il y avait entre eux une grande tension, surtout entre le Rat, Felipón et le Basque, parce qu'ils se la disputaient tous les trois. Ce fut le Rat qui prit l'initiative. Il s'approcha des filles et chercha le regard de Conchita. Allons-y, lui dit-il. Les garçons se couchaient sur l'herbe rêche et se frottaient les parties. Ils imitaient les animaux, essayant en vain d'atteindre à l'obscur mystère qui les faisait s'accoupler.

Conchita lança à Isma un regard de côté et se sépara de nouveau du groupe. Cette fois-ci, seules les petites la suivirent. Qu'est-ce qui lui arrive, à celle-là ? jeta le Rat, contrarié. Conchita fit signe à Sole, qui se hâta de la rejoindre. Elles se parlèrent à l'oreille, et Sole revint avec le message. Elle dit que vous devez payer. Le Rat échangea avec les autres garçons un regard perplexe. Il fouilla ses poches et donna à Sole l'argent qu'il avait. Celle-ci l'apporta à Conchita, et elles le comptèrent ensemble. C'était trop peu. Elle veut un douro, dit Sole, encore essoufflée de courir d'un côté à l'autre, elle ira avec celui qui le lui donnera. Mais aucun n'avait autant d'argent. Le Rat alla vers Conchita et lui dit rudement de l'attendre. Il partit en courant vers le village. Ils entendirent le bruit de ses pas sur le chemin, jusqu'à ce qu'il se perde au loin. Tous restèrent silencieux. Deux des petites passèrent leurs bras autour de la taille de Conchita, qui regardait fixement la rangée d'arbres. On entendait toujours le bruit qu'ils faisaient, on aurait dit que quelqu'un se plaignait, derrière le rideau de feuillage.

Le Rat ne tarda pas à revenir. Il apportait l'argent et le donna à Conchita d'un air dominateur. Elle le compta et, après l'avoir mis dans sa poche, elle prit le garçon par la main. Ils disparurent dans l'obscurité. Alors, les autres couples se formèrent et prirent tous une direction différente. Ils cherchaient un endroit dans les champs et s'allongeaient par terre, en essayant de se cacher dans l'herbe. Ils n'y réussissaient pas tout à fait, et les plus petits, garçons et filles, qui restaient là à les attendre, arrivaient à tous les distinguer. Isma les entendait chuchoter dans l'obscurité. De temps à autre, les robes des filles semblaient vouloir s'élever au-dessus de l'herbe comme de grandes corolles sans tige. Le chant des grenouilles et des grillons les enveloppait. Il devenait parfois si fort qu'ils devaient se boucher les oreilles. On eût dit que les champs, la rivière, la nuit et toutes ses étoiles tournaient obstinément, toujours de la même manière, sans pouvoir s'arrêter.

Il entendit des bruits dans la cuisine. Pilar était levée et avait mis le lait à bouillir. Isma la vit de dos, penchée au-dessus du fourneau, les cheveux encore ébouriffés par le sommeil, et elle lui parut vieille. Parfois, il avait envie de l'embrasser, de courir derrière elle et de se serrer contre sa poitrine, mais il n'osait pas, de peur d'être repoussé. Pilar lui dit que la petite avait encore de la fièvre et qu'elle avait dû la veiller toute la nuit. Ça lui faisait peine de la voir comme ça, parce qu'elle ne pouvait guère bouger dans son berceau, et encore, seulement la tête, elle avait l'air d'un poulet auquel on a attaché les pattes. Isma s'approcha de Pilar et posa la main sur son dos. Mais elle continua de s'affairer comme si de rien n'était. Parfois, elle lui faisait peur, il y avait en elle trop d'amertume. Et il sentait que cette amertume pouvait la rendre mauvaise. Il pensa aux hiboux qui regardent tout avec des yeux épouvantés et qui ensuite, la nuit, sèment la terreur dans les campagnes.

Monte chez le père, lui dit-elle, et va vider le pot de chambre. Le père Bernardo ronflait. Il ressortait à peine sous les couvertures, dans lesquelles il s'enfouissait et disparaissait presque. La lumière filtrait par les fentes des volets et la chambre était plongée dans une clarté laiteuse. Les cloches sonnèrent pour annoncer la première messe, mais le père Bernardo n'ouvrit pas l'œil. Isma chercha sous le lit et prit le pot de chambre. En sortant, il entendit la petite pleurer. On aurait dit un chat. Il s'apprêtait à aller la voir quand il s'avisa qu'il tenait le pot. Il descendit dans la cour. Les poules grattaient la terre pendant que l'un des coqs les assaillait avec insistance. L'une d'elles s'approcha de la porte sans prendre garde. Le coq la surprit, resta un moment sur elle à battre des ailes, puis retomba maladroitement par terre. Elle secoua ses plumes, apparemment étonnée par ce qui venait de lui arriver, et parut l'oublier aussitôt.

Quand il rentra, ils étaient tous levés. Toutefois, le silence régnait dans la cuisine. La petite va encore mal, lui dit tout bas Jose Fausto. Et, en le voyant avec le pot de chambre à la main, il lui proposa de l'accompagner. Ils montèrent tous les deux. Le père Bernardo s'était réveillé. Pouah ! s'écria Jose Fausto en se pinçant le nez, ça sent que ça empeste, ici. Seul Jose Fausto pouvait dire de pareilles choses devant le père sans déchaîner sa colère. C'était le septième enfant de Pilar, et cinq d'entre eux étaient nés dans cette maison. Le père Bernardo n'avait jamais prêté la moindre attention à toutes ces naissances, si bien que la famille s'était multipliée sous ses yeux sans qu'il sût exactement ce qui se passait sous son toit. En fait, il ne connaissait même pas le nom de tous les enfants et, la plupart de temps, il les appelait en employant le premier qui lui venait à l'esprit, soit Rafa soit Felipón, noms des deux plus grands. Il y a trop d'enfants, disait-il parfois dans sa barbe avec une expression de lassitude, cette maison ressemble à un poulailler. Tout avait changé pour lui quelques mois après la naissance de Jose Fausto. Un après-midi, il descendit à la cuisine alors que Pilar était en train de donner le bain à l'enfant, et la vision du petit corps nu et rose qui barbotait dans l'eau et riait aux éclats provoqua en lui un saisissement profond. Pilar ne manqua pas de s'en rendre compte, et, pour la première fois, elle sentit qu'elle détenait un pouvoir à opposer à celui du père, qui allait lui permettre de se rebeller contre la domination qu'il exerçait sur eux depuis qu'ils étaient entrés dans la maison. N'avait-il pas fait d'eux tous, même des plus jeunes enfants, des domestiques dont il pouvait tout exiger à son gré, comme s'il n'y avait pas des choses, les appeler en pleine nuit, leur faire vider son pot de chambre, qui ne se demandent pas ? Plus encore, ne s'était-il pas tenu orgueilleusement à l'écart, réclamant même que ses repas lui fussent apportés dans sa chambre ? Combien de fois, en le voyant sortir pour aller faire un tour, n'avait-elle pas eu la pensée, qui ensuite la tourmentait, qu'il ne reviendrait jamais ? Combien de fois n'était-elle pas allée jusqu'à désirer sa mort, et à l'imaginer couvert de mouches dans un fossé, quand elle pouvait enfin entrer dans sa chambre malodorante pour ouvrir en grand les fenêtres afin que l'air et le soleil pussent atteindre les moindres recoins ? Elle comprit que le sort jouait en sa faveur et, chaque fois qu'elle allait baigner le petit, elle faisait appeler le père. Père, lui disait-on, on va donner le bain à Jose Fausto. Le père Bernardo abandonnait là son occupation et courait contempler la scène. Pilar la faisait durer non sans malice. Elle exhibait les membres du petit, frictionnait sa peau en douceur jusqu'à ce qu'elle eût rougi, excitait ou calmait l'enfant à son gré, comme elle eût modelé à l'infini de l'argile, sans se lasser de lui donner de nouvelles formes, tandis que le père prenait une expression d'abêtissement ébloui. Ensuite, quand l'enfant était tout propre, elle le lui confiait pendant qu'elle préparait la bouillie. Il ne savait comment le tenir. L'enfant lui donnait des coups de pied dans les jambes, des taloches sur le visage, et le père le regardait, hébété, sans pouvoir rien faire pour se protéger.

Cette passion, loin de s'apaiser, s'intensifia avec le temps. Pilar surprenait le père en train d'épier Jose Fausto endormi ; alors, il avait parfois les poils de la barbe mouillés de larmes, comme si en de tels moments s'exprimaient par ce biais les questions les plus merveilleuses, celles auxquelles nul être humain ne peut répondre : pourquoi avait-il fallu qu'un semblable enfant naquît justement dans son entourage, où il pourrait l'admirer à toute heure du jour, à quoi ressemblerait-il quand il serait grand, et disparaîtrait-il un jour ?

Quand l'enfant fut un peu plus grand, le père prit l'habitude d'appeler Pilar quand il voulait qu'elle le fît monter dans sa chambre, Pilar, criait-il, où est Jose Fausto ? Le plus souvent, Isma accompagnait le petit. Le père leur racontait des histoires de la Terre sainte ; du Golgotha, où l'on avait crucifié Jésus ; du temple de Jérusalem, qui avait été tant de fois détruit et reconstruit ; du verger au confluent de deux fleuves où s'était trouvé le paradis originel. Il leur parlait aussi du désert infini, des oasis inattendues au milieu de l'aridité, pareilles à des fragments inépuisables de ce paradis perdu ; des bédouins et de leurs coutumes étranges, et de la profonde spiritualité du peuple arabe. Beaucoup plus raffiné, ajoutait-il immanquablement, que les rustres d'ici. Ou alors, il leur lisait la Bible. L'histoire de Tobie et du poisson ; de Rachel et de Jacob, quand ils s'étaient rencontrés près du puits et que Jacob avait écarté les brebis pour qu'elle puisse boire. La terrible histoire dans laquelle Abraham avait été sur le point de sacrifier son fils. Et, bien entendu, l'Apocalypse, son livre préféré, dans lequel on annonçait la fin prochaine du monde et toutes les catastrophes qui se succèderaient. Reme, qui, l'après-midi, montait souvent avec eux écouter ces histoires, avait remarqué les regards que le père Bernardo ne pouvait s'empêcher de poser sur Jose Fausto. L'enfant, de son côté, s'était habitué un peu trop vite à être l'objet de sa prédilection et, comme toutes les créatures qui se sentent adorées, s'opposait avec indifférence, quand ce n'était pas avec un dédain flagrant, au culte qui lui était rendu. Don Bernardo ne paraissait pas souffrir de ce dédain. En parlant, il cherchait sans arrêt le regard de Jose Fausto, et il y mettait une intensité telle qu'il perdait souvent le fil de son discours. Tout à son ravissement, il tombait dans des silences interminables, comme si cet enfant avait détenu un mystère qui dépassait de très loin ceux de toutes les histoires qu'il pouvait raconter.

Des histoires, il y en avait bien d'autres : celle de Salomon et de la reine de Saba, celle du Veau d'or, que les hommes avaient adoré parce qu'il leur laissait faire tout ce qu'ils voulaient, était-ce si mal ?, ou celle de Salomé, qui avait dansé pour obtenir d'Hérode la tête de Jean-Baptiste. C'était la préférée de Reme. Salomé était-elle si cruelle que ça ?, se demandait-elle ensuite. Toutes les femmes du monde ne désiraient-elles pas être aimées à la folie, et que les hommes finissent par leur faire des promesses terribles, inoubliables ? Leur raison de vivre n'était-elle pas d'obtenir de semblables promesses ? N'était-ce pas justement pour ça qu'elles devenaient si facilement méchantes ? Si Javi la dédaignait, et si elle avait la possibilité de se venger, ne ferait-elle pas tout ce qu'elle pourrait pour lui rendre la pareille ?, ne désirerait-elle pas lui faire couper la tête et la tenir cachée dans sa chambre ? Ah ! Comme elle la regarderait, comme elle la couvrirait de baisers ! Et elle imaginait, posée sur la table, la tête de Javi, qui la regardait avec une expression stupéfaite. Toutes les femmes du monde ne vivaient-elles pas pour préparer des réponses merveilleuses à des questions que nul ne leur avait encore posées ?

Elle aimait aussi les histoires de déserts et d'oasis, d'animaux qui vivent dans les dunes, de voyageurs qui suivent les chemins du mirage, et surtout celles de ces hommes si particuliers que le père Bernardo appelait les gémissants. Ils formaient une secte d'anachorètes qui se sentaient tellement vides, tellement loin de ce qu'ils considéraient comme la perfection, qu'ils avaient décidé de faire de leur vie une plainte continuelle, sans fin. Ils ne pouvaient voir le monde que sous cet aspect terrible, et tout ce qu'il contenait, des oiseaux à la rumeur du vent, incitait à cet appel au désespoir, appel auquel ils répondaient en poussant à toute heure du jour et de la nuit un cri particulier. Il suffisait que l'un d'eux commence pour que les autres l'imitent et que se déclenche un charivari envoûtant. Comme ils riaient, quand, arrivé à cet épisode de son récit, le père Bernardo se mettait à imiter ces anachorètes, en émettant, d'un mouvement endiablé de la langue, un son aigu, à faire frémir. Reme apprit à le produire à la perfection. Quand ils se promenaient sur le bord de la rivière, par exemple, elle se mettait brusquement à tourner sur elle-même bras écartés en lançant ce cri, qui dépeuplait de leurs oiseaux tous les arbres des rives. Isma l'imitait hardiment. Puis ils s'élançaient, montaient et descendaient en courant le talus, virevoltaient sans cesser de crier, et ce cri se changeait bientôt en une joie irrésistible. En un désir de vivre éperdu et profond, en une découverte du merveilleux.

Isma alla à la première messe et passa ensuite à la boulangerie. Il remarqua la canne de Víctor posée sur le comptoir. Le pommeau, une tête de chien en argent, brillait d'un éclat lointain et glacé. Il entendit des voix à l'intérieur et regarda par la rainure de la porte. Il vit Víctor, avec son chapeau noir et le costume au veston croisé qui avait fait sensation dans tout le village au retour de l'un de ses voyages. Mais son visage exprimait la colère et l'embarras. À ce moment-là, il se déplaça vers le fond de la pièce, et Isma le perdit de vue. Alors, il entendit Reme. Elle se plaignait. Lâche-moi, s'il te plaît... Sa voix dénotait une grande peur, comme s'ils étaient tous les deux appuyés contre le parapet d'un pont et qu'elle essayait de lui signaler le danger. Va-t'en, Víctor, je ne veux pas, je ne veux pas... Isma entendit un bruit violent, et, bouleversé, ouvrit tout grand la porte. Reme avait les deux mains posées sur la poitrine de Víctor, qui avait perdu l'équilibre en renversant l'un des baquets. L'eau s'était répandue sur le sol, avait trempé l'une de ses chaussures et le bas du pantalon.

Isma vit son visage se contracter de colère. Dehors ! lui cria Víctor. Il sortit de la boulangerie et alla s'asseoir, pour attendre, sur une pierre qu'il y avait en face. Les martinets planaient autour du clocher. Le ciel était d'un bleu profond, les oiseaux le sillonnaient, inlassables, silencieux. Ils n'avaient nul besoin de communiquer entre eux, de se dire quoi que ce fût. Chacun vivait seul pour lui-même. Il vit Víctor sortir. Il marchait en secouant une de ses jambes et laissait une trace mouillée. Isma regagna la boulangerie. Il s'aperçut aussitôt que la canne était encore posée sur le comptoir. Víctor a oublié sa canne, dit-il à Reme. Reme le regarda avec des yeux écarquillés par la surprise. Elle semblait être au bord des larmes, mais il y avait dans son regard un éclat de triomphe. Cours vite et va la lui rendre, lui dit-elle. Isma le rattrapa juste au moment où il atteignait l'Arc. Sur la chaussée, on voyait la trace humide de sa chaussure trempée. Tiens, lui dit-il en lui tendant la canne. Víctor se tourna vers lui. Il y avait encore sur son visage une expression de colère, mais, cette fois, il ne cria pas. Tu es un bon garçon, lui dit-il en lui caressant la tête tandis qu'il reprenait sa canne. Víctor avait été piétiné par un cheval quand il était petit, et, depuis, il boitait. Pardonne-moi, pour tout à l'heure, ajouta-t-il. Son expression s'était adoucie. Voilà pour toi, dit-il en fouillant dans sa poche et en lui donnant quelques pièces de monnaie. Il s'était remis en marche quand il s'arrêta et lui fit signe de s'approcher. Passe me voir chez moi un peu plus tard, j'ai à te parler, souffla-t-il. Il fit semblant de lui donner un coup de poing et ajouta qu'il ne fallait rien dire à personne. C'est un secret entre nous.

Isma retourna en courant à la boulangerie. Il y avait une cliente et Reme la servait. Entre, lui dit Reme en lui montrant la petite pièce du fond. Un instant plus tard, elle l'y rejoignait. Elle avait les yeux rouges et lui tendit les bras. Ils s'embrassèrent très fort. Reme respirait avec peine, émettait en même temps un petit cri bizarre qui semblait se rapporter non pas à ce qui se passait, mais à quelque chose de plus ancien. Il semblait venu d'un autre temps, d'animaux disparus, d'une époque reculée bien antérieure à celle dans laquelle ils étaient à présent. Elle resta comme ça un moment, à le serrer contre sa poitrine, puis elle s'écarta pour le regarder, de très près, le visage tout inondé de larmes. Il semblait impossible que ses seuls pleurs eussent pu la mouiller à ce point.

Et si c'était vrai, lui dit-elle, en le serrant de nouveau très fort entre les bras, et si les gémissants avaient raison ?

# 4

Le cheval était beaucoup plus grand que lui et Isma dut monter sur une caisse pour lui mettre le caveçon et lui passer le mors entre les lèvres, verdies par l'herbe qu'il mâchonnait. Pendant ce temps, il lui parlait à l'oreille, tout doux, mon beau... Quand il le mena vers la carriole, Miguel Óscar l'attendait déjà. Tu vas mourir de sommeil, dit-il à Isma en souriant. Ils s'étaient levés si tôt qu'il ne faisait pas encore grand jour. La rosée imprégnait tout, tout ce sur quoi ils posaient les mains était couvert de gouttelettes. C'était comme si le village entier avait été plongé pendant la nuit dans un lac dont les eaux se seraient retirées quelques minutes auparavant. Miguel Óscar poussa le cheval et ils partirent. En arrivant sur la route, les cahots devinrent plus sonores et les fers de l'animal se firent entendre. Ils tournèrent en arrivant à l'Arc et se dirigèrent vers les Casas Nuevas. Puis ils passèrent près du Picón. Isma se souvint qu'il avait promis à Víctor d'aller le voir dans la soirée. À La Pinta, on avait déjà fauché une partie des épis. Miguel Óscar se dressa sur le siège de la carriole. Hé ! cria-t-il en agitant son chapeau. Les hommes lui répondirent en levant la main. Ils couchaient sur les côtés les files d'épis fauchés, et, devant eux, le vent berçait ceux qui étaient encore sur pied, aussi doux que le plumage des colombes. C'est Esteban, dit Miguel Óscar à Isma. Ils se dirigeaient vers la garrigue, où Miguel Óscar avait un champ d'orge.

Raconte-moi comment vous avez vu les morts, dit Isma en s'agrippant à lui. Miguel Óscar avait l'air d'un géant à ses côtés, et il sentait l'herbe et les copeaux de bois. Il avait allumé une cigarette et fouettaillait tout doucement le cheval avec les rênes. Ils montaient une longue côte. Les versants de Los Hornos s'élevaient, pelés, sur leur droite. Au fond, on voyait la ligne horizontale de la garrigue.

Nous étions en train d'arroser une des parcelles, se mit à raconter Miguel Óscar, quand nous avons vu des lueurs et entendu des détonations assez fortes, mais dans lesquelles nous n'avons pas reconnu aussitôt des coups de feu. C'était un peu comme ça : Tac tac tac... tac ! tac ! Plusieurs de suite, et les autres un peu plus espacées. Nous sommes montés sur le talus, et nous avons tout de suite compris que quelque chose d'inhabituel venait de se produire, parce que tous les oiseaux avaient disparu et qu'un étrange silence régnait ; mais aussi à cause de l'odeur. On aurait dit que l'on venait de flamber des pigeons. Antonino s'était un peu écarté, et je l'ai vu me faire signe. Je suis allé vers lui, et il m'a tiré par un pan de la veste jusqu'au bord de la rivière. On n'avait jamais vu une chose pareille. L'eau était rouge, et on a compris que les exécutions avaient recommencé. Ils les amenaient en camionnette, ils les forçaient à descendre, puis ils leur tiraient dessus, comme sur du gibier. Tout endroit leur semblait bon. Nous savions ce qu'ils faisaient, des gens avaient déjà disparu dans les environs, mais nous ne l'avions jamais vu de nos yeux. C'était un véritable cauchemar. Allons jeter un coup d'œil, m'a dit Antonino. Nous avons longé le sommet du talus, et le rouge est devenu plus vif, au point qu'à un certain moment, on a eu l'impression que les eaux n'étaient pas colorées en rouge, mais que c'était une rivière de sang. Deux petites poules d'eau se sont montrées entre les joncs, et imagine-toi, ça a été un vrai plaisir de les voir là, lever et baisser la tête dans le courant, avec leur bec et leur petit écusson frontal rouges au-dessus de la surface rouge, pas du tout impressionnées devant ce phénomène. Mais nous avons alors

62

entendu des voix et, aussitôt après, un bruit de moteur. La peur nous a fait reculer. Nous avons pris nos outils et nous sommes allés en courant au village. Ne parle de ça à personne, ai-je dit à Antonino quand nous sommes arrivés à la fontaine de San Ginés. Nous étions tombés d'accord pour y retourner le lendemain, et le jour n'était pas encore levé quand je l'ai entendu tournicoter dans la cour. Caballero, disait-il tout bas, c'est l'heure. Tu sais qu'il m'a toujours appelé par mon nom de famille. Ni l'un ni l'autre n'avions pu fermer l'œil. J'avais rêvé de ce crépitement de coups de feu et des eaux rouges glissant entre les joncs comme une langue interminable. Il doit y en avoir plusieurs, m'a-t-il dit pendant que nous mettions le harnais au mulet. Il était très nerveux, et en attelant la bête entre les brancards, il a emmêlé les sangles. Nous avons fait tout le chemin sans dire un mot, précisa Miguel Óscar. Le jour se levait. Nous avons laissé la charrette dans le champ et continué à pied. On a longé le talus sans quitter des yeux le cours de la rivière. Il n'y avait plus de sang et l'eau bougeait à peine. Alors, on les a trouvés. Ce n'était pas deux ou trois qu'il y en avait, mais au moins une douzaine, les uns flottaient en partie dans la rivière, les autres étaient étalés sur la rive dans toutes les positions. Merde, a murmuré Antonino, fichons le camp ! Jamais je n'ai vu une telle expression d'horreur sur le visage de qui que ce soit. Je l'ai retenu par la manche de sa veste, et nous nous sommes approchés, en redoutant que ce soient des gens des environs, mais on n'a reconnu personne. Ils étaient en civil. C'est alors qu'Antonino a attiré mon attention en faisant de grands gestes et que j'ai vu la femme. Elle était habillée avec élégance, comme son compagnon, on aurait dit qu'ils sortaient d'un bal, la femme en robe du soir, l'homme en smoking, impeccable, avec une expression très douce, il semblait rêver aux baisers qu'il lui avait donnés en dansant. Ils vont nous tuer tous, a dit Antonino, et j'ai dû le retenir une nouvelle fois. Attends, ai-je dit en lui posant la main sur la bouche, voyons s'ils ont des papiers. Je voulais savoir qui était cet homme, parce que je pensais qu'il s'agissait d'une affaire grave. Nous avons fouillé leurs poches, mais on avait dû le faire avant nous, elles étaient vides. Antonino a gémi en regardant la femme. Il était comme assommé et la fixait d'un regard hébété. La femme était très jeune, sa robe était ouverte et on voyait ses jambes. Les jarretières, a bredouillé Antonino, c'est sûr, c'était la première fois qu'elle les mettait. Il disait de choses dépourvues de sens, et son expression était toujours plus renfrognée et consternée. Partons, lui ai-je dit. Mais il ne pouvait plus faire le moindre mouvement. Regarde, regarde, murmurait-il en me montrant encore les jarretières de la femme, elles sont neuves, absolument neuves... J'ai réussi à l'arracher de là en le poussant, parce qu'il me semblait irrésistiblement attiré, hypnotisé par ces jarretières et cette femme morte, couchée sur le sol dans une position étrange, et qui semblait avoir été surprise par la mort dans un moment de volupté suprême. Nous sommes montés dans la charrette et nous nous sommes dirigés vers les hauts d'Almenara. Mieux vaut ne pas en parler, ai-je dit à Antonino. Mais il ne s'est même pas rendu compte que je lui adressais la parole, et il n'a pas ouvert la bouche aussi longtemps que nous sommes restés cachés. Pendant presque tout le reste de la journée, nous n'avons pas voulu descendre au village, même pas pour manger.

Miguel Óscar se remit à fouetter le cheval. Ils avaient atteint la garrigue, et l'animal prit le trot sur le chemin de Mote Medina. La carriole filait comme si ses roues étaient en caoutchouc. Quand nous sommes enfin rentrés, reprit-il, la nuit tombait. Nous pensions qu'au village il ne serait pas question d'autre chose et qu'à cette heure tout le monde devait avoir entendu parler de la fusillade, mais personne n'en savait rien. Teo était allé à la rivière pour arroser sa parcelle, à deux pas de l'endroit où nous avions vu les morts, et, en revenant, il n'en a pas dit un mot. Alors, j'ai compris que la patrouille avait dû revenir s'occuper des cadavres juste après notre départ, j'ai regardé Antonino, et je lui ai dit en particulier que nous avions intérêt à garder ça pour nous. Le jour même, il n'a pas pipé, et le lendemain non plus, mais, le samedi soir, il n'a pas pu s'en empêcher. Il a bu, et quand il a été saoul, il s'est mis à parler des lueurs, de la mitraille des fusils, de l'horrible tuerie, et, bien entendu de cette femme, avec sa robe du soir, qui lui avait fait perdre la tête. Elle avait des jarretières neuves, ne cessait-il de répéter, pendant que les autres s'éclipsaient pour rentrer chez eux, parce que, à cette époque-là, tout un chacun avait peur et se disait qu'il pourrait bien être le suivant.

Mais plus rien ne pouvait arrêter Antonino. Il sortait tous les soirs et, tous les soirs, buvait et parlait trop, racontait ce qu'il avait vu. La rivière rouge de sang, la fuite des oiseaux et la découverte des cadavres. Au moins une douzaine. Arrivé là, alors qu'il était fin saoul, il se mettait à parler de la femme, du bras qu'elle avait levé pour couvrir son visage, de peur d'être défigurée, sûrement. Et il revenait sans arrêt à son épouvantable refrain, elle avait des jarretelles neuves, des jarretelles neuves, pendant que les autres s'esquivaient.

Et, bien entendu, dit Miguel Óscar en soufflant avec force la fumée de sa clope, ce que nous redoutions tous est arrivé. L'affaire est parvenue aux oreilles de Monleón, et il a fait dire un soir à Antonino de passer le voir au casino. Il jouait aux cartes et n'a même pas levé les yeux du tapis vert quand Antonino est entré. Tu parles trop, lui a-t-il dit, et tu files un mauvais coton. Antonino est devenu très nerveux et lui a répondu qu'il n'avait rien fait et qu'il ne savait pas ce qu'on avait bien pu débiter sur son compte. Tu sais très bien de quoi je parle, a fait Monleón en levant enfin les yeux de la table. Alors, il n'a fait ni une ni deux, il a sorti son pistolet. C'était le genre de bonhomme qui se pavanait dans la rue avec son arme devant tout le monde. Il avait glissé la main sous son veston et l'avait posée à côté de lui, près de la tasse de café. Le pistolet était aussi gros qu'un soulier. Tout ce que je te conseille, a-t-il ajouté en prenant de nouvelles cartes, c'est de faire attention où tu mets les pieds. Ce ne sont pas les mauvaises intentions qui manquent, dans le coin, et quelqu'un pourrait bien venir ici raconter l'histoire du drapeau. Antonino pâlit. C'était une commande, bredouilla-t-il, je ne savais pas ce qu'on me demandait. Il était très bouleversé, et Monleón toujours plus sûr et content de lui, tout comme ses partenaires, auxquels le spectacle de ce pauvre homme secoué de tremblements paraissait d'un comique irrésistible. Quand Antonino s'en est allé, ils ont bien rigolé. Ah ah ah ! Un peu plus, il pissait dans son froc.

Et sais-tu ce qui s'était passé ? lui demanda Miguel Óscar. Le soleil ne s'était pas encore montré et toute la garrigue était couverte d'une brume blanche, dans laquelle étaient plongés les premiers contreforts des montagnes, sur leur droite. C'était à peine si l'on voyait où commençaient les terres de labour. La rosée s'était posée sur les épis, qui semblaient blancs. Le vent les berçait doucement et de longues ondulations couraient dans les champs, pareilles à celles des risées à la surface de la mer.

Broder un drapeau, voilà ce qu'avait été son grand péché, poursuivit Miguel Óscar. Il racontait cette histoire comme si elle ne s'était pas passée dans ce village, comme s'il se contentait de lui confier ce que d'autres avaient rapporté avant lui, que l'on répétait depuis que le monde est monde, et qu'il y avait des enfants pour l'écouter. Car Antonino avait un talent rare parmi les hommes, il brodait à la perfection. Si bien qu'à l'avènement de la République, quand on a dû improviser un nouveau drapeau pour accueillir quelques nouveaux députés, c'est à lui qu'on a fait appel. Il ne comprenait rien à la politique, n'avait jamais milité dans aucun parti, mais il a accueilli avec enthousiasme cette proposition qui lui permettait de faire connaître son talent à tout le monde. Il a travaillé pendant une quinzaine de jours, et son drapeau a pu être exhibé à la mairie le jour de l'arrivée de ces messieurs de la Chambre. Il était très beau et n'est pas passé inaperçu. L'un des députés a même exprimé le désir de rencontrer Antonino pour le féliciter. Ç'a été le début et la fin de sa vie politique. Sa seule faute connue. Avoir brodé ce drapeau parce qu'Evaristo, le maire du village, le lui avait demandé par amitié, pour se tirer d'embarras.

C'est à peu près à cette époque, continua Miguel Óscar – et, arrivé à ce point de son récit, son visage se contracta en une grimace de douleur –, que s'est produite l'histoire du chien. J'ai vu un attroupement sur la place, et quand je me suis approché, je l'ai découvert au milieu d'une flaque de sang. Qui a fait ça ? ai-je demandé, fou furieux. J'aimais beaucoup ce chien, et je ne pouvais comprendre comment quelqu'un avait pu faire une chose pareille. Mais personne n'a osé me répondre. J'ai attrapé par le cou le premier qui m'est tombé sous la main, le hasard a voulu que ce soit ton oncle Clemente, et j'ai exigé une explication. Bon, d'accord, m'a-t-il dit, mais il faut que tu me promettes que tu te conduiras raisonnablement. Tous mes soupçons ont été brusquement confirmés, il s'agissait bien de Monleón. Il était dans la rue en train de prendre le frais quand le chien s'est pointé et est allé se coucher près de la porte du bar. Regarde, a dit quelqu'un, le chien de Caballero. Monleón s'est levé et est allé le caresser. Alors, comme ça, tu es le chien de Caballero. C'est un enfant de pute. Ton maître est un enfant de pute, faisait-il comme ça sans arrêter de le caresser et de sourire. Il me haïssait parce que, deux ou trois mois avant ça, j'avais défendu quelques femmes qu'il accusait d'être venues glaner sur ses terres. Brusquement, il a sorti son pistolet et lui a tiré dans la tête à bout portant, de sang froid, sans la moindre grimace, la balle qu'il aurait sans doute bien voulu me loger dans la poitrine. La tête du chien a cogné violemment contre le sol, et une mare de sang s'est aussitôt formée tout autour. Merde, s'est-il écrié, je me suis taché le pantalon ! Et il s'est éloigné, une ombre de contrariété sur le visage, bien loin de penser à ce qu'il venait de faire à la pauvre bête, inquiet seulement des éclaboussures de sang sur son pantalon. Personne n'a ouvert la bouche, même parmi ses compagnons, qui l'ont regardé s'éloigner aussi sidérés que terrifiés, car ils le savaient capable de n'importe quoi, à ce moment-là, de se retourner, par exemple, et de tirer sur eux pour le plaisir. Bon, ajouta Miguel Óscar sur un ton d'acceptation feint, je suppose que nous sommes comme ça, nous, les hommes, capables du meilleur et du pire, et qu'il ne faut s'étonner de rien.

Miguel Óscar s'interrompit de nouveau. Il encouragea le cheval en imitant avec la langue le claquement des fers, clock, clock, clock, et il se tourna vers Isma pour lui demander s'il avait froid. Isma remua la tête d'un côté à l'autre. Ils étaient très près l'un de l'autre et Isma sentait la chaleur du corps de Miguel Óscar, et son odeur, pareille à celle de la menuiserie de Santos. Santos travaillait penché au-dessus de son établi et Isma s'arrêtait souvent devant sa porte, quand il revenait de chez Reme. Il n'entrait pas, parce que Santos aimait travailler en silence, sans être dérangé, entre des roues sans feuillard, des planches empilées et l'établi avec sa surface rugueuse pleine d'entailles et de fentes. Santos restait de longues heures absorbé par ses travaux, et Isma se souvenait surtout des copeaux blancs qui sortaient de son rabot quand il revenait sans cesse sur son ouvrage avec un recueillement quasi religieux, comme si sa vocation était de polir tout ce qui existe au monde.

Le soir même, reprit Miguel Óscar, pendant que je pleurais de rage à cause de ce qui était arrivé à mon chien, ton oncle m'a raconté ce qu'ils faisaient à Antonino, sans doute pour m'ôter de la tête toute idée de vengeance. Il y avait des jours que nous ne nous étions pas vus, Antonino et moi, et ton oncle m'a dit qu'il accompagnait les types de la Patrouille. Non parce qu'il le voulait bien, mais parce qu'ils venaient le chercher. Il était chargé de creuser les fosses. Quelqu'un leur avait raconté l'histoire du drapeau, et depuis, il vivait sur le fil du rasoir. Les types de la Patrouille se moquaient de lui, ils allaient le chercher au petit jour, à la suite de leurs œuvres nocturnes sinistres, ils se plantaient sous sa fenêtre et l'appelaient. Antonino, on t'attend. Ils le faisaient boire dans la camionnette, et, quand ils arrivaient à l'endroit de la fusillade, le plus souvent dans la montagne, à l'abri des chênes verts et des chênes nains, il était saoul comme une grive. Alors, ils lui donnaient une pelle, à lui et à d'autres malheureux comme lui, et pendant que ceux de la Patrouille fumaient et se marraient, eux devaient creuser.

Un après-midi, je l'ai rencontré près du bar, et je l'ai raccompagné chez lui. On m'a appris ce qu'ils t'obligent à faire, lui ai-je dit, mais il n'a pas voulu m'en parler. Il serrait les poings pour éviter tout geste malheureux, et il avait beaucoup maigri. Il y avait dans ses yeux une ombre profonde, l'ombre ineffaçable, même pour un seul instant, de ce qu'il avait vu au cours de ces nuits.

Ils étaient arrivés, et Miguel Óscar, avant de descendre de la carriole, resta un moment à contempler l'horizon. Sais-tu comment s'appelait mon chien ? lui demanda-t-il. Il s'appelait Tubería. Il était magnifique. Un épagneul. Avec l'intelligence vive et fine des chiens de cette race. Nous allions ensemble à la rivière et il traquait les rats d'eau. Mais ils sont très intelligents et il désespérait de ne pas arriver à les attraper, ils lui échappaient toujours. Alors, il protestait sur un ton qui me rappelait celui des hommes quand ils s'entêtent à faire ces choses absurdes que l'on réussit si rarement. Oui, je sentais à ces moments-là qu'il n'était guère différent des hommes, et c'est pour ça qu'il m'attendrissait, ce chien. J'ai toujours été ému par cette profondeur, en nous, qui nous impose des obligations sans nécessité.

Ils rentrèrent à la tombée de la nuit. La carriole était chargée d'épis qu'ils avaient coupés et, du haut du tas, le cheval semblait petit et doux comme un agneau. En passant sur la place, il aperçut Reme. Elle était avec Gabina et une autre fille, et il leur adressa un signe de la main. Elles lui répondirent de la même manière. Reme portait un foulard qui lui couvrait les cheveux, et il eut l'impression qu'elle le saluait d'une façon distante, presque avec froideur.

Quand il alla la voir, il constata qu'elle était en effet fâchée. Où étais-tu ? lui demanda-t-elle sur un ton de reproche. Avec Miguel Óscar, lui dit-il : on est allés couper l'orge. Et, après s'être interrompu, il ajouta, enjôleur : On était à la garrigue, mais on n'a pas vu les taureaux. Il y avait dans la garrigue un chemin, le chemin de Mote Medina, par où passaient les taureaux braves des Moleros. Il savait que Reme en était folle.

Viens, lui dit-elle. Reme habitait juste en face de la boulangerie. Il traversèrent la rue main dans la main, et entrèrent chez elle en silence. Ils ne pouvaient pas parler parce que c'était l'heure où le père de Reme dormait. Reme lui souffla qu'elle l'avait cherché toute la journée. Ils entrèrent dans sa chambre. Il faut que tu m'aides, lui annonça-t-elle en s'asseyant sur le lit et en dénouant les rubans de ses sandales. Elle les posa ensuite à côté de la table de nuit et plia les rubans avec un tel soin qu'Isma retint son souffle en la regardant faire. Demain, j'ai rendez-vous avec Javi au moulin, mais je ne veux pas qu'on le sache. Elle s'interrompit. Sa poitrine montait et descendait comme si sa robe avait été trop étroite. Je ne veux pas non plus y aller avec cette dégaine, j'ai l'air d'un épouvantail. Elle avait saisi le bas de sa robe du bout des doigts et le tissu formait deux petites tentes devant ses jambes. Il faut que tu m'aides à choisir la robe que je vais mettre. Et elle ajouta : J'ai un plan. Elle s'était animée et ses yeux avaient l'éclat des bouteilles de boisson gazeuse quand elles viennent d'être lavées.

Je sors comme je suis maintenant, et sur ces mots elle lâcha le bas de sa robe et les petites tentes se perdirent dans les plis du tissu, et toi, tu portes dans un sac de quoi me changer. Le reste, c'est facile. Toi et moi, on arrive au moulin une demi-heure avant mon rendez-vous avec Javi. Je me change, et quand Javi vient me chercher, je suis prête. Il m'a promis une promenade en fourgonnette, il va même m'apprendre à conduire.

Ils entendirent les colporteurs. Ils venaient au village en camionnette et criaient leur marchandise, vêtements et ustensiles de ménage, avec un haut-parleur. Avant de se garer à leur endroit habituel, en face de la mairie, ils parcouraient les rues en beuglant dans leur appareil, afin que personne ne puisse ignorer leur présence au village. Isma regarda, sur le mur, le petit tableau brodé par Antonino. Ils se couchèrent sur le lit, droits comme des gisants. Reme avait allumé une blonde, la lui passait de temps en temps, et il tirait une bouffée. Voyons un peu si tu te souviens de ce qu'il dit, fit Reme en lui bouchant tout à coup les yeux. Isma le savait par cœur.

*Perdue ! Une heure d'or*
*Avec ses soixante minutes de diamant.*

Reme essayait de lui attraper les paupières avec les doigts, et il ne pouvait s'empêcher de rire.

*Aucune récompense offerte*
*Parce que* PERDUE A JAMAIS.

Ces trois derniers mots, Reme les dit elle aussi, en adaptant sa diction à celle d'Isma. Le tableau était une commande de don Abelardo, le maître. Il avait demandé à Antonino de le broder pour l'offrir à sa femme, à l'occasion d'un anniversaire de mariage. Antonino y avait mis tout son savoir-faire, et le résultat était parfait. Les lettres étaient toutes d'une couleur différente, et il avait brodé autour une guirlande de fleurs. La différence entre les lettres et les fleurs était à peine perceptible, si bien qu'un regard distrait les confondait. Mais doña Carmen y avait d'emblée vu un signe de mauvais augure. Elle savait que pour elle le moment unique des heures et des minutes d'or et de pierreries – Ah ! Elles avaient bien été telles, un jour ! – était passé, et qu'il ne reviendrait plus jamais. Si bien qu'elle n'avait pas compris la raison pour laquelle son mari lui avait fait un cadeau que, tout bien considéré, il aurait dû lui offrir vingt ans plus tôt, quand ils étaient jeunes mariés et qu'elle attendait leur premier enfant, aussi attribua-t-elle ce geste incompréhensible à la bizarrerie de son caractère. Toutefois, don Abelardo tint à l'accrocher à la tête du lit, et elle le laissa faire. Il resta là quelques mois et, un beau jour, elle le fit disparaître. Don Abelardo, alors, ne protesta même pas. Selon doña Carmen, il ne s'était même pas rendu compte qu'elle l'avait enlevé. Il avait bien trop à faire avec ses oiseaux.

Le tableau d'Antonino finit, parmi les dentelles et les ouvrages au crochet, dans la boutique des sœurs Goya, qui étaient des parentes à elle. Que les femmes, et surtout les jeunes, le lisent, leur avait dit doña Carmen quand elle le leur avait apporté. Et elle avait ajouté, énigmatique, que ça les pousserait à la dépense. Reme en était tombée amoureuse aussitôt qu'elle l'avait vu, et l'une des filles Goya, fidèle à son principe que la marchandise était là pour être écoulée, et avec l'accord de sa sœur, le lui vendit pour presque rien. Le soir même, après avoir fermé boutique, pour fêter l'événement, elles s'offrirent un petit verre d'anis. Le tableau avait fini par les mettre sur des charbons ardents, elles aussi, sans doute parce qu'il était trop tard pour presque tout dans leur vie.

Reme se redressa brusquement et demanda à Isma s'il croyait que les heures pussent être d'or. Isma ne sut que répondre. Elle se recoucha à côté de lui et l'étreignit de toutes ses forces. Moi j'y crois, dit-elle, s'écartant un peu pour le regarder dans les yeux. Cette heure-ci, par exemple, ajouta-t-elle. Elle se redressa de nouveau et se mit à califourchon au-dessus de lui. La robe se tirebouchonna entre ses jambes, révélant leur galbe. Le tissu épousait étroitement sa poitrine, mais Isma ne le voyait pas remuer, comme si elle n'avait pas à respirer ou le faisait sans peine par la peau. Chaque minute est un diamant, dit-elle en tendant théâtralement les bras, les mains en forme de coupelle. Qu'importe d'en perdre quelques-uns, si on en a autant qu'on veut ? dit-elle avec un sourire étrange. Ce n'était pas seulement un sourire, il y avait là bien davantage. Je sais quelque chose que tu ignores encore, semblait dire son expression.

Il entendait Reme l'appeler d'en bas. Isma, vite, lève-toi, il faut que tu m'apportes cette robe. Elle frappait contre le mur avec quelque chose qu'il ne pouvait voir, une chaussure, peut-être. Toc, toc, toc, toc. Puis, elle se mettait à chanter. C'était une drôle de chanson, qu'il n'avait jamais entendue. La petite de Pilar va mourir, entendait-il par la porte ouverte, je l'ai demandé à l'Enfant Jésus. Il l'entendait aussi descendre l'escalier quatre à quatre et filer dans la cour sans arrêter de chanter. Guidé par la chanson, il allait la rejoindre. Reme étendait le linge. Mais les draps n'étaient pas propres. Ils étaient tachés de rouge. C'est du sang, lui disait-elle. Des oiseaux se posaient dans le figuier. Elle s'approchait et en saisissait un d'un mouvement vif de la main, celui que l'on fait pour attraper les mouches, et, tout aussi vivement, le mettait dans la poche de son tablier. Elle recommençait plusieurs fois la manœuvre, avec une habileté déconcertante. Puis elle reprenait son refrain de la petite de Pilar. Elle va mourir. Ils étaient si près l'un de l'autre qu'il sentait palpiter les oiseaux sous le tissu du tablier. Tiens, disait-elle, mets la main ici. Elle lui prenait la main et la posait sur son ventre. Il sentait le mouvement fou des oiseaux sous l'étoffe, leur désespoir de ne pouvoir trouver une issue, la dureté de leurs becs et de leurs pattes. Il voulait retirer la main, mais Reme ne le laissait pas faire.

Il se réveilla trempé de sueur. L'un après l'autre, les objets qui se trouvaient entre le lit et la fenêtre reprirent leurs contours, puis leurs volumes, et semblèrent se réorganiser après Dieu sait combien de déplacements secrets. Il ne se sentait pas à l'aise dans cette chambre. Elle lui paraissait trop mystérieuse, trop enfouie dans un passé obscur, pour que son pauvre petit présent pût s'y adapter sans peine.

Sans bruit, il descendit l'escalier. La lumière de la boulangerie était allumée, et il vit Reme par la fenêtre. Il aurait aimé entrer et l'interroger, à propos de ces oiseaux, mais il se retint, plein d'appréhension. Et puis il faisait nuit et Pilar devait s'inquiéter de ne pas le voir rentrer.

73

L'état de la petite avait empiré. Don César venait de passer, il avait eu une expression inquiète en rédigeant l'ordonnance ; apparemment, c'était grave. Isma regarda la petite un long moment. Elle semblait stupéfiée dans son berceau, et avait le visage bouffi. Elle va peut-être mourir, dit-il à Pilar. Il se souvenait de ce que Reme avait chanté dans son rêve. Pilar se retourna, blessée, et lui donna une gifle qui faillit lui faire perdre l'équilibre. Mais Isma ne pleura pas. Ils descendirent à la cuisine et il l'aida à débarrasser la table. Il lui apportait les assiettes sur l'évier, et elle les frottait avec une lavette. On aurait dit que l'eau lui faisait mal et qu'elle ne supportait pas d'y tremper les mains plus d'une seconde. Elle les plongeait et les ressortait aussitôt, comme si le liquide était bouillant. Elle vint s'asseoir à côté de lui à table, en s'essuyant les mains à son tablier. Mais elle se leva presque aussitôt pour aller jeter un coup d'œil dans la boîte à gâteaux. Il en reste un peu, fit-elle en lui offrant un morceau de fougasse à l'huile. Une partie du sucre tomba sur la table et les mains d'Isma, mais il ne fit rien pour le ramasser, parce qu'il aimait le contraste entre sa blancheur et la couleur dorée du bois. On dirait de la neige, dit Pilar, qui, en repassant à côté de lui pour aller ranger la boîte à gâteaux, lui caressa la tête. Pardonne-moi pour tout à l'heure, lui dit-elle. Cette fois, elle s'assit en face de lui, le visage crispé par la douleur. Peut-être que ce n'est pas plus mal qu'elle meure. Et elle ajouta que ça ne valait pas la peine de vivre. Isma essaya de trouver quelque chose à dire, mais rien ne lui vint, qu'un mensonge. Il prétendit qu'il était allé sur le chemin de Mote Medina avec Miguel Óscar et qu'ils avaient vu les taureaux. Ils étaient venus à leur rencontre. Miguel Óscar avait arrêté la carriole, et les taureaux étaient passés sans faire attention à eux, mais si près que s'il avait tendu la main, il aurait pu les toucher.

Felipón, éveillé, l'attendait. Pourquoi t'as été si long ? lui demanda-t-il, incapable de dormir quand Isma n'était pas couché à côté de lui. Pour trouver le sommeil, il devait se serrer contre lui et s'agripper très fort à sa chemise de nuit. Le Rat a attrapé une couleuvre gigantesque, dit-il en bâillant. On l'a jetée aux poules, mais elle s'est dressée contre elles, et aucune n'a osé l'attaquer. Ils restèrent un moment sans rien dire. Le silence couvrait tout. Un silence profond, dévastateur, qui s'étendait sur le village et semblait annoncer la disparition ou la fin de la vie.

Des bruits résonnèrent. Le voilà, dit Felipón. C'étaient des bruits de pas et ils les entendirent s'arrêter devant leur porte. Le père Bernardo se levait souvent à cette heure. Il allait voir Jose Fausto. Il s'approchait de son lit et le contemplait en silence pendant son sommeil. Très longtemps, le plus souvent. Si longtemps qu'eux, qui le surveillaient en retenant leur respiration, finissaient par s'endormir réellement. Isma s'était parfois réveillé en pleine nuit et l'avait surpris, immobile dans l'obscurité, près du lit où dormaient Jose Fausto et Rafa, aussi silencieux et lointain qu'une ombre revenue d'entre les morts.

Le lendemain, ils mirent leur projet à exécution. Isma se rendit au milieu de l'après-midi à la boulangerie et Reme lui donna le sac avec la robe. Surtout, que personne ne te voie, lui dit-elle, tremblante. Elle sentait le linge propre. Regarde, fit-elle en enlevant brusquement le foulard qui couvrait sa tête. Qu'en dis-tu ? Elle plongea les mains dans sa chevelure, qu'elle venait de laver. Ses cheveux retombèrent en vagues sur ses épaules et son cou, et Isma s'attendit à voir apparaître entre les mèches la nageoire d'un poisson ou la lueur de ses écailles.

Quelques moments auparavant, Reme s'était regardée dans le miroir de sa chambre et s'était trouvée magnifique, au point que, en entrant dans la boulangerie, il lui avait semblé que tout ce qui s'y trouvait, de la table aux pelles avec lesquelles on manipulait le pain, poussait un « ah ! » d'admiration, voulait savoir où elle comptait aller un peu plus tard, mais elle passait à côté de tous les objets sans daigner leur accorder un regard. Que ce devait être triste d'être pareil à eux ! D'être tout le jour dans cette pièce étouffante, sans savoir ce qu'il y avait dehors. Les autres maisons du village, les rues qui partaient dans toutes les directions, le ruisseau près de l'église de Santa María, les Cuatro Cantones, et, plus loin, la campagne, aussi vaste et odorante que la mer. De ne même pas pouvoir parler entre eux pour mieux supporter le temps qu'il fallait passer ici, à attendre les clients. Elle entendit un bruit qui la fit sursauter. Mais pouvait-on être sûr qu'ils ne le faisaient pas, qu'ils n'avaient pas leurs petites conversations, ou qu'ils demeuraient immobiles quand on ne les regardait pas ? Parfois, elle avait l'impression que cette absence de vie était trompeuse. Maintenant, par exemple, en se retournant, elle avait presque cru voir retourner à leur place les trois huches dans lesquelles on préparait la pâte. Chaque chose était un petit monde, dont les habitants invisibles paraissaient sur le point de se mettre à courir des unes aux autres sous son nez. Elle entendit de nouveau le bruit. Hé ! lança-t-elle, il y quelqu'un ici ? Son cœur semblait avoir jailli de sa poitrine et danser seul sous ses vêtements. Elle avait l'impression qu'elle allait devoir le retenir de ses deux mains pour l'empêcher de sauter à terre ou sur les murs. Ne regarde pas, paraissait lui dire la porte du four entrebâîllée, et le couteau qui luisait sur la table lui conseillait de ne pas s'approcher. À cet instant, le chat sortit de derrière un carton, et elle poussa un soupir de soulagement. Elle courut vers lui. Tu es un gros vilain, lui dit-elle en le caressant, tu as failli me faire mourir de peur. Elle regarda une nouvelle fois autour d'elle. Tout était pareil qu'un instant plus tôt, et la pensée qu'il y avait dans tous ces objets quelque chose de plus, qui troublait sa compréhension, lui était sortie de la tête.

Isma quitta la maison, portant en bandoulière le sac dans lequel Reme avait mis la robe. Il emprunta le chemin le moins fréquenté, mais croisa pourtant quelques connaissances. Tous lui demandaient où il allait et ce qu'il portait dans ce sac. Une robe de madame Benilde, leur répondait-il. Madame Benilde habitait près de l'église de San Ginés, et de sa maison à la rivière, il n'y avait guère que deux cents mètres. Pour arriver au moulin, il fallait encore traverser le pont et parcourir à peu près la même distance. Mais, en approchant du pont, il rencontra Juan Pototo, qui tenait une corneille attachée par la patte. La pauvre bête trébuchait et tombait chaque fois qu'il tirait sur la ficelle. Où vas-tu comme ça ? lui demanda-t-il. Isma dut improviser une réponse. Voir Poldo. Poldo était pasteur et menait paître ses brebis sur la crête d'Almenera, ou aux Poussins d'or, comme on appelait aussi l'endroit, nul ne savait pourquoi. Qu'est-ce que tu portes là ? insista Juan Pototo en montrant le sac. Isma haussa les épaules. J'en sais rien, fit-il, c'est madame Maura qui m'a donné ça pour lui. Il se rendit compte que sa réponse n'était pas très adroite, parce que Poldo et madame Maura n'avaient aucun lien de parenté, se connaissaient à peine, et qu'il était très bizarre qu'elle lui fît porter quelque chose à cette heure. Mais on pouvait raconter n'importe quoi à Juan Pototo, depuis longtemps habitué à vivre sans rien chercher à comprendre. La corneille s'agita, par terre, et ses ailes restèrent déployées. Épuisée, elle les regardait avec une véritable terreur. C'est Tasio qui me l'a donnée. C'est un fléau, cette bête, ajouta-t-il comme pour s'excuser. Elle était en train de manger les pois de don Andrés.

Isma se souvint de ce que lui avait raconté Miguel Óscar, à propos des corneilles. Qu'elles adoraient chiper tout ce qui brille. Et du spectacle étrange qu'offraient parfois les arbres, qui semblaient brusquement prendre feu, à partir des plus hautes branches, sur lesquelles on découvrait ensuite des nids calcinés, où une corneille avait sans doute apporté un mégot allumé. Juan Pototo s'éloigna, traînant la pauvre bête. Isma la voyait bien se jeter sur un mégot à toute vitesse et l'emporter dans son bec. Il resta un moment à regarder le garçon s'éloigner, traînant la corneille derrière lui comme un vieux chiffon. Elle ne bougeait plus. Sans doute était-elle morte. Juan Pototo allait la traîner encore un bon moment, et quand il s'en rendrait compte, il la laisserait dans un coin. Parce que, morte, ce n'était pas la même chose.

Le moulin était à l'abandon depuis des années, et seuls les murs de torchis étaient encore debout. À côté, il y avait quelques amandiers et autres arbres fruitiers, parmi lesquels un guignier. Quand les guignes mûrissaient, il fallait faire très attention que les bouvreuils ne les mangent pas. Isma s'assit sur la grosse pierre de meule. C'était une roue énorme, à demi enfouie dans la terre d'un côté. Le soleil la frappait de plein fouet pendant le jour, et un bon moment après son coucher, elle était encore chaude. On s'asseyait dessus et on sentait la chaleur monter. Une chaleur qu'accompagnait une palpitation, une sorte d'appel silencieux. Le souffle de quelque chose qui patientait, là-dessous, invitait à aller à sa rencontre, et suggérait la présence, quelque part, d'un passage qui y conduisait. Il avait dû s'assoupir, en attendant, parce que, quand il tourna la tête, Reme était là, à bout de souffle, et lui disait de se dépêcher. Elle semblait avoir surgi de l'intérieur de la terre, par ce passage secret. Ils ouvrirent le sac et en sortirent la robe. Ne regarde pas, lui dit-elle. Isma ferma les yeux. Il y avait des fois où elle le laissait la regarder pendant qu'elle s'habillait, et d'autres où elle ne voulait pas. De la même manière, à certains moments, elle était très câline, n'arrêtait pas de le caresser et de l'embrasser, et, à d'autres, elle ne voulait même pas le voir. Va-t'en, lui disait-elle sur un ton tranchant en l'apercevant sur le pas de la porte, je veux être seule aujourd'hui.

Ça y est, marmotta-t-elle. Elle avait mis la robe et l'appelait pour qu'il montât la fermeture à glissière. Dessous, elle portait une combinaison rose. Elle s'assit sur la pierre pour mettre des bas. Elle les tirait jusqu'à mi-cuisse, et quand elle les avait lissés, ses jambes luisaient, on aurait dit qu'elle les avaient trempées dans une cuve d'huile. Reme dut se rappeler à cet instant l'histoire d'Antonino, et à quel point il avait été impressionné par les jarretelles de la femme fusillée. J'aimerais bien en avoir moi aussi, murmura-t-elle, songeuse. Elle ne pensait ni à la rivière de sang, ni à l'épouvante de la fusillade au crépuscule, ni à l'impunité aveugle avec laquelle ces patrouilles allaient d'un village à l'autre en semant la terreur, mais à l'effet que feraient sur elle de semblables jarretières et à ce qu'elle ressentirait en les portant sous sa robe quand Javi viendrait la chercher. Ils iraient au bal, et quand Javi la prendrait par la taille et qu'ils danseraient ensemble, il lui suffirait de penser qu'elle les portait pour ne plus avoir peur, comme s'il y avait à sa place une autre femme, plus désinvolte, plus libre qu'elle. Cette autre femme lui disait de se dépêcher, parce que la vie, c'était recevoir des catalogues pareils à ceux que l'on envoyait à madame Benilde, mais sur lesquels serait imprimé en première page, en gros caractères, TOUT GRATIS, c'était avoir ce catalogue sous la main et commander immédiatement ce qui lui plaisait, avant toutes celles qui, au même moment, faisaient la même chose, et avant qu'il ne reste plus rien.

En fait, elle ne pensait pas seulement à ces jarretières, mais se voyait habillée de pied en cap comme la femme qu'Antonino et Miguel Óscar avaient trouvée fusillée au bord de la rivière, en tout semblable à elle. Elle songeait à Javi, qui viendrait la chercher, non pas dans la fourgonnette de la compagnie d'électricité, mais dans une de ces limousines que l'on voyait au cinéma, et qui descendrait pour venir à sa rencontre, vêtu d'un smoking pareil à celui que portait le compagnon de cette femme. Javi glisserait son bras sur le dossier du siège où elle aurait appuyé sa tête, et ils traverseraient les villages en voiture, sans se soucier que l'on puisse les voir enlacés, les yeux rivés sur la route, comme si rien d'autre que ce qu'ils allaient trouver là-bas, dans le lointain baigné par le clair de lune, n'était réel, et que rien de ce qu'ils voyaient en s'éloignant, les maisons, les gens qu'ils connaissaient et laissaient derrière eux, les églises de San Ginés et de Santa María, ne pouvait être comparé à ce qui les attendait au loin.

Alors, son attention se porta sur Isma. Il était allé lui chercher ses chaussures et les lui apportait, les tenant serrées contre sa poitrine comme si c'étaient deux petits étuis. Se pouvait-il qu'il ne fût pas réel, lui non plus, et faudrait-il le laisser ici ? Reme poussa un soupir et sentit les larmes lui monter aux yeux. Mais elle se contrôla aussitôt. Si elle pleurait, le Rimmel coulerait. Ne désirait-elle pas faire tout ce qu'elle voulait ? Mieux valait qu'il restât ici. D'autant qu'Isma ne pouvait vivre loin du village. Elle avait l'impression que quelqu'un lui avait offert un oiseau rare en insistant pour qu'elle l'emportât avec eux en ville.

Isma la regarda droit dans les yeux, et elle crut qu'il pouvait lire dans ses pensées. Elle rougit, tendit les bras pour l'étreindre. Ah ! Que tu es beau, que tu es mignon et adorable ! Il ressemblait aux chatons, aux oiseaux sans plumes qui tombent des nids et que l'on embrasse et embrasse encore avec désespoir, en sachant qu'ils vont mourir. Parce que c'était ce qui allait se passer, conclut-elle en s'affranchissant de ce terrible remords. Ils l'emmèneraient avec eux et, une nuit, ils auraient beau faire tout leur possible pour le sauver, il mourrait dans ses bras. Quel chagrin n'éprouverait-elle pas ! Que ce serait pénible de devoir s'occuper de tout dans une ville étrangère, acheter un cercueil où il faudrait le mettre, organiser l'enterrement et le conduire au cimetière ! Devoir le laisser là pour toujours, entre des tombes d'inconnus ! Qu'il serait dur, pour elle, de tout recommencer, de s'habituer à l'idée qu'ils ne se reverraient plus, et combien de fois, alors qu'elle croirait avoir fait son deuil, ne se mettrait-elle pas à pleurer, inconsolable, en répétant son nom, comme si elle avait perdu la tête et était certaine qu'en le répétant inlassablement, dix, mille, ou dix mille fois, un million de fois, elle le ramènerait à la vie ! Et Javi ! Comment ne s'occuperait-il pas d'elle, en de tels moments ! Il serait si attentif à sa douleur ! Il viendrait à elle pour l'embrasser, pour lui dire qu'elle n'arrangerait rien en pleurant toute la sainte journée, et que ce qu'il fallait faire, c'était se distraire, sortir, s'intéresser de nouveau aux choses de ce monde ! Avec quelle lenteur ne suivrait-elle pas ce processus interminable, celui de s'habituer à vivre sans son enfant chéri ! Avec quelle lassitude ne se lèverait-elle pas, le matin, et quelle peine aurait-elle à mettre sa robe de chambre en soie, pleine de grands rubans, et ses mules aussi soyeuses que du duvet de colombe ! Avec quel manque d'appétit ne se remettrait-elle pas à se nourrir, n'acceptant pour commencer que de petites cuillerées de soupe, en y trempant à peine les lèvres, et ensuite, peu à peu, un morceau d'omelette, une petite sole que Javi lui servirait après avoir ôté les arêtes, une fine tranche de jambon d'York, jusqu'à être de nouveau reprise par l'illusion de la vie !

À ce moment-là, ils entendirent un bruit de moteur et tournèrent tous les deux la tête. La fourgonnette de la compagnie d'électricité passait le pont et venait, légère, à leur rencontre. Oh ! fit Reme en se levant d'un bond, il est là, dépêche-toi. Elle courait déjà en direction de la route quand elle s'arrêta. Elle avait oublié quelque chose, et Isma la vit fouiller dans son sac, puis se retourner et regarder quelque part derrière lui. Le bâton de rouge à lèvres était sur la meule et le soleil le faisait briller. Elle alla le chercher et repartit, aussi vite qu'elle pouvait, vers la route (elle avait des chaussures à talons hauts et devait franchir quelques mètres de terre meuble). Le tube de rouge brillant dans sa main était de la braise. Isma se dit qu'elle faisait comme la corneille. Quand Reme monta dans la fourgonnette, elle eut l'air d'être aspirée par un tourbillon. Puis, elle et Javi agitèrent la main, pour lui dire au revoir. Il y avait de la folie dans l'expression de leur visage, et, quand ils se mirent à rouler, Reme agita la main encore et encore. Elle tenait toujours le bâton de rouge. La fourgonnette, sur la route, donnait l'impression de filer sans toucher le sol. Isma s'attendait presque à la voir s'enflammer, non pas à la hauteur du moteur, mais à celle de la cabine, sorte de bout d'allumette énorme.

Il attendit jusqu'au moment où il la perdit de vue, et retourna au moulin. Reme, dans sa hâte, avait laissé sa robe par terre, il la ramassa, la mit dans le sac, qu'il cacha derrière un des murs de torchis. Elle lui avait dit qu'il n'était pas obligé de rester là tout le temps et qu'il suffirait qu'il soit là à son retour, pour qu'elle puisse se changer, mais Isma s'assit pour l'attendre. Ça lui était égal, il pouvait en profiter pour penser à ses propres affaires. À ces menottes, par exemple. Était-ce vrai, que doña Carmen en avait et qu'elle les avait données à Ventura le Boiteux pour qu'il attache Tasio ? Il en avait parlé à Reme, qui, très intéressée, lui avait dit qu'elle se renseignerait. Il suffisait de mettre Puri sur la piste. Ventura le Boiteux l'aimait autant que si elle avait été sa fille, elle se débrouillerait bien pour le faire parler.

Il vit un mulot qui pointait le museau dans l'ouverture de son terrier, sous quelques racines horizontales. Il reniflait, son museau se levait et s'abaissait d'une manière très comique, mais, quand il s'aperçut qu'il était observé, il disparut dans son trou. Isma éprouva de nouveau le vieux désir de pouvoir s'entendre avec d'autres créatures vivantes. Il aurait dit au mulot qu'il ne lui voulait pas de mal, que ce n'était pas la peine de fuir comme ça. Il aperçut Quico, qui se dirigeait vers le bord de la rivière, portant quelque chose sur ses épaules. Il agita le bras pour attirer son attention, mais comme Quico ne le vit pas, il courut vers lui. Quand il fut un peu plus près, il se rendit compte que ce qu'il avait aperçu sur le dos de Quico, c'était une brebis. Elle était morte et son long cou pendait comme un morceau de pneu. Où est-ce que tu la portes ? lui demanda-t-il. Les mouvements de Quico étaient nerveux, gênés, il paraissait s'ouvrir un chemin dans une brume épaisse. Il répondit que les brebis de Poldo étaient malades, et qu'il l'aidait à combattre l'épidémie. Ce qu'il disait était bizarre, parce que la brebis qu'il portait sur l'épaule était bel et bien morte, mais il n'insista pas, parce que Quico lui parut très soucieux de ce qu'il faisait. De plus, quand son regard avait croisé le sien, Isma avait eu peur. Ce n'était pas un regard indifférent, ni méchant, mais celui d'un homme qui a toujours été si loin du monde familier que, quand il y revient, il a l'air d'un étranger. Il le regarda s'éloigner en longeant la rive. Le sable, au bord de la rivière, était très fin, et il n'y laissait pourtant presque pas de traces. Isma s'attarda un moment à observer ces empreintes dans le sable, aussi légères que celles d'un renard ou d'une belette.

Il retourna au moulin, décidé à ne plus en bouger jusqu'au retour de Reme. Pour la première fois, il eut peur qu'il lui arrive quelque chose, qu'elle ne revienne pas. Un vol d'oiseaux passa en criant au-dessus de lui. Il se souvint de ce que Miguel Óscar lui avait dit un soir, que tout ce qui existe a une parenté, que rien ni personne ne vit seul. Il ne savait pas si c'était vrai. Quico avait-il quelqu'un auprès de lui ? Andreona était partie, et il s'occupait de ces brebis, les portait d'un endroit à l'autre comme s'il pouvait, de cette manière, leur rendre la vie.

Les oiseaux repassèrent au-dessus de lui, se poursuivant, mais cette fois, il ne les entendit pas crier. Le perte de l'ouïe annonçait ses crises. Il sentit son bras s'engourdir et, aussitôt après, les contractions du pied, du même côté. Ce fut un rude coup, mais il n'eut pas mal. Il voyait les herbettes, les infimes cailloux, aussi clairs et nets que si la pluie venait de les laver. Une petite araignée s'arrêta tout près de son nez. Elle se déplaça rapidement d'une brindille à l'autre, tendant un fil invisible. Quand il reprit conscience, il était couché par terre. La salive coulait sur son visage, et il se sentait très fatigué. Il ne savait plus où il était ni ce qu'il faisait là. Oui, il y avait quelque chose d'étrange. Une chose qu'il fallait exiger, désirer de toutes ses forces pour qu'elle se révèle. Il lui sembla que Reme savait de quoi il s'agissait. Il se rendormit. Des bruits lui parvinrent. Cris de martinets, chant insistant, envoûtant, des grillons, et, aussitôt après, le bourdonnement d'un moteur. Il ouvrit les yeux. La nuit tombait, la fourgonnette était arrêtée sur le bas-côté de la route. Il s'approcha d'un mur de torchis. Le moteur n'avait pas été coupé. Il attendit quelques minutes. Que faisaient-ils ? Il ne voyait rien, mais savait qu'ils étaient enfermés dans la cabine. Reme, murmura-t-il. On aurait dit qu'elle s'était cachée pour le laisser porter seul le poids de ce secret.

À ce moment-là, la portière s'ouvrit et Reme sortit. Elle

regardait fixement à l'intérieur de la cabine, marchant à reculons dans la direction d'Isma, qui n'avait pas bougé. Le bruit du moteur devint plus fort, et la fourgonnette se mit enfin en marche. Reme attendit qu'elle se fût éloignée avant de se retourner. Elle ne pouvait savoir qu'Isma était derrière elle et elle faillit le bousculer. Elle sursauta. Hou ! s'écria-t-elle. Quelle peur ! Et, aussitôt après, avec un sourire effilé en lame de rasoir, elle déclara qu'il les épiait. Isma ne savait pas à quoi s'en tenir, mais quand elle lui tendit la main, il la prit sans hésiter. Ils allèrent chercher la robe et Reme se changea. Elle était très contente, mais aussi essoufflée que si elle était revenue en courant. La prochaine fois, tu viens avec nous, dit-elle en se penchant pour approcher son visage de celui d'Isma. Voir conduire Javi, c'est une folie. Ses yeux brillaient comme des verres de loupe, et il lui sembla que si elle continuait longtemps à le regarder aussi intensément, elle allait lui brûler la peau.

Pour ne pas éveiller les soupçons, ils rentrèrent par des chemins différents. Reme passa par la place, à la vue de tout le monde, et lui, avec le sac, contourna l'église de San Ginés, quelques minutes après elle, quand la nuit fut tout à fait tombée. Quelques fenêtres étaient éclairées et de l'intérieur des maisons lui parvenaient des voix d'enfants. Il entendit un bruit sec, qui se répéta plusieurs fois. On eût dit celui d'une cognée frappant le bois. Dans le silence profond de la nuit, il avait quelque chose d'un cri humain.

La maison de Reme était dans la grand-rue. En arrivant devant sa porte, Isma entendit les voix des gens qui parlaient sur la place et le bruit d'une moto. Avant de frapper, il se retourna pour regarder la rue. À quelques mètres de lui, il y avait des antennes de radio, des annonces publicitaires, des caisses avec des bouteilles en verre, toutes choses qui se rattachaient à l'époque actuelle, et, de l'autre côté de la porte, tout ce qu'il ne pouvait s'expliquer, et qu'il ne pouvait pas davantage rattacher à tous ces objets. Quelque chose d'aussi vieux que les montagnes et la rivière, d'aussi secret que les animaux. Il n'eut pas à appeler, Reme l'attendait. Elle apparut sur le seuil, telle la reine de ce monde mystérieux. Donne, lui dit-elle en prenant le sac. Elle le monta dans sa chambre et, peu après, ils traversaient la rue, main dans la main, en direction de la boulangerie.

Ils mangèrent ce qu'ils trouvèrent, des biscuits au beurre, de la fougasse à l'huile, sans dire un mot. Reme était absorbée dans ses pensées et, à un moment, quand leurs regards se croisèrent, elle se contenta de hausser les épaules, semblant dire qu'elle n'avait rien d'intéressant à lui raconter. Mais, tout à coup, son visage prit une expression confiante et douce. Je t'ai fait beaucoup attendre ? demanda-t-elle. Ils étaient revenus avec au moins une heure de retard. Allez, fit-elle en un soupir, viens ici que je te cajole. Elle le fit grimper sur la grande table où l'on préparait le pain, se coucher sur le dos, et saisit l'un de ses bras. Maintenant, un clou, dit-elle avec un regard cruel, et, lui ouvrant la main, elle donna trois coups de poing dans la paume. Puis elle tira sur l'autre bras, répéta l'opération. Et maintenant, le deuxième clou, fit-elle. Isma sentait ses légers coups de poing sur le coussinet mou de sa main, et un premier petit rire lui échappa. Il riait en pensant à ce qui allait suivre, et parce que Reme était quelqu'un de différent de tous ceux qu'il connaissait, que ce qu'il désirait le plus au monde, c'était qu'elle le caressât et le couvrît de baisers. Reme avait contourné la table et se trouvait maintenant du côté de ses pieds. Elle l'obligea à tendre les jambes et refit ce qu'elle avait fait sur ses mains. Et pour finir, un autre petit clou pour les pieds. Elle le frappait de son poing replié, de haut en bas, et il ne pouvait plus bouger, à présent, comme si elle l'avait réellement cloué à la table, les pieds et les mains plaqués contre le bois, immobilisé. C'était le jeu de la crucifixion de Jésus. Voyons un peu, poursuivit Reme sur un ton de feinte indifférence, c'est au tour de la couronne d'épines. Il ferma les yeux, et Reme dessina sur la tête et le front d'Isma un cercle épineux, en lui enfonçant un peu les ongles dans la peau. Tout le corps d'Isma frissonna à ce contact, ils échangèrent alors un regard et Reme lui adressa un sourire narquois. Puis, semblant se rappeler tout à coup quelque chose d'important, elle s'écria : Ah ! l'éponge imbibée de vinaigre ! Il ne pouvait déjà plus se contenir. Reme pressa sa main contre la bouche d'Isma, la promena sur ses lèvres, puis sur tout le visage, ainsi qu'elle l'eût fait pour le frotter avec une éponge. Elle s'interrompit brusquement et leva la main en tendant les doigts. Et n'oublions pas, poursuivit-elle en se rapprochant davantage, la lance dans le flanc... Elle lui planta les doigts entre les côtes, en même temps qu'elle le chatouillait aussi vivement et habilement qu'elle le pouvait, provoquant aussitôt en lui un rire tellement irrésistible que les clous et les épines sautèrent, volèrent dans toutes les directions, et qu'il se pendit à son cou pour se protéger.

# 5

Elle est là, dans le tiroir de droite. Reme lui montrait d'un geste le tiroir qu'il devait ouvrir, voyant qu'il bataillait avec celui qui était sur la gauche. Isma posa enfin la main sur le bon. C'est ça, dans celui-là, insista Reme. Il ouvrit le tiroir et vit aussitôt la lettre. Elle était d'Andreona ; Reme l'avait reçue trois jours auparavant. Isma s'assit sur la table, la lettre à la main. Il dut attendre que Reme eût refermé la porte du four pour la lire. Il remarqua que Reme avait les yeux cernés, sans doute avait-elle mal dormi. Je suis morte de sommeil, dit-elle en s'étirant. Puis elle bâilla, et, un instant plus tard, il bâilla lui aussi, parce que, même s'il avait bien dormi, il ne pouvait voir Reme s'étirer et bâiller sans avoir aussitôt envie d'en faire autant. Parfois, il l'imitait volontairement, quand elle portait la main à ses cheveux ou arrangeait ses vêtements, quand elle disait certaines choses, saisissait certains objets. Alors, il n'avait qu'une idée, être comme elle, partager ses pensées, et que leurs deux corps n'en fissent qu'un.

Bon, allons-y, dit Reme en sortant la lettre de l'enveloppe. Elle s'était assise à côté de lui et le poussait de la hanche pour se faire une place sur le banc. Tiens, ça sent encore, fit-elle en lui glissant la lettre sous le nez. Andreona avait l'habitude d'asperger de quelques gouttes d'eau de Cologne ses lettres, et l'odeur, si l'on prenait la précaution de bien fermer l'enveloppe, se conservait longtemps. C'était une habitude charmante, qui rendait plus agréable ce que l'on lisait ensuite. La lettre disait ceci :

*Chère Reme,*
*J'espère que tu vas bien et que tout va pour le mieux entre ton père et madame Benilde (souviens-toi que c'est moi qui ai découvert leur petit secret).*

Reme rougit et s'interrompit brièvement en jetant un regard sur Isma, qui ne parut pas trouver d'intérêt à cette allusion.

*Madame Benilde reçoit-elle encore ces catalogues qui nous plaisaient tellement ? Sans doute que oui. Et que toi, Gabina, Rosarito et Puri passez tous les premiers du mois à les regarder. Je donnerais tout ce que j'ai au monde pour être avec vous au moment de l'arrivée du courrier, parce que si je puis aujourd'hui voir tout ça de mes yeux, ce n'est pas la même chose, et quand on voit les robes dans les vitrines des boutiques, elles ne paraissent pas aussi belles. Dis-leur à toutes que je me souviens des moments où on allait au bal, où on s'asseyait, aux Cuatro Cantones, pour manger des graines de tournesol, et de Rosarito, quand elle disait qu'elle voulait devenir danseuse de cabaret et se mettait à taper des pieds sur la route. Et du jour où le vermicellier, en nous voyant arriver sur la place, s'est précipité à notre rencontre, a étendu le drap par terre pour que nous marchions dessus, et a dit, en regardant d'abord Rosarito puis nous autres, cette si jolie chose, que la reine et ses dames d'honneur ne doivent pas marcher où passe le bétail, parce que le sol était couvert de crottes de mouton. Souviens-toi, nous en sommes restées clouées sur place, on a d'abord eu envie de rire, mais après, quand on a vu ce drap si propre, cette blancheur qui nous rappelait les nappes d'autel, on a eu une envie folle de passer dessus, et on a fini par le faire, de toute notre hauteur, comme si on était habituées à ce que les garçons du village nous fassent des faveurs pareilles. Imagine-toi un peu, ces garnements, nous traiter comme si nous étions des dames ! Tu te le rappelles ? Un petit homme très svelte, avec une moustache fine, comme celle des Italiens que l'on voit au cinéma, l'air d'un prince, aussi fin que les vermicelles qu'il vendait.*

*Je me souviens si bien de vous toutes, de combien on était heureuses à cette époque-là, que même maintenant, tandis que je t'écris cette lettre, il suffit que je repense aux vermicelles pour que je me mette à pleurer.*

Reme dut s'interrompre, pour essuyer elle aussi ses larmes avec le bord de son tablier.

*Et je me souviens aussi d'Isma, ton enfant chéri, qui doit avoir bien grandi, et être toujours beau comme un ange.*

Reme s'arrêta une nouvelle fois de lire, pour jeter un regard sur Isma, qui souriait cette fois de toutes ses dents.

*Et de toi aussi, bien entendu. Si bien, si bien que tu ne peux l'imaginer, parce que tu es ma meilleure amie, et que même si la patronne du magasin de chaussures est très bonne avec moi, si nous nous payons parfois, comme elle dit, de bonnes bosses de rire, je n'ai ici personne à qui parler comme nous aimions le faire, tu t'en souviens ? Nous étions capables de passer une nuit entière à papoter sans nous arrêter.*

*Bilbao ne ressemble pas à notre village. C'est une ville énorme, avec des rues gigantesques pleines de voitures, et des masses de gens. Les maisons sont devenues grises, à cause de la fumée des fabriques, et il y a un bruit à te rendre dingue. Je vis à Portugalete, près de l'embouchure du Nervión, sur la rive gauche, à deux pas du fameux pont transbordeur, qui est tout en fer et qui traverse l'embouchure d'un côté à l'autre comme s'il était suspendu à un fil. L'embou-*

*chure est toujours sale, et les mouettes la survolent sans arrêt, à la recherche de cochonneries. Je vis avec mon oncle et ma tante qui, tu le sais, n'ont pas d'enfants et sont très gentils avec moi (ils m'ont invité chez eux aussitôt qu'ils ont appris ce qui s'était passé avec Quico). Ce sont eux qui m'ont trouvé du travail, et je vais faire un petit tour en leur compagnie de temps en temps. Surtout avec oncle Helio, qui insiste toujours pour que je ne reste pas enfermée à la maison. Il m'emmène voir les parties de pelote. Est-ce que les garçons jouent encore contre le mur de Santa María ? Je me rappelle les regards en coin qu'on leur lançait, comme ils nous semblaient beaux avec leurs manches retroussées et leurs chemises flottantes, et je me rappelle aussi le bruit de la balle qui frappait contre le mur, et ce que nous imaginions, que leurs cœurs battraient comme ça quand nous les tiendrions dans nos bras. Mais je sors très peu, parce que je n'en ai pas envie. Et quand je le fais, c'est presque toujours seule, dans des coins où personne ne va. Tout près, il y a une montagne, et quand je suis triste, c'est vers là que j'aime aller, et je marche et je marche jusqu'à ce que je n'en puisse plus. La campagne ne ressemble pas du tout à la nôtre. Les champs sont sans fin et les coteaux pleins d'arbres. L'herbe est si verte et si tendre que souvent j'enlève mes chaussures et je marche pieds nus, pour le plaisir de la sentir sous mes pieds. Ce doit être le paradis des vaches, elles passent tout leur temps à manger sans que personne ne leur dise rien. Je me suis même dit que ce ne doit pas être si mal, d'être une vache, parce que j'aime leurs yeux, si ronds et ahuris, et parce que les vaches n'ont pas à penser. Et moi, j'ai toujours l'impression que je vais devenir folle, à force de penser.*

*Sais-tu que quand je suis venue ici pour la première fois, je croyais être enceinte ? Tout d'abord, j'ai prié pour que ce ne soit pas vrai, parce que j'avais peur de devoir élever un enfant toute seule, et dans cette situation si difficile, mais ensuite, quand j'ai eu mes règles, j'ai pleuré et pleuré en imaginant à quel point Quico aurait été heureux si j'avais* été mère, et il m'a semblé que je l'avais abandonné une deuxième fois. J'imaginais aussi que l'enfant lui aurait ressemblé et qu'il m'aurait suffi de le serrer dans mes bras pour sentir que c'était lui que j'embrassais, qu'il était revenu à la vie changé en bébé. Qu'il s'était caché dans ce petit corps pour échapper à toutes les pensées qui le torturent. Aujourd'hui encore, je me demande ce que pouvaient bien être ces pensées, et pourquoi il s'est conduit comme il l'a fait, alors que nous étions si heureux ensemble. Je ne peux l'oublier. Je suis incapable de m'ôter de la tête l'idée que je suis responsable de ce qui s'est passé parce que je ne suis jamais arrivée à le comprendre. Il ne me laissait même pas essorer une pièce à frotter. La maison étincelait de propreté, et je n'y comprenais rien, car je ne la nettoyais pas, je ne voyais personne la nettoyer, jusqu'à la nuit où je me suis réveillée et où j'ai vu de la lumière dans la cuisine. Je me suis approchée sans faire de bruit, et Quico était là, fort comme un char, en train de laver le carrelage à genoux. Et, même si je ne pouvais comprendre pourquoi il tenait tellement à faire tous ces travaux réservés aux femmes (je me suis ensuite rendu compte qu'il profitait aussi de la nuit pour faire la vaisselle, laver et repasser le linge), il m'a semblé plus beau que jamais, et je me suis sentie la plus heureuse de la terre, de m'être mariée avec lui. Je me souviens que cette nuit-là, quand je suis retournée me coucher, je n'ai pas pu dormir. J'étais ivre de bonheur, et tout ce que je désirais, c'était qu'il revienne, pour pouvoir l'embrasser, le réchauffer à la chaleur de mon corps, et me soumettre à sa force. Parce qu'il y avait en lui un pouvoir extraordinaire, une force que jamais je n'avais sentie en quiconque, et qui m'obligeait à lui obéir aussitôt, à lui obéir sans la moindre plainte, avec l'impression que tout ce qu'il exigeait, c'était exactement ce que je mourais d'envie de faire. Comme s'il était roi. Un roi qui donnait à tout un éclat incomparable. Je ne sais comment dire ça, comme s'il était encore exactement pareil qu'à l'instant où il était né de l'esprit de Dieu.

91

*Je travaille dans un magasin de chaussures qui s'appelle* CHAUSSURES ITURRIZA. *La patronne, elle, s'appelle Fifi. Bon, elle veut que je l'appelle comme ça. Pas Mme d'Iturriza, ni Mme Matilde, c'est son vrai nom, mais Fifi, parce qu'elle dit que ça la fait se sentir plus jeune. Si tu la voyais ! Elle est si grosse qu'elle passe à peine les portes, mais si joyeuse que je meurs de rire, avec elle. Elle me dit que la première chose à faire, c'est d'enlever ces vêtements noirs, de m'habiller comme les autres jeunes femmes et d'aller m'amuser. Mais je n'ai pas envie de le faire.*

*Il y a un garçon qui me fait la cour. Il travaille avec mon oncle Helio à la fonderie et je crois que je lui plais. Il s'appelle Luis et il nous accompagne parfois au jeu de pelote. Pendant que mon oncle s'entretient avec ses amis, nous parlons. Il est très sympathique et, l'autre jour, alors que nous regardions la partie, il a voulu me prendre la main, mais je ne l'ai pas laissé faire. Puis il m'a demandé de sortir avec lui le dimanche, rien que lui et moi, mais j'ai aussi refusé. Je n'aime pas lui dire non, parce qu'il est très bon avec moi, et que, même s'il n'est pas beau, il a quelque chose de particulier, de très agréable, je ne sais pas dire ce que c'est, ça me pousse à me tourner vers lui à tout moment pour le regarder, on dirait qu'il vient de sortir la tête d'une jatte de crème, mais je ne veux pas qu'il se forge de faux espoirs. Pour le moment, je ne peux encore rien lui offrir. J'ai l'impression que c'est trop tôt. Je ne souviens trop de Quico, et j'ai peur de me mettre à pleurer devant lui, parce qu'au moment où le chagrin m'emporte, rien ne peut m'arrêter.*

*Ça m'est encore arrivé l'autre jour. J'étais au magasin, devant la caisse enregistreuse, et je me suis imaginé, tu vas penser que je deviens dingue, que Quico entrait pour acheter des chaussures. Non, il ne me connaissait pas, et ce n'était pas moi qui le servait. Marga, l'autre vendeuse, allait au-devant de lui, et Quico lui disait qu'il voulait acheter une paire de bottes. Marga allait à l'arrière-boutique et en revenait chargée de cartons, mais toutes les bottes étaient trop*

petites pour lui. Elle repartait et revenait, et tout ça pour
rien, même les plus grandes tailles ne lui allaient pas. Marga
ne savait plus que faire et regardait la porte dans l'espoir
que Mme Fifi allait revenir, et, finalement, elle bredouillait
une excuse et disait à Quico qu'elle n'avait rien d'autre,
qu'elle regrettait beaucoup, mais qu'il avait des pieds trop
grands et qu'aucune des chaussures du magasin ne pouvait
lui convenir. Et Quico se tournait vers moi en souriant et me
clignait le l'œil comme pour me dire : Cela n'arriverait pas
si c'était toi qui me servais.

Reme, Reme, est-ce que je suis folle d'inventer des choses
pareilles ? Est-ce que je le suis parce que je n'arrive à me
sortir ce pauvre Quico de la tête et que je passe toute la
journée à m'imaginer qu'il vient me chercher et que nous
allons de nouveau être heureux ? Je vais te raconter une
autre chose que j'ai imaginée. Tu te souviens, quand nous
allions au cinéma ? Je ne pense pas au ciné du Portugais,
mais à celui que tenait Pilatos, dans la grange, où il n'y avait
ni sièges ni rien pour rappeler de près ou de loin une salle
de cinéma, où il fallait même apporter le projecteur en
camionnette chaque fois qu'il y avait une séance ? Tu te souviens de Frankenstein ? Nous en étions toutes folles à lier.
Tu te souviens de la scène des fleurs au bord de la rivière ?
Le pauvre monstre rencontre cette petite fille mignonne à
croquer, et ils jouent à cueillir des fleurs et à les jeter à l'eau.
Le petite cueille une fleur, attend que le monstre ait cueilli
la sienne, et lui montre comment faire. Ils lancent les fleurs
et les regardent flotter sur l'eau, emportées par le courant,
comme si elles avaient été créées pour vivre ainsi, libres, au
fil de l'eau. Jusqu'au moment où le monstre reste là à regarder la petite avec des yeux songeurs, et, la voyant si belle,
avec sa robe qui, quand elle s'est accroupie, s'étale sur
l'herbe, pareille à une corolle de fleur, il la prend dans ses
bras et la jette dans la rivière, croyant qu'elle aussi va flotter
et glisser sur l'eau avec les autres fleurs (était-ce bien ce
qu'on montrait, ou c'est moi qui délire ?) Te souviens-tu de

ce moment terrible où l'on voit le père de la petite porter dans ses bras le corps inerte de sa fille, qui n'est plus maintenant resplendissant mais tout sale, couvert de vase, et qui parcourt les rues du village au milieu de l'épouvante générale ? Eh bien, ce que je m'imagine, c'est que je suis cette petite fille et que Quico est pareil au monstre. Que nous nous rencontrons au bord de la rivière et que, comme dans le film, il me fait quelque chose, je ne sais quoi, mais malgré lui, jamais il n'a voulu me faire du mal, quelque chose qui, aux yeux des autres, est une horreur intolérable. Alors qu'il n'a eu aucune mauvaise intention, qu'il a agi sans songer aux conséquences, poussé par des forces étranges, cette folie qu'il y a en lui, parce que son problème, c'est qu'il ne peut demeurer en paix qu'au prix d'un effort terrible et persistant. Et j'imagine qu'il me prend dans ses bras et se dirige vers le village, qui sait pourquoi, peut-être pour trouver quelqu'un qui lui expliquera pourquoi je ne bouge plus, je ne réponds plus à ses appels, pourquoi, au lieu de rire et de jouer, je suis aussi inerte entre ses bras qu'un sac de chiffons. Et tous le fuient, courent se barricader chez eux, et, peu à peu, s'organisent en milice pour aller lui donner la chasse. Moi, bien que je sois morte, je peux encore réfléchir, je sens l'air entrer et sortir de ses poumons, on dirait un soufflet de forge, et quand il sent le danger et décide enfin de fuir, j'assiste à sa course précipitée vers la montagne, tandis que les autres se lancent à ses trousses. Il court vers les Casas Nuevas, il arrive à Las Cuestas. Il commence à grimper, poursuivi par tous ces gens, de plus en plus effrayé, il cherche un refuge où se cacher. Et moi, dans ses bras, j'essaie de le tranquilliser, en lui disant qu'il ne m'a pas fait mal, de ne pas s'inquiéter, ou de leur crier, à eux, d'arrêter de le poursuivre comme s'ils traquaient une bête sauvage, et de nous laisser seuls, tous les deux. Parce que je me suis rendu compte qu'ils ne le connaissent pas et que, de tout le village, moi seule peux le protéger et le consoler. Que rien de tout ce qu'ils s'imaginent n'est vrai, ni l'affaire des pauvres bêtes retrouvées

94

mortes ici et là, ni celle de ces étrangers auxquels il aurait réglé leur compte, et qui le méritaient bien, entre nous, surtout la femme. Et que, même si c'était lui, ils ne devaient pas le poursuivre, parce que ce n'était pas facile de vivre comme il devait le faire, avec ce volcan qu'il avait en lui, cette puissance d'ouragan qui emporte tout, qui était parfois plus forte que lui et le forçait à faire des choses dont il ne se souvenait pas ensuite. Ne peuvent-ils le comprendre ? Ne sommes-nous pas tous comme ça, peut-être ? Les enfants n'en font-ils pas autant quand on les prive de quelque chose ?, et les animaux quand ils sortent en quête de nourriture ?, et les garçons quand ils nous courent après, les veilles de fête, après avoir bu plus que de raison, le visage déformé par la luxure ?, et nous-mêmes, quand nous avons peur de perdre ce que nous aimons ? Oui, nous pouvons tous devenir méchants, parce que la vie est plus vaste que notre destin et se rebelle contre lui. Tu te souviens de la fois où nous sommes allées voir Miguel Óscar ? Tu te promenais avec Ismaelillo, et il me semble que c'est toi qui as eu l'idée d'aller sur son terrain de l'île. Nous nous sommes tous assis sous les arbres, et il nous a offert du vin de sa gourde. Je crois que nous étions un peu éméchées, et nous nous sommes mises à parler du père Bernardo et de la pauvre Pilar, qui doit s'occuper de lui. Nous disions que ce devait être terrible de vivre avec quelqu'un comme ça, de supporter son égoïsme et ses saletés, surtout quand il se faisait dessus. Et Miguel Óscar nous a demandé de nous taire, en nous disant cette si belle chose, dont je me souviens encore aujourd'hui, que seuls sont condamnables ceux qui n'éveillent dans les autres ni pitié ni amour. Alors, Quico ne peut être condamné, n'est-ce pas ? Devant un tribunal composé de tous les sages qu'il y a eu au monde, mon amour ne suffirait-il pas à le sauver ?

La nuit est tombée, je suis allée à la fenêtre de ma chambre. À Bilbao, on ne voit pas les étoiles. Quand ce n'est pas parce que le ciel est couvert, c'est à cause de la fumée des usines et des fonderies. Il n'y a pas de ciels étoilés comme

95

les nôtres. C'est notre vengeance, pourrait-on dire. Nos champs sont pelés, notre terre est aussi sèche que le sparte, mais nos nuits sont des enchantements. Le chant des grillons et des grenouilles, les voix du vent, le ciel immense, sans fin, regorgeant d'étoiles, si nombreuses que toute une vie ne suffirait pas à les compter. Tu te souviens ?, on se disait qu'on devrait vivre à l'envers, passer les jours à se reposer et les nuits éveillées, parce que nous étions nées pour ce ciel de rêve. On imaginait même que ce monde de la nuit serait régi par des habitudes, des coutumes différentes, que ce que l'on ne pouvait comprendre pendant le jour serait alors à notre portée. Et si Quico était né pour vivre dans un tel monde, sous toutes ces étoiles ? Je me demande encore pourquoi il devrait quitter la maison, et pourquoi il n'a même pas voulu m'adresser la parole quand je suis allée le chercher. Est-ce que je me suis souciée du scandale qui a éclaté au village quand, après notre mariage, nous sommes restés deux semaines entières sans même ouvrir les fenêtres ? Pourquoi n'aurais-je pas été prête à m'enfermer encore une fois avec lui, même si ce n'était plus pour me livrer à ses baisers mais pour veiller sur lui et lui ôter de la tête ces idées cruelles ? Ah ! Je ne peux me défaire de l'idée que j'aurais pu l'aider. Je ne sais comment, mais je l'aurais fait.

Reme, Reme... Cette lettre devient trop longue et il me semble que je ne t'ai encore rien dit de tout ce que j'avais l'intention de te raconter. Je me souviens des moments où nous allions épier don Abelardo, le maître. On le voyait prendre ses livres, saluer sa femme et ses enfants, s'éloigner du vacarme qui régnait dans la cuisine pendant les repas et monter au grenier. Il s'asseyait à la table et se plongeait dans ses livres. Pas très longtemps, car il était bientôt levé et s'occupait de ses oiseaux. Il se précipitait vers les cages, leur donnait à manger tout en les excitant avec de petits bruits de langue, il sifflait, imitait leurs chants, et ils lui répondaient avec ferveur. Là, en haut, c'était quelqu'un d'autre. Il oubliait qu'il devait préparer le fameux concours, *qu'il avait dix enfants qu'il pouvait à peine nourrir avec son salaire, en rabiotant le lait en poudre et le fromage de l'Aide américaine. Puis, il se dirigeait vers le phonographe, un de ces appareils qu'il fallait remonter avec une manivelle, et dont le haut-parleur avait l'air d'une énorme fleur. Et nous entendions toujours la même chanson, tu t'en souviens ? Les premières mesures si mélancoliques, puis les violons très doux et lointains, presque mourants, puis la voix, profonde et puissante, qui montait et montait, comme si elle n'allait jamais trouver de limite. Je me souviens encore des paroles :*

Savoir porter notre part de nuit
ou d'aube pure,
remplir notre vide de dédain
le remplir de bonheur.
Là, une étoile, une autre un peu plus loin,
une qui s'égare.
Là, un nuage noir, un autre un peu plus loin,
mais ensuite le Jour.

*Je me demande si c'est bien vrai, et si ce nuage noir va se dissiper un jour. Est-ce si important pour moi ? Non, je ne crois pas. Comme dit la chanson, il y a des étoiles qui s'égarent, et j'ai constaté qu'en vivant avec Quico, j'ai eu tout ce que l'on peut demander, parce que ces étoiles qui s'égarent sont les plus belles de toutes. Sais-tu ce que je fais quand je réussis à en voir une ? Je ferme les yeux et je parle à Quico. Reviens, mon amour. Parce que je sais maintenant que c'est moi qui dois être sauvée, et que lui seul – qui sait pourquoi ? – peut m'aider à porter ma part de nuit.*
*Mille bises pour toi et pour toutes les autres.*

*Andreona*

Reme finit de lire la lettre et, après avoir poussé un soupir, la replia avec soin et la remit dans l'enveloppe. Puis elle demanda à Isma de la ranger dans le tiroir. Je reviens, lui dit-elle. Isma remit la lettre à sa place et s'assit près du four. Ils venaient d'ajouter du bois et il entendait le souffle ronflant des flammes et de l'air chaud dans la cheminée. Reme revint avec un vase de lentilles. Aide-moi, dit-elle. Elle versa les lentilles sur la table et ils se mirent à les trier. Ils enlevaient les petits cailloux et les brindilles, et le tas de lentilles triées grandissait tandis que l'autre diminuait et ne tardait pas à disparaître, par une sorte de tour de passe-passe.

Reme les porta chez elle. Si un client vient, fit-elle, absorbée dans ses pensées, sers-le. Isma attendit un moment derrière le petit comptoir, et comme personne ne venait, il sortit sur le pas de la porte, pour voir ce qui se passait dans la rue. Il aperçut le Basque, qui arrivait à bicyclette et s'arrêta à côté de lui. Isma lui demanda si c'était vrai, cette histoire de la couleuvre. Juan Pototo dit qu'elle était grosse comme son bras et qu'elle faisait toute la largeur de la rue. Le Basque pouffa de rire et déclara que dans ce village tout le monde était un peu cinglé. Isma se souvint de ce qu'Andreona disait dans sa lettre à propos de la nuit et des étoiles, et se demanda si c'était à ça qu'elle avait pensé, parce qu'il est vrai que beaucoup de choses qui la nuit paraissent crédibles, comme l'histoire de la couleuvre, deviennent invraisemblables le jour.

Le Basque, avant de revenir au village, avait vécu à Bilbao et n'arrêtait pas de s'en vanter. Apparemment, ça lui donnait un avantage sur tous les autres, parce que vivre loin, c'est connaître le monde. Isma lui demanda s'il existait bien, ce funiculaire dont il parlait parfois. Et comment ! s'exclama le Basque, il est dans la rue, et il te monte jusqu'au monastère de Begoña. Tu as l'impression de voler, ajouta-t-il. Reme sortit de chez elle. Bonjour, Basque, lui dit-elle en portant la main à ses cheveux et en les glissant derrière l'oreille. Le Basque était plus grand que lui, et Isma sentait que lorsqu'il était là, Reme se conduisait autrement, comme elle le faisait devant Javi et les autres garçons. Elle avait l'air de se plaire à les défier. Le Basque, intervint-il, est monté dans le funiculaire du monastère de Begoña. Oui, on dirait que tu voles, répéta le Basque, et son regard croisa celui d'Isma, parce qu'il était embêté de dire deux fois la même chose. Qu'en dis-tu, de ce gitan ? demanda-t-il à Reme, en retrouvant son aplomb. Il pensait à la partie de pelote et à la défaite de Javi et de Jesu. Tout le monde lançait des insinuations à Reme, car on commençait à la critiquer, dans le village, parce qu'elle passait trop de temps avec Javi. Il y a des gens qui en vivent, du jeu de pelote, répondit-elle. Isma repensa à Penicilina, au moment où ils lui avaient touché les mains, dans le bar de Tasio. Aux bandes qu'il mettait pour les protéger, à la douceur de sa peau. Javier pense – et en prononçant ce nom, Reme devint rouge comme une tomate –, que ce gitan doit être un professionnel et que la partie a été un coup monté. Elle réussit non sans peine à venir à bout de sa phrase. Elle sentait ses joues en feu et sa poitrine monter et descendre à un rythme précipité. Jamais rien de semblable ne lui était arrivé, cette réaction de son corps la plongeait dans la confusion et lui faisait peur. Oui, répondit le Basque en remontant sur sa bicyclette, à Bilbao, ils gagnent des fortunes. Il les salua, et Reme entra dans la boulangerie. Isma ne la suivit que quelques minutes plus tard, et si lentement que Reme ne le remarqua même pas. Plantée devant le four, elle lui tournait le dos, les mains sur les hanches. Il prit la même posture. Reme avait allumé une cigarette et, pour la retirer de sa bouche, elle déplaça un bras. Il fit de même. Quand Reme expulsa la fumée, il l'imita. Ils avaient l'air reliés par des dizaines de fils.

Reme se retourna. Ah, murmura-t-elle en prenant un air ennuyé, je pensais que tu étais parti. Il était clair que c'était un de ces moments où elle ne voulait pas de sa présence. Elle fouilla dans la poche de son tablier et en sortit une pièce de monnaie. Tiens, lui-dit-elle, achète-toi quelque chose. Isma prit la pièce, et, après l'avoir regardée encore quelques secondes, sortit en vitesse.

Il gardait la pièce à la main, et comme ses poches ne lui semblaient pas assez sûres, il enleva une de ses chaussures et la mit dedans. La pièce bougeait sous son pied. Le Rat était avec Chuchi sur le parvis de Santa María. Ils l'appelèrent. Tu as de l'argent ? lui demanda Chuchi. Il nia d'un mouvement de tête. Chuchi ne le crut pas et lui palpa les poches. Il les retourna, même. Isma ne protesta pas. Il remarqua l'expression abrutie de Chuchi, l'éclat sourd de ses yeux, sa peau flétrie par le soleil, ses jambes décharnées couvertes d'égratignures et de croûtes. Lui aussi était différent, la nuit. Ils se réunissaient alors sur la place de l'église, et Chuchi, qui était d'une agilité extraordinaire, les étonnait tous avec ses pirouettes. Il arrivait à marcher tête en bas, en équilibre sur les mains, et on ne l'avait pas plus tôt perdu de vue qu'il était monté sur un toit, où il se déplaçait avec une adresse et une hardiesse de chat. Il était comme les poissons qui, dans les fonds de la rivière, ont de vifs éclats de couteau ou de cuillers d'argent, mais qui, une fois sortis de l'eau, n'inspirent plus que pitié et dégoût.

Isma les quitta et partit en courant. Il alla chez Víctor. La porte était ouverte, et comme personne ne répondit à ses appels, il s'engagea dans le couloir. Ce n'était pas une maison comme les autres, même pas comme celle du médecin. Ici, le sol était parqueté et les meubles imposants et sombres, les murs couverts de tableaux et de miroirs aux cadres dorés. Qui est là ? C'était Víctor, qui devait l'avoir entendu et se montrait dans l'encadrement d'une porte. Il lui dit d'entrer. Il était en veste d'intérieur, nouée à la taille par une ceinture du même tissu, et il fumait la pipe, dont l'odeur était très différente de celles de toutes les cigarettes. Elle sentait le miel. Assieds-toi, lui dit-il. Il alla au buffet et revint aussitôt avec un plat de gâteaux secs et un petit verre, si fragile que quand Isma le prit, il eut l'impression qu'il allait le pulvériser entre ses doigts. Le vin, presque noir, était si doux qu'Isma l'avala d'un trait. Víctor lui en versa encore. Fais attention, lui dit-il en riant, tu pourrais te saouler. Mais Isma fit la sourde oreille et avala le deuxième verre comme le premier. Víctor s'était planté de l'autre côté de la table et remplissait le fourneau de sa pipe. Il avait des doigts courts et la couleur de sa peau différait de celle des gens du village, inévitablement hâlée par le soleil ; elle était blanche, presque laiteuse. Quand Isma était entré, Víctor lui avait caressé le visage, et Isma s'était dit que c'étaient des mains trop douces, pour un homme. Je vais parler net, dit-il en mettant la pipe à sa bouche et en fouillant ses poches à la recherche d'un briquet ou d'une boîte d'allumettes. Je veux que tu travailles pour moi... Il s'interrompit. Et ce travail ne consiste qu'en une seule chose, reprit-il, que tu me dises ce que fait Reme. Où elle va, qui elle voit, ce qu'elle te raconte.

Le vin commençait à faire son effet, et Isma avait la tête qui tournait. Il écoutait Víctor, mais il lui semblait à certains moment qu'il était tout près de lui, qu'il lui parlait à l'oreille, et, à d'autres, que la pièce avait doublé de volume et que sa voix lui parvenait atténuée par la distance. Bien entendu, ajouta Víctor en cherchant pour la première fois son regard, qu'il avait jusqu'alors évité, en échange, je m'engage à te récompenser, si tu m'apportes des informations. Il se dirigea une fois encore vers le buffet, où il prit un bocal en verre. Dans ce bocal, fit-il, nous garderons ce que je te donnerai. Quand il sera plein, tu pourras l'emporter. Pour le moment, poursuivit-il en se remettant à fouiller ses poches, nous commencerons par ça. Sa main était pleine de pièces, et il les fit tomber dans le bocal. Elles tintèrent contre le verre et prirent, au fond du récipient, une apparence à la fois lumineuse et irréelle, comme si, d'un instant à l'autre, à cause d'un faux mouvement, elles pouvaient disparaître de sa vue.

Quand il se leva, ses jambes tremblaient tellement qu'il crut qu'il allait tomber. Il ne pouvait s'ôter de la tête le bocal de pièces de monnaie, et Víctor, qui l'avait accompagné jusqu'à la porte, sembla deviner ses pensées. Peut-être voudrais-tu commencer maintenant ? demanda-t-il. Isma hocha la tête, et ils regagnèrent la salle à manger. Víctor lui servit encore un petit verre, pendant qu'Isma racontait comment Reme s'était changée en cachette au moulin, était partie se promener avec Javi en fourgonnette et était revenue à la tombée de la nuit dans un drôle d'état et inquiète comme si, d'un moment à l'autre, elle allait se détacher du sol, emportée par la puissance du désir.

Víctor le tira de son rêve. Tu n'as rien vu de plus ? lui demanda-t-il. Isma lui avait raconté qu'ils étaient restés un bon moment dans la fourgonnette. Il haussa les épaules. Il se rappelait encore le silence, et les lueurs rouges de leurs cigarettes, quand ils aspiraient la fumée. Ces lueurs n'étaient cependant pas assez vives pour éclairer la cabine. Il pouvait deviner les masses de leurs corps, leur proximité suffocante, mais pas leur place exacte, ni ce qu'ils faisaient. Víctor était devenu d'un blanc de cire, et la sueur perlait à son front. Sa tête avait pris une inclinaison bizarre, comme si elle allait d'un moment à l'autre se détacher de ses épaules et rouler sur la table. Il quitta la pièce et revint avec un petit sac en toile. Ça me va, dit-il, les renseignements sont bons. Et il versa dans le bocal une poignée de pièces après l'autre. Tu as gagné beaucoup, beaucoup, dit-il tout bas, si tu continues comme ça, poursuivit-il en respirant avec peine, comme s'il avait terriblement mal dans la poitrine, on le remplira plus vite que tu ne te l'imagines. Avant le retour de Víctor avec son petit sac, Isma avait lampé le troisième verre de vin.

Quand il sortit dans la rue, il tenait à peine sur ses jambes. Les murs ne lui paraissaient guère plus solides. S'il s'appuyait contre eux, ils semblaient céder sous son poids. Il ne savait pas où il allait, et quand il s'en soucia, il était près du canal. Deux chevaux s'y abreuvaient. Leurs têtes plongeaient vers l'eau, et ils agitaient leurs queues pour chasser les taons. Il s'approcha d'eux, si près qu'il put se voir dans le noir de leurs yeux. Il lui sembla que du fond de cette ombre quelqu'un l'appelait et essayait de lui dire qu'il était possible d'y entrer. Ça ne va pas ? C'était Poldo, le berger, qui lui parlait. Il venait d'arriver, conduisant ses brebis à l'abreuvoir. Isma secoua la tête et avança avec peine entre les brebis, qui refusaient de s'écarter devant lui ; la soif et la proximité de l'eau semblaient les rendre terriblement effrontées.

Il finit par arriver à la maison. Pilar criait. Elle criait comme si une bête l'attaquait. Felipón était debout, près de la porte de la cuisine. La petite est morte, lui dit-il. La maison était pleine de gens, et quelques femmes criaient et pleuraient elles aussi. Il alla vers la cuisine, mais, au dernier moment, il changea d'idée et sortit dans la cour. Les cris y arrivaient atténués et la froideur de la nuit rafraîchit son visage. Il entra dans l'écurie et se pelotonna contre les sacs de fourrage. Il voulait se reposer un moment. Les secousses du pied se firent sentir, elles s'étendirent cette fois aux bras, et lui sembla-t-il, à la tête. Quand il se réveilla, il était au milieu de l'écurie, sous les pattes de l'un des chevaux. Ses vêtements étaient tout sales et il entendit de nouveau les cris. Tout d'abord, il ne sut à quoi les attribuer, parce qu'il avait tout oublié. Mais, peu à peu, il se souvint. On criait parce que la petite était morte. Il retourna s'asseoir entre les sacs et ferma les yeux. Il ne pensa plus qu'au bocal que Víctor lui donnerait s'il continuait de lui raconter des choses – il le vit rempli de pièces de monnaie –, qu'au moment où il serait plein et où Victor lui permettrait de l'emporter.

# 6

Allez, finis le lait, lui dit Reme en l'embrassant sur le front. Cette nuit, il dormirait chez elle. Pilar avait reçu des visites tout l'après-midi et elle était épuisée. De nombreuses femmes ne se contentaient pas de lui présenter leurs condoléances, elles restaient à la maison, il fallait s'occuper d'elles et leur donner à manger. Reme l'aidait, et on avait envoyé les enfants jouer dans la cour. Reme était elle aussi en deuil. Elle paraissait plus mince, plus pâle, malade.

Tu en veux encore ? lui demanda-t-elle. Devant lui, il y avait une assiette pleine de madeleines. On aurait dit une collection de chapeaux. De chapeaux de tout petits bonshommes s'agitant entre des vagues de beurre, parmi la nourriture, bouleversant tout, se moquant bien de se tacher et de ce qui s'était passé sous ce toit. Isma refusa d'un mouvement de tête. Il portait encore les vêtements qu'on lui avait mis pour l'enterrement. Les pantalons courts et la veste bleue, les chaussettes et les chaussures de Rafa. Le pire, c'étaient les chaussures. Pilar n'avait rien trouvé à sa taille pour l'enterrement et s'était contentée de cette solution. Elles étaient trop grandes pour lui, et, pour qu'il pût les mettre, elle avait bourré la pointe de papier journal. Même ainsi, ses pieds flottaient dedans. Reme, voyant la tête qu'il faisait, s'était approchée de lui, à l'église, pour lui glisser quelques mots à l'oreille. On dirait des bottes de chez M. Iturriza.

L'enterrement avait été mouvementé. Comme ils arrivaient au cimetière, il s'était mis à pleuvoir. Une pluie torrentielle. On eût dit qu'on jetait l'eau à pleins seaux. Tout le village était là, mais, après la débandade, il ne resta que quatre chats, que l'eau semblait rapetisser, près du cercueil. Rojo et l'un de ses cousins le portaient par les deux bouts, et le bois vernis avait un éclat de porcelaine. Aussitôt que la pluie s'était arrêtée, la cérémonie avait repris. Don Ramón avait récité les répons et béni la terre, mais, sans même attendre que l'on eût fini de combler le trou, il s'était éclipsé parce que la pluie menaçait encore et qu'il avait peur de mouiller la chasuble de l'office funèbre. Isma ne pouvait croire que l'on allait enterrer ce si joli cercueil, il ne pensait pas à la petite, il ne pouvait croire qu'elle fût à l'intérieur, bien qu'il eût regardé, quand on l'avait mise dedans et que l'on avait scellé le couvercle.

Allez, viens, on part, lui dit Reme. Ils entrèrent à la cuisine. Pilar était assise près de la table, et il y avait d'autres femmes à côté d'elle. Elle ne pleurait pas, mais avait l'air hébétée par la douleur. Quand il s'approcha pour l'embrasser, il lui sembla qu'elle ne le reconnaissait pas. Felipón était entré derrière lui et le tirait par le pan de la veste. Ne t'en va pas, le suppliait-il, les yeux noyés de larmes. Isma savait que Felipón ne pourrait pas dormir s'il n'était pas dans le même lit que lui, agrippé à lui, et que sa compagnie, ce soir, lui était plus indispensable que jamais, mais il ne tourna même pas la tête pour le regarder. Reme l'attendait sur le seuil et il alla vers elle sans envisager une autre possibilité.

Reme rangea les madeleines et porta la vaisselle sale dans l'évier. Allons nous coucher, dit-elle. Ils montèrent en se tenant par la main, et elle l'aida à se déshabiller. Mais elles sont très élégantes, fit-elle en lui enlevant les chaussures. Ce sont des chaussures de danseur, ajouta-t-elle. Elle étaient d'un noir profond et le cuir brillait comme les étuis cornés des scarabées. Ils se couchèrent, et Reme se serra très fort contre lui. Ils restèrent un moment immobiles, sans rien dire ni rien faire. Ils n'avaient pas tiré les rideaux et la lune resplendissait dans la cadre de la fenêtre, inondait la chambre d'une lumière cendrée. Il se rendit compte que Reme pleurait. Les larmes glissaient de ses yeux et laissaient sur ses joues des traces luisantes qui lui rappelaient celles des escargots sur le sable. Il va falloir l'annoncer à Andreona, dit-elle tout bas. Mais elle se reprit aussitôt. Non, il vaut mieux ne rien dire. Et, l'embrassant encore plus fort, elle lui demanda de lui donner la main. Elle la glissa sous sa chemise de nuit et la posa sur sa poitrine. Ils s'endormirent, mais Isma se réveilla, à un certain moment. La lune avait disparu, et l'obscurité, dans la chambre, était presque complète. Il entendit des bruits dans la cuisine et se leva. C'était Quico, qui ouvrait les tiroirs. Il plongeait la main dedans et fouillait, sans même se donner la peine de les refermer. Isma comprit immédiatement qu'il cherchait la lettre d'Andreona. Elle n'est pas là, lui dit-il, et il lui expliqua qu'ils l'avaient laissée à la boulangerie. Mais, avant que Quico ne parte la chercher, Isma le prévint de ne pas faire de mal à la petite. Il avait peur, maintenant qu'elle était morte, que Quico aille au cimetière saccager la tombe. Qu'il la sorte du petit cercueil et la porte à un endroit ou à un autre, comme il faisait avec les brebis. Il aimait tout ce qui était mort. Il remarqua alors l'odeur, une odeur acide, pénétrante, différente de toutes les odeurs habituelles que secrète le corps des hommes, qui l'attirait et l'écœurait à la fois, et aussi cette rigidité du cou, qui forçait Quico à se tourner complètement vers lui, quand il voulait lui adresser la parole. Il le vit aller tout droit vers le mur et tendre la main pour le palper, encore et encore, avec insistance, comme s'il dormait debout. Il finit par s'immobiliser. Isma alla vers lui et le prit par la main. De près, l'odeur était si forte qu'il dut se pincer le nez. Il l'accompagna jusqu'à la porte et lui montra la boulangerie. Elle était éclairée, mais on ne voyait pas le père de Reme. Va-t'en, maintenant, lui dit-il. La lettre est dans le tiroir de la table. Quico lui lança un regard sévère. Son visage n'était qu'une supplique muette adressée à Isma. Mais

107

comment aurait-il pu l'aider ? Quico fit brusquement demi-tour et Isma le vit traverser la rue, maladroitement, avec des mouvements imprécis et hésitants. Il avait l'air d'évoluer dans le fond vaseux de la rivière.

Il retourna dans la chambre de Reme. Elle dormait toujours, mais, quand il s'approcha, elle ouvrit les yeux et le regarda. Que fais-tu ? souffla-t-elle. Il ne voulait pas lui parler de Quico, et lui dit qu'il s'était levé parce qu'il avait soif. Reme se poussa sur le côté pour lui faire place. Il claquait des dents et se serra très fort contre elle, dont le corps répandait une chaleur régulière et douce. Tu es gelé, murmura-t-elle en l'enlaçant encore plus étroitement. Isma eut l'impression que le corps de Reme était parcouru par des rafales, traces véloces d'une vie secrète débordant de joie et de vitalité. Jamais il n'avait eu cette impression d'intimité avec aucun autre corps, cette certitude que tous ses secrets étaient bénins, et qu'elle ne les gardait que pour son bonheur. Il ferma les yeux et chercha de nouveau, cette fois sans qu'elle le lui eût demandé, ses seins sous la chemise de nuit. Comme ils étaient tournés de son côté, ils avaient repris leur forme ronde, pleine. Il se souvint d'un après-midi, quand la petite n'était encore qu'un bébé. Pilar lui donnait le sein et il était devant elle. Soudain, Pilar lui avait dit tout bas : Tu veux ? Il avait hoché la tête et Pilar l'avait attiré à elle et saisi par le menton pour guider sa bouche vers le téton enduit de salive. C'est ainsi qu'il avait goûté ce lait, plus doux et plus sucré que celui des vaches, et tiède, à la température du corps de sa mère adoptive. Il se demanda si les seins de Reme étaient pleins de lait, ou si, comme le prétendait le Rat, cela arrivait seulement aux femmes quand elles étaient enceintes. Il pensait à ces minuscules bonshommes fous dont Reme disait qu'ils passaient la journée dans la cuisine, à manger sans arrêt, surtout les choses sucrées, mettant tout sens dessus dessous, et se disait qu'il aurait bien aimé en faire autant.

Quand il se réveilla, Reme était déjà habillée. Dans la rue, quelqu'un criait pour faire avancer des chevaux et de toutes parts retentissaient les piaillements des moineaux. Ils descendaient dans les liserons de la cour et se poursuivaient entre les fleurs blanches, possédés d'une joie incontrôlable, féroce. Isma se leva et chercha ses vêtements. Ils étaient posés sur le dossier de la chaise. Au-dessous, il y avait les chaussures de Rafa. Attends, lui dit Reme en le voyant s'en approcher, je ne veux pas que tu mettes ces chaussures. Elle prit la chaise et la posa contre l'armoire, sur laquelle était rangée une grosse valise. Après avoir un peu forcé, parce qu'en la tirant elle se coinçait dans l'une des moulures, elle réussit à la descendre et la posa par terre. La valise était couverte de poussière. Surprise ! fit Reme en l'ouvrant. C'était une partie des vêtements qu'elle avait portés quand elle était petite et qu'elle gardait comme un trésor. Mets celles-ci, lui dit-elle en lui tendant deux chaussures plates de fille qui de terminaient par un petit lacet. Le lacet était usé, mais le reste en assez bon état. Elles lui allaient à la perfection. Voyons un peu ce qu'il y a là-dedans, murmura-t-elle sur un ton chantant. Ils tournèrent et retournèrent le contenu de la valise, examinant les affaires une par une, robes, jupons, linge de corps. Enlève ça, dit-elle en désignant son caleçon. Isma obtempéra sans hésiter, et elle lui tendit une de ses culottes. Puis elle finit de l'habiller, en choisissant ce qu'elle pensait qui lui irait le mieux. Viens, dit-elle quand elle eut terminé, et elle le mena devant l'armoire à glace. Elle lui avait fermé les yeux, et, quand elle l'eut conduit où elle voulait, elle fit glisser tout doucement ses mains vers le haut du front. Isma vit son reflet dans le miroir. Il portait l'une des robes de Reme, et comme elle couvrait de ses mains une partie de ses cheveux, si bien que l'on ne pouvait voir s'ils étaient longs ou courts, il avait l'air d'une fille. Sur le visage de Reme, juste au-dessus du sien dans le miroir, il surprit une expression de joie débordante. Je ne veux pas que tu sois triste, lui dit-elle en se mettant à genoux pour finir d'arranger les plis de la robe. Les vêtements qu'il avait portés pour l'enterrement gisaient sur la chaise, telle une affirmation de la tristesse dont elle parlait.

Quel dommage que tu n'aies pas été une fille, lui dit-elle en montrant la valise, tous ces vêtements seraient pour toi. Ils se mirent à danser, chantant des chansons qui accompagnaient leurs mouvements, des chansons à peine murmurées, le regard de l'un fixé sur les lèvres de l'autre, comme si les paroles n'avaient pas à être audibles pour les entraîner dans la danse. Alors, Reme fredonna celle qu'Andreona avait évoquée dans sa lettre. Plusieurs fois de suite, sans se lasser, s'arrêtant quelques dixièmes de seconde avant de dire, en détachant bien chaque mot, le dernier vers :

*... mais ensuite le Jour.*

Puis, elle lui enleva ces vêtements et ils descendirent déjeuner à la cuisine. Reme était très inquiète et ne cessait de s'agiter, comme les moineaux qui entraient et sortaient de l'entremêlement des liserons sans pouvoir s'arrêter un instant. Brusquement, elle se tourna vers lui et resta à le regarder. On a passé un bon moment, non ? dit-elle tout bas. Ça t'allait à merveille. Elle pensait à leur danse dans la chambre et aux vêtements qu'elle lui avait mis. Mais, peu après, alors qu'il allait partir, elle s'agenouilla devant lui, et, attrapant son petit sexe à travers l'étoffe du pantalon, elle dit qu'elle était une véritable idiote, qu'il ne devait pas faire attention à ce qu'elle racontait, qu'elle l'aurait choisi, bien sûr, avec cette petite queue, et qu'elle était très fière de lui.

En traversant la place, Isma aperçut Rojo. Il déchargeait une charrette de paille, et il le vit s'immobiliser en haut du tas, où il parut chercher quelque chose. Puis, il s'apprêta à descendre. Le soleil illuminait la paille, qui brillait, claire, dorée, tandis que Rojo descendait, se contentant de glisser le long de la pente raide et de se rétablir d'un vif mouvement de la taille pour retomber sur ses pieds. Son regard croisa celui d'Isma et il rougit, honteux d'agir ainsi alors que la petite venait de mourir. Puis, il sourit, comme pour dire : Peut-on éviter la joie ?

Felipón était devant la porte et l'accueillit avec une expression de rancœur. Il tira le lance-pierres de sa poche et tendit l'élastique en visant Isma, qui ne bougea pas. La pierre fila entre ses jambes et alla frapper le mur. Felipón ne ratait jamais son coup à cette distance, et, cet avertissement donné, il s'écarta pour le laisser passer. Les volets étaient entre-croisés, la maison plongée dans la pénombre, Pilar vêtue de noir de la tête aux pieds. Elle venait de préparer le petit déjeuner pour le père Bernardo, et demanda à Isma de le lui monter. Isma frappa à la porte, qu'il poussa sans attendre la réponse. Le père Bernardo était couché dans son lit. On ne l'avait pas vu pendant l'enterrement. Je suis fatigué, murmura-t-il. Toutefois, la fermeté et l'énergie de son regard disaient le contraire. Isma comprit qu'il tentait de se justifier. Dis à Jose Fausto de monter, ajouta le père. Ce brusque changement de sujet confirma les soupçons d'Isma. Mais tout le monde n'en faisait-il pas autant ? Ne voulaient-ils pas tous oublier la petite au plus vite, maintenant qu'elle était enterrée ? Lui-même en avait-il parlé une seule fois, pendant qu'il était avec Reme ? Et Felipón, qui s'était empressé d'aller chasser les oiseaux au lance-pierres ? Et même Rojo, qui s'était lancé du haut du tas de paille en imitant les saltimbanques, les musiciens des rues, tous ces gens qui vont d'un endroit à l'autre sans plus penser à ce qu'ils laissent derrière eux ? Seule Pilar semblait encore se souvenir, s'acharner à leur dire que la petite avait existé et qu'ils ne devaient pas l'oublier.

Vous savez bien, lui répondit Isma en ramassant quelques livres qui jonchaient le sol et en les rangeant sur la table de nuit, que Jose Fausto ne veut pas monter. D'autant moins que vous pincez, maintenant. Dernièrement, le père avait pris cette habitude, il les pinçait. Surtout quand Jose Fausto était dans la chambre. Alors, le père se levait, courait fermer la porte et leur barrait le passage. Je vous tiens ! lançait-il. Eux filaient à l'autre bout de la pièce et se réfugiaient dans un coin, mais le père Bernardo avançait bras ouverts et, avec

111

une habileté surprenante, il réussissait toujours à attraper l'un d'entre eux et le pinçait fort. Malgré son habileté à s'esquiver, Jose Fausto était la cible privilégiée de ces offensives du père, accompagnées de rires nerveux et de petits cris bizarres. Bien entendu, ils ne se laissaient pas faire sans riposter. Jose Fausto se déchaînait contre le père, lui donnait des coups de pied, le mordait férocement, et ils finissaient souvent emmêlés dans des corps à corps furieux que les autres contemplaient, excités et étonnés, sans parvenir à comprendre d'où le père – qui quelques minutes auparavant semblait à l'agonie dans son lit – tirait cette énergie incroyable, et moins encore comment Jose Fausto osait se retourner contre lui comme il le faisait et ne reculer devant rien pour se défendre (il en était arrivé à monter chez le père avec un de ces aiguillons dont les vachers se servent pour mener le bétail, et, quand il sentait que le père allait passer à l'attaque, il le lui montrait, résolu et menaçant, pour le faire reculer). Isma remettait les livres à leur place sur les rayonnages tandis que le père le regardait fixement, les couvertures tirées jusqu'au menton, de sorte que l'on ne voyait que ses yeux de grenouille, aqueux et globuleux. Il le regardait avec une attention singulière. Tout à coup, il se redressa dans le lit, et lui demanda de ne plus bouger. Il semblait faire un grand effort de concentration. Lentement, il se mit à réciter :

*Un cerf qui perd son sang parmi les noisetiers...*

Il s'arrêta à la fin du premier vers, et dit à Isma qu'il s'agissait d'un psaume, et qu'il y avait des êtres pareils à ces cerfs étranges en lesquels se conjuguent à parts égales les puissances de l'amour et de la mort. Qu'en le regardant, il s'était rendu compte qu'il était un de ces êtres. Et, prenant l'expression de ceux qui se résignent à leur sort, comme si son erreur n'autorisait aucune rectification, il ajouta que c'était à lui qu'il aurait dû s'attacher. Puis, s'enfouissant complètement sous les couvertures, il lui ordonna sèchement de s'en aller.

Isma sortit sans un mot. Il traversa le corridor les poings serrés, dévala la première volée de marches. Il avait l'impression d'être véritablement un cerf, bien qu'il eût à peine compris ce que le père avait voulu lui dire. Le corridor et l'escalier étaient envahis d'arbustes et il sentait au passage la rosée de leurs feuilles sur ses pattes.

Il alla dans la cour chercher Felipón, qui était encore fâché, mais qui ne le visa pas, cette fois, avec le lance-pierres. Il tirait l'eau du puits et remplissait péniblement le baquet en bois posé contre la treille. Isma lui demanda où étaient les grenouilles. Ils étaient allés chercher des grenouilles deux ou trois jours auparavant et les avaient mises dans le baquet. La chasse avait été si bonne que l'eau du baquet bouillonnait de petits corps verts et élastiques, qui sautaient dans tous les sens quand on s'approchait, comme des bouchons. Pilar les a jetées, lui répondit Felipón, contenant sa colère. Isma ne prit même pas la peine de lui demander où elle les avait jetées. Les poules picoraient la terre, s'approchaient d'eux sans arrêt et les observaient avec curiosité, de l'air de leur dire encore. Felipón sortit son lance-pierres et en visa une. La pierre siffla à la hauteur de la tête, rebondit à une paume de la poule, qui s'éloigna en caquetant et en battant des ailes. Elle avait l'air de se disloquer en courant. Pilar voulait préparer du coulis de tomate et avait dit à Felipón d'aller laver les bouteilles. Isma lui donna un coup de main. Il avait encore les chaussures de Rafa et, comme elles lui faisaient mal, il les enleva et resta en chaussettes. Ils lavaient les bouteilles en les frottant à l'intérieur avec un chiffon plongé dans l'eau savonneuse, puis les rinçaient et les mettaient à sécher au soleil. En un rien de temps, ils en avaient fait trois rangées, parfaitement alignées, de vrais petits soldats en colonne par trois, qui semblaient être sortis du puits, tout propres, sans secrets. Regarde, dit Felipón en relevant la manche de sa chemise et en lui montrant un bleu. C'était le résultat d'une pinçade du père Bernardo. Il est comme fou, ajouta Felipón en se mordant les lèvres. Jose Fausto m'a dit qu'il ne monterait plus.

Par moments, la révolte de Jose Fausto grandissait. Le père Bernardo l'appelait toutes les heures et Jose Fausto laissait passer des journées, parfois des semaines entières sans se montrer. Il ne le faisait que quand Pilar lui en donnait l'ordre. Mais alors, les choses se gâtaient, parce qu'il avait décidé de passer à l'affrontement direct. Il n'était pas comme eux, qui, craignant le père, se soumettaient docilement à ses manies ; lui s'y opposait, comme si malgré son âge il était conscient de l'avantage d'être l'élu. Le père Bernardo désespérait, tremblait quand il le voyait apparaître sur le seuil, mais toutes ses tentatives pour s'approcher de Jose Fausto et reconquérir son affection se soldaient par des échecs retentissants. Jose Fausto était aussi agressif et intraitable qu'une bête nuisible, et repoussait immédiatement chaque effort de réconciliation. Quand le père Bernardo déployait les grands moyens, le résultat était encore pire, parce que Jose Fausto lui opposait autant de recours extrêmes, si bien que, le plus souvent, ils finissaient par en venir aux mains. Le père le poursuivait dans toute la pièce jusqu'à ce qu'il eût réussi à le pincer, et Jose Fausto se vengeait en envoyant valser tous les livres par terre. Parfois, il arrachait des pages, et le père devenait alors comme fou. Ses cheveux se hérissaient, les veines saillaient sur son front, ses yeux s'injectaient de sang et se remplissaient d'épouvante quand il voyait Jose Fausto quitter la pièce avec une froideur étudiée et descendre l'escalier comme s'il n'avait rien à voir avec l'avalanche de cris qui l'accompagnait.

Après ces scènes, le père allait voir Jose Fausto la nuit. Ils entendaient des bruits dans leur sommeil, dont ils mirent longtemps à découvrir l'origine, car tout se passait dans un silence profond et une obscurité épaisse, parce que leur chambre donnait sur l'arrière et n'avait pour toute ouverture qu'une petite lucarne en haut de l'un des murs. Ce fut Felipón qui se rendit compte, après une de ces nuits d'inquiétude, que la chaise n'était pas à sa place. Le soir, ils la rangeaient près de la porte, et, à leur réveil, elle se trouvait entre l'armoire et le lit du fond, où dormaient Rafa et Jose Fausto (lui dormait dans l'autre, avec Isma). Il soupçonna immédiatement le père, même s'il ne comprenait pas ce qui pouvait bien le pousser à venir secrètement dans la chambre et à changer la chaise de place pour la mettre à cet endroit-là. Ce fut également lui qui le surprit, une nuit. Il faisait une chaleur étouffante et l'air de la chambre était presque irrespirable. Il se réveilla avec l'impression qu'il y avait un intrus dans la pièce. Au bout de quelques secondes d'attente, aux aguets, il n'eut plus aucun doute. Il fut le point de se mettre à crier, mais il se tranquillisa peu à peu et, faisant semblant de dormir, tous ses sens en éveil, il tâcha de cerner cette présence étrangère. Elle formait une masse de noirceur à la tête du lit où dormaient Rafa et Jose Fausto, et son souffle, aussi profond que celui du bétail, était bien réel. Quand l'ombre se leva pour quitter la chambre, l'odeur qu'elle dégagea en remuant dissipa les derniers doutes. Le lendemain, Felipón en parla à Isma. Le fantôme, lui dit-il, c'est le père Bernardo. Mais quand Isma lui demanda pourquoi le père faisait ça, il ne sut que répondre. Toutefois, cette découverte sembla lever un voile qui l'aurait jusqu'alors dérobé à leurs regards, et ils le virent. Ils se réveillaient en se poussant du coude, et, jouant les endormis, ils l'observaient discrètement. Il ne faisait rien d'autre que s'approcher du lit et rester là, les yeux fixés sur Jose Fausto. Parfois, il marmottait des phrases inintelligibles, dont ils ne reconnaissaient que quelques mots, Jacob et Israël, tabernacle, vase du potier, brebis et bœufs paissant, arbres, sources jaillissantes, mais, le plus souvent, il demeurait silencieux et rigoureusement immobile. De temps à autre, il apportait un morceau de bougie. Ce qu'ils virent ensuite dissipa les derniers doutes qu'ils pouvaient encore avoir sur le motif de ces visites. Le père Bernardo se penchait au-dessus de Jose Fausto et, dans l'éclat vacillant de la flamme, il restait longuement absorbé dans sa contemplation, son visage si près de celui du dormeur qu'il le touchait presque. Le souffle du père faisait trembler le halo de lumière et, sous cet éclairage

115

papillotant, le visage de Jose Fausto paraissait devenir liquide, pareil aux flaques que la pluie laisse dans les creux des rochers. Le père semblait avoir découvert une de ces flaques dans la nuit et se pencher pour y boire.

L'enfermement du deuil dura une semaine et, pendant ce temps, hormis la nuit où il avait dormi chez elle, Isma ne revit pas Reme. Les portes et les fenêtres demeuraient closes, et ils passaient leur temps dans la cour, en attendant la fin de l'interminable période de deuil. Ils mangeaient dans une pénombre épaisse, Pilar les servait en silence, tout entière à ses sombres pensées, aussi avare de paroles que de gestes. La nuit, quand ils étaient couchés, ils l'entendaient pleurer. Elle poussait des cris, des gémissements de douleur, comme une bête blessée, sans dire un mot. À la fin de cette première semaine, Reme vint le chercher. Elle s'isola un moment avec Pilar, après avoir dit discrètement à Isma de l'attendre devant le portail. Le portail fermait le passage conduisant à la cour, qui donnait sur une rue adjacente. Au bout de quelques minutes, Isma entendit qu'on grattait le bois, de l'autre côté, il s'esquiva et sortit. Ils parcoururent la rue en volant. Reme s'arrêta en arrivant au coin, le dos contre le mur, et il l'imita. Elle jeta un coup d'œil dans l'autre rue. Allons-y, lui dit-elle. Il se remirent à courir et tournèrent à droite. Cette rue aussi était déserte. Elle descendait et ils allongèrent leurs foulées. Ils traversèrent la place du canal et coururent encore entre les hauts murs de pierre des propriétés. S'ils l'avaient voulu, ils auraient pu les sauter. Ni l'un ni l'autre ne se fatiguait. Ils filèrent vers la rivière. Poldo rentrait avec ses moutons. Le vent soufflait et les bêtes avançaient dans un grand nuage de poussière. Ils y plongèrent et en ressortirent comme des hirondelles. Isma suivait Reme sans effort, débordant de joie, parce qu'il savait qu'une fois arrivée au bord de la rivière, elle se mettrait à crier. Ils s'arrêtèrent sur le talus. La rivière était basse, mais le vent agitait les ramures des peupliers et des saules, et on entendait le bruit de leurs feuilles innombrables. Les joncs se balançaient sur la rive et dodelinaient

116

pensivement. Reme se tourna vers Isma et le regarda, un éclat de folie dans les yeux. Elle lui montra le talus qui, à cet endroit, près de l'abattoir, descendait en pente raide jusqu'au bord de l'eau ; il hocha la tête. Reme s'élança et se mit en même temps à crier. Il fit de même. Ils dévalèrent la pente et, sans ralentir, suivirent la berge. Leur cri ne ressemblait pas à ceux de Pilar, il y avait en lui une joie secrète, le sentiment que tout ce qui les environnait – la rivière, les joncs, les osiers de la rive, les peupliers aux feuilles argentées – leur appartenait, et qu'ils n'avaient qu'à demander pour tout obtenir aussitôt. Ils coururent sans s'arrêter de crier, montant et descendant le talus, jusqu'au moment où ils n'en purent plus. Alors, ils s'arrêtèrent, le cœur palpitant dans leur poitrine, le front trempé de sueur. Tout ce qui, un instant plus tôt, chavirait et glissait s'affirmait maintenant avec une netteté extraordinaire. Ils y voyaient un pouvoir contenu dans leur corps, et dont ils étaient cependant incapables de parler, parce que cette part d'eux-mêmes, cette puissance, s'estompait et leur échappait aussitôt qu'ils voulaient l'exprimer par des mots.

Quand Isma rentra à la maison, une nouvelle querelle entre Jose Fausto et le père avait éclaté, les portant cette fois à des extrémités de violence qu'ils n'avaient encore jamais atteintes. Tout était dû à un incident survenu en fin d'après-midi. Le père Bernardo, irrité parce que Jose Fausto refusait de monter le voir, lui avait tendu un piège en pendant un sachet de bonbons à un fil dans la cage d'escalier. Jose Fausto s'était rendu compte que le fil disparaissait à la hauteur du premier étage, et, certain que c'était le père qui faisait monter et descendre le sachet, selon qu'il s'en approchait ou s'en éloignait, il avait monté quelques marches en guettant l'occasion favorable. Mais c'était Rafa qui tirait le fil, et le père Bernardo guettait sa proie, tapi sur le palier. Aussitôt que Jose Fausto était arrivé à sa hauteur, il s'était jeté sur lui. La violence du contact les avait fait rouler sur le sol. Jose Fausto s'était défendu comme un chat furieux, en griffant, en mor-

117

dant, mais le père avait réussi à l'immobiliser pendant quelques secondes. Quand il l'avait lâché, Jose Fausto s'était emparé du lance-pierres pour lui tirer dessus. Le jeu semblait amuser le père Bernardo, qui courait dans l'escalier, riait et faisait des bonds tandis que les pierres sifflaient, menaçantes, autour de lui. Mais l'une d'elles avait fini par toucher sa cible. Le père Bernardo s'était écroulé et mis à crier. Ah ! Aïe ! La pierre lui avait éraflé la tête. L'égratignure était superficielle, mais il saignait. Et il profita de l'aubaine. Il fit celui qui ne pouvait plus bouger et cria de plus belle, comme un possédé, en étendant le sang sur tout son visage et sur sa soutane, pour parfaire la mise en scène. Quand Pilar accourut à ses appels, le spectacle qu'il offrait était terrifiant. Le père était couché de tout son long sur les marches, dans une mare de sang, en proie à d'étranges convulsions, et criait comme un perdu. Pilar, incapable de le déplacer seule, dut appeler Rojo. À deux, ils réussirent à le descendre à la cuisine pour le laver et le panser, puis ils le conduisirent jusqu'à son lit. Alors il adopta un comportement tout différent, prit un air complète-ment désemparé, devant les attentions que lui prodiguait Pilar. On eût dit un enfant qui cherchait sa protection. Aïe, Pilar, Pilar, tes enfants finiront par me tuer. Après l'avoir couché et bordé, Pilar alla chercher Jose Fausto. Sans même vouloir entendre ses explications, elle enleva sa savate, le battit, et ne s'arrêta que quand elle eut mal au bras. Puis elle l'envoya au lit, au beau milieu de l'après-midi, alors qu'il restait encore bien des heures de jour.

Jose Fausto assouvit sa vengeance. Il savait que le père venait le voir la nuit, et il était certain qu'il ne manquerait pas de le faire le soir même, car il en allait infailliblement ainsi quand ils s'étaient querellés ou battus, comme si les remords ou les craintes le tenaillaient et qu'il ne pouvait les surmonter qu'en le regardant dormir. Si bien que quand les autres l'eurent rejoint et se furent couchés, il ferma la porte de l'intérieur, et ils attendirent, sachant bien, pourtant, que le sommeil les surprenait le plus souvent avant l'arrivée du père.

Mais, ce soir-là, Jose Fausto ne s'endormit pas. Sa rage était telle qu'il resta éveillé jusqu'au moment où, vers minuit, le père essaya en effet d'entrer. Isma, Felipón, Rafa, souffla-t-il alors, il est là. Le sommeil leur donnait des yeux immenses qui brillaient à la lumière des bougies avec une expression hagarde. Le père essayait d'ouvrir et désespérait de ne pouvoir y parvenir, tandis qu'eux, de leur côté, avaient beaucoup de peine à contenir leurs rires. Petits salauds, disait-il en secouant la porte, essayant de la forcer, ouvrez-moi, et vite ! Il insista encore pendant quelques minutes, puis renonça. Je vous jure que vous allez me le payer, fit-il entre ses dents, et ils l'entendirent s'éloigner au fond du couloir.

Le lendemain, il se déclara incapable de se lever. Il remuait à peine, ne voulait ni manger ni répondre à qui que ce fût. On aurait dit qu'il allait quitter ce monde. C'est la fin, disait-il à Pilar, je crois que ma dernière heure est venue. Pilar, ce jour-là, redoubla d'attentions. Elle lui monta elle-même de la nourriture, il refusa tout d'abord ce qu'elle lui offrait, finit par accepter un peu plus tard, à force d'insistance, quelques bouchées, mais seulement de la main de Pilar. Elle le faisait manger avec une infinie patience, la tête ailleurs, de toute évidence, comme si la mort de la petite avait fait battre un cœur à côté du sien, un cœur lourd dont elle ne pouvait se priver, mais avec lequel elle ne pouvait pas davantage vivre ; un cœur tenace et insidieux auquel elle aurait voulu se livrer entièrement, pour oublier à jamais.

Elle se consacrait à ces soins avec toutes les forces qu'elle pouvait rassembler, et était bien la seule à refuser d'admettre que le père la faisait marcher. Pourtant, lui qui semblait être sur le point de rendre l'âme recouvrait toute sa vivacité pour pincer férocement l'imprudent qui passait à sa portée, provoquant ainsi la débandade générale. Pilar essayait d'empêcher les enfants de fuir, de les ramener dans la chambre, mais elle n'était pas plus tôt sortie ou occupée à la cuisine que tous les garçons, sauf Isma – le seul, il est vrai, que le père épargnait –, prenaient la poudre d'escampette. Aïe aïe aïe, murmurait le père, affligé, quand Pilar montait le voir, tes enfants me feront mourir de chagrin.

Dix jours avaient passé depuis l'enterrement de la petite quand madame Maura demanda à Pilar de lui envoyer Isma et Felipón pour l'aider à livrer le poisson. Madame Maura était veuve et, à part Jandri, elle n'avait que des filles, quatre travailleuses infatigables ne perdant jamais une minute, qui, à cette époque de l'année partaient très tôt, le matin, glaner les champs moissonnés. Madame Maura restait seule avec Jandri pour faire tourner son commerce. Mais Jandri n'était pas ce que l'on appelle un grand travailleur. À l'opposé de ses sœurs, qui le protégeaient, il fuyait les responsabilités et oubliait ses responsabilités au moindre prétexte. Même si j'étais mourante, tu te débrouillerais pour te donner du bon temps, lui disait sa mère avec une expression de douleur, parce que, au contraire de ses filles, elle voyait dans ce comportement l'annonce de faiblesses qui, avec le temps, auraient pour lui des conséquences fatales. Peut-être parlait-elle ainsi à cause de son mari, qui avait toujours manqué de caractère, aimé les joyeuses compagnies, les saltimbanques, les marchands ambulants, couru le jupon comme pas un, et fait une triste fin. Mais son mari était un homme doux, de bon caractère, et Jandri, loin de lui ressembler, semblait avoir pris les mauvais côtés de l'un et de l'autre : la vaine et futile puérilité de son père et la méfiance qui la caractérisait, elle, méfiance opiniâtre quant à ce que réservait la vie. Si bien que, au premier moment, il accueillait tout tranquillement ce que le sort lui octroyait, en se demandant ce qu'il allait pouvoir en tirer, mais il se conduisait ensuite d'une manière intéressée et impérieuse, comptant bien profiter sans tarder de l'effort ainsi fourni. Or, son seul effort consistait à s'affirmer, ce que mettaient en évidence ses rapports avec les filles – lesquelles, en général, n'étaient pas prêtes à aller grossir le cercle de dévotion dont ses sœurs l'entouraient depuis sa naissance. Il en arrivait alors à les détester, ce qui ne manquait pas de se produire avec Rosarito, dont les moindres réserves à son égard, le moindre murmure, le plus léger soupçon de moquerie dans le ton qu'elle prenait suffisaient à ébranler ses convictions, y compris celles qui s'attachaient à sa virilité, bien entendu. Ce qu'il supportait le plus difficilement, c'était d'entendre les rires qui montaient des groupes turbulents que formaient les filles sur la place, rires éclatants de malice et de cette joie inexplicable qui les faisaient se retourner au passage des garçons ; c'était la ségrégation immédiate que supposaient leurs chuchotements complices, ces mots qu'elles se glissaient à l'oreille, et l'inégalité impitoyable que ces échanges à peine entrevus instauraient entre eux, entre leur monde et le sien. Cette inégalité semblait impliquer de leur part une audace sans limites, et lui inspirait la pensée écrasante que, pour autant qu'il s'y efforçât, il ne pourrait jamais être à la hauteur ; que le cercle enchanté où les conduisait leur féminité leur était exclusivement destiné, et allait infailliblement devenir le théâtre de sa défaite. Il en venait à soupçonner que le véritable enfer, ce ne serait pas le refus qu'elles pourraient opposer à ce qu'il leur demanderait mais leur assentiment, parce que ce qu'il découvrirait aussitôt, ce serait le supplice sans fin de son insuffisance.

Isma et Felipón se rendirent chez madame Maura, qui les pria d'aller prendre les commandes. Ils opéraient toujours de la même manière. Pendant que Javi allait chercher le poisson au train, ses sœurs passaient chez les clientes et notaient leurs commandes dans un carnet. Ensuite, on les leur livrait. Ils portaient le poisson dans un panier, pour ne pas avoir à l'envelopper, ce qui économisait le papier. Sardines, sévereaux, morue, sabres, pageots ; le poisson blanc n'était guère demandé que pour les malades. Quand il arrivait, il fallait faire vite, surtout en été, parce qu'il faisait très chaud et qu'ils n'avaient que de la glace pour le conserver. Bien entendu, ils ne manquaient pas d'astuces. Les gens demandaient qu'on leur montrât les ouïes, et ils les badigeonnaient de sang pour qu'elles parussent plus rouges, ou ils retiraient la membrane qui voilait les yeux de certains poissons, et le globe oculaire brillait alors comme s'ils venaient d'être pêchés et gardaient encore la fraîcheur des profondeurs marines. Felipón frappait aux portes et Isma, qui écrivait mieux que lui, notait les commandes. Quand ils eurent fini, ils retournèrent chez madame Maura. Elle n'avait pas de nouvelles de Jandri et commençait à s'inquiéter. Si le train avait du retard, ou s'il arrivait sans chargement, ses clients n'auraient rien à manger. Elle pensait aux Racos, ses concurrents ; si elle ne pouvait fournir le poisson, elle perdrait ses clients à leur profit. Ses filles non plus n'étaient pas rentrées, ce qui la rendait encore plus nerveuse, parce qu'elles devaient l'aider à préparer et à livrer les commandes. Une d'entre elles devrait rester ici, fit-elle entre ses dents. C'est vrai quoi, elles ne se déplacent qu'en bande, comme les perdrix. Elle leur prépara quelque chose à manger, mais Isma y toucha à peine. Quand elle sortit sur le pas de la porte pour attendre ses enfants, Isma et Felipón allèrent dans la cour jeter un coup d'œil sur la glace. Le pain avait passé la nuit dans l'étable, couvert de paille, et était presque intact, comme si Jandri venait de l'apporter. Quand le poisson arriverait, on le couvrirait de glace, qui le protègerait pendant des heures de la chaleur. Ils se rendirent à leur tour dans la rue et rencontrèrent le Basque. Il allait voir la couleuvre que Chuchi avait tuée et qu'il dépouillait. Il va faire sécher la peau, leur dit-il. Felipón partit avec lui, Isma préféra rester, parce qu'il voulait être là quand Jandri descendrait les caisses de la bicyclette ; ils porteraient les poissons dans la cuisine, où madame Maura les pèserait avec la balance romaine. Il voulait voir leur couleur, qui lui rappelait celle de l'argent, et comment ils glissaient dans leurs mains : on aurait dit, alors, que même morts, ils retrouvaient les mouvements de la vie. La maison de Benigna était juste en face, fermée depuis son décès, survenu pendant l'hiver. Madame Maura et elle avaient été très proches. C'étaient des amies d'enfance, à peu près du même âge, mais Benigna, elle, ne s'était pas mariée. Parce qu'elle n'avait pas voulu, disant que le mariage, c'était la perdition des femmes. Déjà âgée, elle avait ouvert une petite école, mais seulement pour les jeunes enfants. Elle leur faisait classe quand arrivaient les beaux jours, chez elle, dans un grand vestibule. Il fallait y apporter même les tabourets, et quand ses élèves devenaient trop turbulents, elle les menaçait avec une règle et leur disait qu'elle allait se charger de les dresser. Cependant, elle ne les frappait presque jamais, et, quand elle le faisait, c'était à peine si elle leur donnait une chiquenaude. Elle leur apprenait à écrire et, le plus souvent, leur racontait des histoires. Des histoires de fantômes ou de brigands, parce qu'elle pensait que l'on prenait la vie trop au sérieux, et que l'homme devait savoir rire de son sort, c'est-à-dire tout le contraire de ce qu'elle allait faire elle-même, surtout pendant ses dernières années. Un jour d'hiver, elle fut trouvée morte dans sa cour. Il y avait quarante-huit heures qu'elle ne donnait plus signe de vie, aussi estima-t-on qu'il fallait escalader la clôture. Ce devoir fut confié à Jandri. Quand il ouvrit de l'intérieur, il était aussi blanc que le mur. Il ne fut pas capable de dire un mot, il se contenta de faire un geste vague en direction de la cour. On y trouva le cadavre de Benigna. Elle était morte depuis deux jours, comme le précisa ensuite don César, et les poules avaient commencé à lui picorer les mains et le visage, qui étaient tout parsemés de trous. Puri, depuis ce jour, souffrait d'une curieuse manie, et prétendait qu'elle ne pouvait croiser une de ces poules sans se couvrir de sueur froide, parce qu'elle revoyait le visage de Benigna dans cet état et n'avait plus qu'une envie, aller chercher le balai et leur faire subir le châtiment qu'elles méritaient.

Benigna avait un lourd secret. Elle s'était habituée à la morphine. On avait dû l'opérer et elle avait failli y rester. Les douleurs étaient si terribles que les médecins lui avaient administré de la morphine, qu'ils réservaient pour les cas extrêmes. La morphine calmait complètement la douleur, créait une sensation de bien-être, mais il ne fallait pas en abuser, parce qu'une consommation régulière était fatale à l'organisme. Benigna, de retour au village, se porta bien pen-

123

dant un moment, mais la douleur revint et, avec elle, la nostalgie de cette substance qui la faisait disparaître. Elle s'entendit avec don César, il lui délivra une ordonnance, et son véritable calvaire commença, qui n'avait plus rien à voir avec la douleur même, mais avec le regret de celle qu'elle devenait sous l'effet de la morphine. Elle en fut de plus en plus dépendante, au point qu'elle dut raccourcir les intervalles entre les injections. Quand elle ne respectait pas ces intervalles, elle n'était plus la même. Elle devenait irascible, revêche, et la moindre broutille déchaînait en elle d'imprévisibles accès de colère. Mme Maura avait essayé de lutter contre la bourrasque. Tu ne la prends pas parce que tu en as besoin, mais par vice, lui disait-elle, déclaration à laquelle adhérait don César. Elle devait essayer de lutter contre cette dépendance avant qu'il fût trop tard. Ils réussirent à la convaincre, et Benigna s'efforça de suivre leurs conseils. Elle tint deux, trois jours, mais, le quatrième, elle alla sonner à la porte de don César pour le supplier de lui renouveler l'ordonnance. C'est impossible ! s'écria-t-elle, je n'en peux plus. Mme Maura la ramena chez elle et essaya de la tranquilliser. Il faut tenir, lui dit-elle en lui caressant les cheveux, en la serrant sur sa poitrine, tu finiras par t'habituer. Mais elle ne tarda pas à se rendre compte que la consolation que pouvaient lui apporter ses paroles n'était rien auprès de l'ampleur du mal qui la consumait. Une nuit, la cinquième de cette sombre semaine, Benigna se mit à crier. Sans plus pouvoir s'arrêter. C'étaient des cris épouvantables, qui, cette première nuit, réveillèrent tout le voisinage, et auxquels les chiens répondirent en lançant des aboiements hésitants, étranges, comme si cette douleur, devenue trop intense, n'affectait plus Benigna seule, mais s'était étendue à l'ensemble du monde auquel ils appartenaient, et jusqu'au temps même. Après trois jours de cris continuels, ce fut madame Maura qui alla trouver don César. Celui-ci lui parla une fois encore de la dépendance, lui dit que s'ils laissaient passer cette occasion, il serait peut-être trop tard. Mais madame Maura n'était plus la même, à présent. Pourquoi voulait-il faire ça ? lui répondit-elle. La vie qu'ils menaient, eux, était-elle meilleure ? Tout compte fait, n'aurait-il pas mieux valu verser cette substance dans la fontaine de la place de l'église, pour que tous ceux qui en avaient envie pussent en prendre librement, sous prétexte de se désaltérer ? Don César pâlit. Il avait perdu son fils unique, et bien que vingt ans eussent passé, depuis, son souvenir demeurait vivant dans sa mémoire. Tu as peut-être raison, lui dit-il en lui tendant l'ordonnance. Et il ajouta, en levant les yeux de la table et en la regardant fixement : La vie que nous menons, nous, c'est tout autre chose. Ni toi ni moi ne pourrions renoncer à la douleur.

Isma était allé une fois à la pharmacie acheter ces boîtes d'ampoules. Il se promenait avec Reme et Puri quand Benigna leur avait demandé d'entrer chez elle et leur avait donné de l'argent pour qu'ils aillent les lui chercher. Elle était très tendue, et il y avait une expression de folie sur son visage. La pharmacie était un peu plus loin que l'Arc, sous le porche d'une maison en brique, et don Arturo servait au guichet ouvert sur la rue. C'était ce qu'il s'apprêtait à faire ce jour-là quand, en les reconnaissant ou, plus exactement, en apercevant Reme et Puri, il s'était hâté d'aller leur ouvrir la porte du vestibule. Don Arturo était un petit homme à la peau laiteuse, complètement chauve, qui portait des lunettes aux verres aussi épais que des culs de bouteille, à travers lesquels ses yeux prenaient des proportions démesurées, au point que l'on aurait dit qu'ils allaient sortir de leurs orbites. Le plus souvent grognon et intimidant, il regardait de haut les gens du village. Mais il avait une faiblesse, les femmes, et plus particulièrement les jeunes filles. Celles-ci le savaient et en profitaient ; toutefois, elles se gardaient bien d'aller seules à la pharmacie. Il empaillait les animaux et remplissait son magasin et toutes les pièces adjacentes de bêtes pétrifiées en plein mouvement. Tu as remarqué ? avait dit Reme quand ils étaient ressortis, ils lui ressemblent tous. C'était vrai, tous avaient les yeux globuleux et la même expression indéfinissable, où la vie

125

paraissait se condenser de la manière la plus sombre, la plus rébarbative, prête à se déchaîner à la moindre occasion. Puri avait une peur panique de lui, parce qu'il lui avait fait des avances, un jour où elle était venue seule à la pharmacie. Pis encore, il était passé aux actes. Leurs mouvements les avaient entraînés sous la cage d'escalier, où Puri était acculée dans l'angle des dernières marches, tandis qu'il lui barrait le passage. Si tu veux que je te laisse sortir, lui avait-il dit, il va falloir que tu me montres un nichon. Il s'était emparé d'une plume d'outarde, avec laquelle il la chatouillait entre les jambes, presque collé contre elle. Il était congestionné et les veines de ses tempes saillaient tellement que Puri crut qu'elles allaient éclater. Alors, quelque chose d'inattendu s'était produit. Une hirondelle était entrée par une fenêtre ouverte. Elle ne trouvait pas d'issue et virevoltait entre les étagères et les flacons, ce qui inquiéta don Arturo et lui fit abandonner son assaut. Puri en profita pour s'enfuir. Elle fila tout droit trouver Gabina au magasin des sœurs Goya. Celles-ci, en la voyant entrer avec sa mine épouvantée, la firent asseoir à table et allèrent chercher l'anis. C'était le signe qu'elles accordaient à l'événement la plus grande importance et qu'elles étaient déterminées à en tirer tout ce qu'il pourrait donner. L'aînée alla même jusqu'à fermer boutique pour ne pas être dérangée. Quand Puri acheva son récit, elles avaient vidé plusieurs verres d'anis et leurs yeux brillaient d'un éclat fiévreux. Que dis-tu qu'il t'a demandé ? s'enquit une nouvelle fois la plus jeune. Puri, honteuse, baissa les yeux, et répéta qu'il voulait voir un de ses nichons. Mon Seigneur et mon Dieu ! souffla la plus âgée des filles Goya en remplissant de nouveau les verres d'anis, il faudrait que quelqu'un donne une leçon à ce satyre. Quand Puri repartit avec Gabina, les sœurs Goya restèrent attablées, décidées à ne pas rouvrir boutique, ce jour-là. L'aînée s'éventait énergiquement, sa cadette restait absorbée dans la contemplation des motifs du tapis. Au moment ou Puri et Gabina refermaient la porte, elles entendirent la plus jeune dire quelque chose. Nous en aurons vu de belles, murmurait-elle, nous en aurons vu de toutes les couleurs. Sur ces mots, elle leva les yeux et jeta sur sa sœur un regard étrange, nettement réprobateur, comme si celle-ci, dans le fond, louait ces événements inattendus et leurs instigateurs, don Arturo, entre autres, de renouveler sans cesse le spectacle de la vie.

Gabina et Puri passèrent chez Rosarito, puis toutes les trois allèrent chercher Reme à la boulangerie. Peu après, elles étaient sur la place et grignotaient des graines de tournesol ; quand elles avaient commencé, elles ne pouvaient plus s'arrêter, jusqu'au moment où le sel leur brûlait les lèvres. Puri aurait préféré ne pas parler de cette affaire, mais Andreona et Rosarito y revenaient sans cesse. C'est un porc ! s'écria Reme, le visage crispé par la rage. Un petit morceau de graine était resté collé à son menton, et Gabina le lui enleva délicatement du bout des doigts. Gabina dévorait Reme des yeux, et ne voyait qu'elle, au milieu de toutes les autres. Elles s'étaient approchées du parvis de Santa María, et elles virent sortir don Ramón, le curé. Andreona courut le saluer, et ses amies s'empressèrent de la suivre. Don Ramón eut à peine le temps de réagir qu'elles l'entouraient et se précipitaient pour lui baiser la main. Les jeunes filles l'intimidaient. C'était un sentiment dont il n'avait pu se défaire depuis qu'en sortant du séminaire on lui avait confié la charge de sa première paroisse. Vous devriez venir plus souvent à l'église plutôt que de passer la soirée à ne rien faire, leur dit-il en surmontant sa crainte de se mettre à bégayer en leur présence. Quand ils se séparèrent, ses jambes tremblaient. Il percevait autour de lui le mouvement du feuillage des acacias et, un peu plus loin, les cris des martinets qui parcouraient, inlassables, l'immensité du ciel, mais il évita de lever les yeux, pour que nul ne devinât son trouble.

Gabina sentit bien qu'il était ému, mais elle n'aurait su dire pourquoi. Elle remarqua tout à coup à quel point il avait l'air seul, puis sa soutane râpée, lustrée par endroits, son menton mal rasé, son collet blanc jauni, sale, et surtout ses yeux, où s'attardaient le désarroi et le trouble des bêtes et des jeunes enfants. Alors, elle se souvint de la conversation de sa mère et de sa tante Daniela, la veille au soir. Don Ramón cherchait quelqu'un pour tenir son ménage, et on lui avait recommandé tante Daniela. Mais celle-ci ne voulait pas aller chez lui, parce que sa seule peur, c'était que don Ramón puisse ne pas apprécier sa manière d'être, ce qui ne l'empêchait pas de revenir à son idée que les curés ont quelque chose de bizarre, et que la pensée de devoir laver les caleçons de l'un d'entre eux ne lui plaisait guère. Tu dis des bêtises, lui avait rétorqué la mère de Gabina, ils ne sont pas différents des autres hommes. Sur ce, elles avaient ri toutes les deux. Gabina regarda ses amies du coin de l'œil. Elles marchaient en se tenant par le bras, si près les unes des autres que les plis de leurs robes se mêlaient dans leurs mouvements. Elle avait l'impression qu'aucune force au monde n'était capable de briser cette complicité, et qu'aussi longtemps qu'elles seraient ensemble, elles ne risqueraient rien. Le vent passait entre elles comme dans un feuillage.

Elles allèrent voir don Abelardo, le maître, qui devait être en train d'étudier, à cette heure. Il s'enfermait seul dans le grenier, et le premier prétexte venu, leur visite, par exemple, lui suffisait pour ranger ses livres et mettre un disque sur le phonographe, sa grande passion. Elles entraient par l'arrière-cour et se glissaient par une brèche dans le mur de torchis derrière la maison. De là, elles lui faisaient signe, et il descendait leur ouvrir. Une fois en haut, il leur montrait les oiseaux puis ils s'offraient un concert, comme il disait. Il adorait l'opéra, dont il connaissait par cœur les livrets. Il leur expliquait l'argument, puis, armé d'une baguette, faisait comme s'il dirigeait l'orchestre. Elles passaient un moment merveilleux. Toute l'eau de la mer peut-elle tenir dans une conque, dans un verre ? leur demandait don Abelardo. Elles remuaient la tête d'un côté puis de l'autre, amusées. Il en va de même de la vie, poursuivait-il. Elle est trop vaste pour que le cœur de l'homme puisse la contenir, et tous les grands opéras ont quelque chose à voir avec cette simple, cette terrible vérité. Les premiers accords résonnaient alors et don Abelardo levait les bras et s'agitait, comme emporté par la tempête. Mais, cet après-midi-là, le déchaînement de la musique s'accompagna d'une surprise, l'apparition de doña Carmen. Abelardo, lui dit-elle, impérieuse, arrêtée sur le seuil, je te prie de venir immédiatement. Et, après les avoir tous toisés de la tête aux pieds, elle fit volte-face et descendit les marches en s'appropriant la majesté et la puissance de la musique. Don Abelardo enleva le disque et demeura un moment silencieux. Puis il eut une sorte de geste d'excuse et sortit tête basse derrière sa femme. Elles restèrent un moment à regarder les oiseaux, qui, intimidés par la musique, avaient cessé de chanter. Dans l'une des cages, il y avait un choucas. On dirait don Ramón, remarqua Rosarito. L'oiseau restait immobile au milieu de sa cage et les regardait avec une expression de douleur inexplicable. Tout à coup, il tourna la tête et son regard resta un instant rivé à celui de Gabina, qui était comme hypnotisée. Celle qui doit y aller c'est toi, semblait-il lui dire. Elle songeait à la conversation entre sa mère et sa tante, se disait que c'était elle qui devait s'occuper de la maison de don Ramón. Le plumage noir du choucas avait des lueurs de charbon mouillé par la pluie.

Don Abelardo revint rapidement. Il faut que vous partiez, leur dit-il, tout essoufflé. D'un air malheureux, il regarda les livres ouverts sur la table. Il avait la braguette déboutonnée et, quand elles s'en aperçurent, elles ne purent s'empêcher de rire. Don Abelardo se demandait ce qui pouvait bien leur sembler si drôle. Un bout de sa chemise pointait de ce creux d'ombre. On aurait dit qu'il n'y avait rien d'autre à l'intérieur, sauf peut-être des os. Elles sortirent en se bousculant, en se poussant du coude, pour contenir leur hilarité. Don Abelardo les regarda de la fenêtre, étonné, et se dit qu'elles étaient aussi étranges que les oiseaux.

Isma les vit au moment où elles arrivaient sur la place. Elles riaient encore sans pouvoir s'arrêter. Surtout Rosarito, qui avançait en se tenant les côtes. Les autres la soutenaient pour l'empêcher de tomber. Isma courut à leur rencontre. Toute la journée, il avait trimbalé du poisson, dont l'odeur avait imprégné ses vêtements. Reme tendit les bras pour l'accueillir. Ah ! s'écria-t-elle, voilà mon fiancé ! Il passa de bras en bras, parce qu'elles adoraient toutes le tripoter et le bécoter. Et elles le faisaient sans pouvoir s'arrêter de rire, car elles avaient encore à l'esprit l'irruption intempestive de doña Carmen dans le grenier et la réaction de don Abelardo. C'était une scène qui aurait pu appartenir à l'un de ses opéras, et chaque détail dont elles se souvenaient déchaînait de nouveaux éclats de rire, tels qu'elles pouvaient à peine marcher. Elles s'agrippaient les unes aux autres et avançaient en allant d'un côté à l'autre de la rue, comme si elles étaient complètement saoules. Elles étaient souvent prises de ces soudaines crises de rire, qui se déclenchaient pour n'importe quelle raison, et Isma aimait les voir dans cet état, parce qu'elles semblaient alors n'avoir peur de rien. Voilà ce que signifiait leur rire, qu'elles se moquaient du danger. Une fois, la crise avait été si forte qu'elles étaient tombées parmi les sacs de farine et s'étaient trouvées poudrées jusqu'aux oreilles.

Ils s'arrêtèrent devant la maison de Benigna, toujours fermée, depuis sa mort. Qu'est-ce que c'était, ce qu'elle prenait ? demanda Puri. Elles avaient cessé de rire et demeuraient immobiles, les yeux levés vers les volets clos. De la morphine, répondit Reme, qui, aussitôt après, se tourna vers Isma et lui souffla à l'oreille, sur un ton de reproche violent, qu'il puait le poisson. Isma l'avait un soir accompagnée à la pharmacie pour acheter ce remède. Il venait d'apprendre à lire et, pendant que don Arturo pesait des poudres dans une petite balance, il avait déchiffré l'étiquette des boîtes : acétate de morphine. Quand ils étaient retournés chez Benigna, Reme ne l'avait pas laissé entrer. Il vaut mieux que tu t'en ailles, lui avait-elle dit en lui ébouriffant les cheveux. Quelques heures plus tard, il était revenu. La porte était ouverte, il l'avait poussée doucement en appelant Reme tout bas. Il avait une commission à lui faire et ne la trouvait nulle part. Il continuait de l'appeler tout en pénétrant dans la maison. Benigna était assise dans le vestibule, et, en l'entendant approcher, elle avait tourné la tête vers lui. Elle ne semblait pas le reconnaître. Ses mouvements étaient lents. D'un air absent, elle lui avait adressé un sourire. Elle tenait un carnet, la main posée sur une page blanche, un crayon entre ses doigts. Qui es-tu ? Isma lui avait dit son nom. Aide-moi, lui avait-elle demandé en lui tendant le crayon, j'ai oublié comment on fait pour écrire. Isma avait reculé, effrayé par l'éclat étrange de ses yeux, son regard perdu, et, en arrivant à la porte, il s'était enfui en courant.

Les filles s'éloignaient et il n'osa pas les suivre pour ne pas indisposer Reme. Puri se retourna. Tu ne viens pas avec nous ? lui demanda-t-elle. Reme se retourna elle aussi. Il chercha son regard, qui était encore courroucé et lui reprochait de sentir mauvais, et secoua la tête. Il attendit qu'elles eussent disparu, et décida d'aller chercher Jandri. Mais il n'arriva pas jusqu'à leur maison. Il était brusquement devenu sourd. Il marchait dans la rue et n'entendait ni ses propres pas, ni l'aboiement du chien qui, au coin de la rue, levait et baissait le museau, ouvrait et fermait la gueule. Au même moment, il sentit le fourmillement à son pied. Il ne savait plus où il allait, et, croyant voir la palissade de l'aire de Poldo, il marcha dans cette direction. Mais il y avait au milieu une rangée d'arbres. Il savait qu'il n'y avait pas d'arbres à cet endroit-là, cependant, il voulut tout de même s'en approcher. Il le fit les yeux fermés, essayant d'entendre la rumeur de leur feuillage, mais il dut s'arrêter et tomba par terre. C'est l'aire de Poldo, se dit-il, tâchant de fixer sa pensée, de se souvenir de quelque chose qui le tiendrait éveillé. Ils étaient au bal, et Reme l'asseyait sur ses genoux. Ursi faisait jouer l'une des chansons qu'ils écoutaient tout le temps. Reme chantait tout bas, en l'écoutant. Elle chantait à son oreille comme si elle lui disait quelque chose que lui seul devait entendre. Il n'était plus attentif qu'à son odeur, au ronronnement de sa voix, qui répétait les paroles de la chanson, et au léger mouvement de sa poitrine sous le tissu soyeux. Il se mit à répéter lui aussi les paroles de la chanson, une douzaine de fois, jusqu'à ce que, peu à peu, le son de sa voix fût devenu audible, comme tous les autres bruits de la nuit. Il était couché par terre, le menton et le cou gluants de bave. Le ciel était parsemé d'étoiles. Il rentra chez lui en titubant. Pilar était assise devant la porte et prenait le frais. Depuis la mort de la petite, elle se nourrissait à peine et son visage trahissait un épuisement profond. Je suis allé livrer le poisson, lui dit Isma en lui tendant l'argent que madame Maura lui avait donné pour sa peine. Pilar prit les pièces et les mit dans son tablier. Tu as de quoi manger à la cuisine, lui dit-elle, les yeux levés vers le ciel étoilé. Quand il passa près d'elle, elle ne tourna même pas la tête.

# 7

Il se levait toutes les nuits. Il attendait que je sois endormie et il se glissait hors du lit, aussi silencieux qu'un chat. Sans un seul faux pas, il se déplaçait dans la chambre avec une légèreté qui semblait impossible, pour un costaud comme lui qui devait presque courber la tête quand il passait les portes. Il avançait sans hésitation, sans s'arrêter nulle part, il traversait le couloir, allait chercher du bois dans la cour, entrait dans toutes les pièces et en sortait sans avoir besoin, pour se guider, de la moindre lumière, comme s'il pouvait voir dans l'obscurité épaisse. Même pendant les nuits les plus noires, les nuits sans lune, il se déplaçait sans presque rien bousculer, avec des mouvements décidés et vifs pareils aux coups de queue des poissons. Il n'arrêtait pas de s'affairer. Il lavait et cirait les sols, nettoyait le fourneau, lavait la vaisselle du dîner, et arrivait même à repasser à la lueur du réchaud qu'il allumait pour faire chauffer le fer. Il fallait voir l'allure de la maison, le matin ! Pas un grain de poussière, rien qui ne fût soigneusement rangé, les couverts dans leurs tiroirs, les bocaux de farine et de légumes secs alignés sur les étagères, les carrelages resplendissants, le linge soigneusement plié sur la table. Moi, au début, je ne me doutais de rien. Quico était très attentif et ses déplacements nocturnes se déroulaient dans le plus complet silence. Il est évident qu'ensuite tout était trop ordonné et propre, surtout si l'on tient compte du fait que je n'ai jamais été très soucieuse des soins du ménage, mais je ne me suis doutée de rien, jusqu'au soir où le lait que j'avais oublié sur le feu a versé, et où, folle de rage, parce que je venais de passer la serpillière dans la cuisine, j'ai décidé de tout laisser tomber et de m'en occuper le lendemain. Mais je n'ai pas eu à le faire, parce que, quand je me suis levée, ce matin-là, quelqu'un avait tout nettoyé. Tu vas rire, quand je t'aurai avoué la pensée qui m'est venue. Que c'était moi qui l'avais fait, que je m'étais levée en plein sommeil, poussée par le remords, et que j'avais tout lavé, afin que la cuisine soit propre quand Quico se lèverait pour prendre son petit déjeuner. C'est te dire à quel point il me semblait impensable qu'un grand gaillard comme lui pût s'occuper de choses pareilles ! Mais, dès ce moment-là, je ne l'ai plus vu de la même manière. Je ne doutais pas de lui, non, mais j'étais plus attentive. Au soin qu'il prenait de notre ménage, à son empressement à m'aider à tout moment sans jamais dire un mot plus haut que l'autre. Et aussi à certaines de ses manières, qui auraient mieux convenu à une femme, son inté-rêt pour le linge, par exemple, ou pour tout ce qui se rattachait à la cuisine, l'inquiétude avec laquelle il me regardait, quand je venais de la ranger et que le sol brillait encore quand j'avais passé la pièce à frotter. J'ai commencé à lui tendre des pièges. Je jetais un mouchoir dans un coin du couloir, et, le lendemain, il avait disparu ; je sortais sans avoir desservi la table, et, quand je revenais, elle était lisse comme un miroir, sans une miette de pain. Et puis, il y a eu l'affaire du linge. La preuve définitive, parce que ce que j'avais décroché le soir de la corde à linge apparaissait le matin repassé et plié sur la table. Le linge blanc d'un côté, les chemises soigneuse-ment boutonnées, les bas et les chaussettes bien enroulés, mes jupes aussi impeccablement plissées que si elles sortaient de chez le teinturier. Je l'interrogeais et il faisait celui qui ne savait pas, mais je me suis vite rendu compte que mon insis-tance le mettait si mal à l'aise qu'il finissait par bégayer. Après de telles scènes, il se montrait plus prudent et, les jours suivants, il s'agitait à peine. Mais ces périodes d'inactivité ne duraient guère. Je crois que l'élan qui le poussait à agir ainsi était plus fort que sa peur d'être découvert, et que, pour quelque raison obscure, il ne pouvait s'empêcher de s'occuper de tout à la maison. Il pensait même à préparer les vêtements que j'allais mettre ! Aussi bien les chaussures, les jupes et les chemisiers que les sous-vêtements, que je trouvais le matin rangés sur la chaise, de sorte que je n'avais qu'à tendre la main pour m'habiller. Et ça, bien sûr, ça ne me plaisait pas du tout. Je n'aimais pas savoir qu'il fouillait dans mes tiroirs, même si c'était pour les ranger ou pour préparer ce que j'allais mettre, et je n'aimais pas non plus savoir qu'il se chargeait de tout à ma place, au point que si j'étais restée les bras croisés, ça n'aurait fait aucune différence. Je n'arrivais pas à le comprendre. Pourquoi s'occupait-il de tâches qui me revenaient, et, surtout, pourquoi le faisait-il à la faveur de l'obscurité, comme s'il commettait un crime ? Parfois, il me faisait peur. Je voyais dans ses yeux un éclat maladif, de l'égarement, de l'inquiétude, et je me sentais écrasée sous le poids de cette vie secrète, une vie qui se déroulait dans mon dos, ténébreuse et suffocante, un vrai fleuve de sable. J'ai même voulu fuir, plusieurs fois. Je pensais à toi, à Gabina, je me disais que je pourrais vous demander de l'aide, me cacher pour quelques jours chez vous. J'avais besoin de temps et d'un endroit pour réfléchir, et il était clair que dans cette maison, je ne les aurais jamais, parce que je m'étais rendu compte que, si je restais sous le même toit que lui, rien ne pourrait m'appartenir. Alors, je pleurais. Je pleurais parce que j'avais peur de m'être trompée, et parce que toute ma vie allait se dérouler comme ça, sous le poids de ce fardeau incompréhensible, de cet amour si étrange qu'il avait l'air de vouloir me refuser, dans son amertume, le droit de voir le monde de mes propres yeux.

Une nuit, je l'ai pris sur le fait. Je me suis réveillée par hasard, j'ai senti qu'il n'était pas à côté de moi dans le lit, et je suis allée le chercher. Tu ne vas pas me croire. Il était dans la cuisine, et il cousait. Ses épaules pointaient comme des ailes d'oiseau brisées, ses yeux, deux pointes ardentes, ne lâchaient pas la course fuyante de l'aiguille, qui brillait entre ses doigts comme s'il l'avait enduite de phosphore. Il était si absorbé par sa tâche qu'il n'a même pas remarqué que je l'observais, dans l'encadrement de la porte. Une fois recouchée, les questions que je me posais toutes les nuits me sont encore une fois venues à l'esprit. Pourquoi se levait-il en cachette ? Qu'était-ce donc qui le poussait à se livrer à ces travaux, comme si les oublier, les négliger un instant pouvait lui être fatal ? Que devais-je faire ? Je l'ai observé en secret. Je me réveillais à minuit, avec une régularité d'horloge, et, trouvant sa place vide, je partais à sa recherche. Je l'épiais pendant des heures, tapie derrière les portes, pour essayer de surprendre un geste, une parole qui aurait pu éclaircir le mystère de cette activité si absorbante. En vain. Il se déplaçait dans la maison sans avoir besoin d'allumer la lumière, il se faufilait entre les meubles et tous les autres obstacles avec la précision et la légèreté de quelqu'un qui aurait passé toute sa vie dans le noir ; plus encore, comme si la véritable signification de ces gestes, de cette activité incessante ne pouvait être découverte qu'en relation avec cette obscurité, ce monde qui échappait à toute compréhension et qui s'étendait, dans sa singularité, bien au-delà de la portée du regard des hommes, et avait avec elle des connivences inavouables. Il est difficile de savoir en quoi consistaient ces liens avec les ténèbres, mais il semblait en tirer fierté, il les cultivait comme si nul autre homme avant lui n'avait partagé une telle intimité. Ensuite, il revenait se coucher et se livrait au sommeil avec un tel abandon qu'il me donnait chaque fois l'impression d'avoir à jamais renoncé à ces travaux. Malheureusement, il n'en allait pas ainsi, et, la nuit suivante, il recommençait, tandis que j'échafaudais des projets de toute sorte pour barrer la route à cette folie. Mais je ne les mettais en œuvre ni quand il revenait se coucher à côté de moi, ni le lendemain matin quand nous nous levions. Peut-être parce que je sentais qu'il était le premier à ignorer le sens exact de sa conduite et que rien de clair ne sortirait de ses réponses à mes questions. Alors, je me souvenais de ma mère, de mon frère Ambrosín, de vous trois, que j'avais presque cessé de voir, et je sentais la rage me gagner. Il me semblait que le fait de vivre avec lui me fermait tous les chemins que j'avais aimés, et je voulais m'échapper coûte que coûte. M'échapper au plus vite.

Je me demande si toutes les nouvelles mariées ont de pareilles idées. Si, quand elles se réveillent la nuit et voient le corps d'un homme auprès d'elles, elles éprouvent le désir de le vouer à la destruction. Si elles en viennent à se sentir prisonnières, sans même assez d'espace pour se retourner, et sans aucune consolation satisfaisante, devant un fait aussi étrange que celui de dormir avec leur ennemi. Je me demande aussi ce qui se passerait si l'une d'elles se demandait pourquoi, en vérité, elle le désire. Saurait-elle seulement répondre à cette question ? Je ne le crois pas, parce que, en de tels moments, aucune d'entre elles ne sait ce qu'est la liberté. Moi non plus, je ne le savais pas. Voilà pourquoi, le matin, je n'avais plus la même pensée. Les projets que j'avais pu faire au cours de la nuit ne valaient plus rien. La maison était propre et bien rangée, tout ce qui m'entourait, dans la lumière du soleil levant, semblait avoir été plongé dans l'eau la plus claire. J'avais envie de toucher chaque objet autour de moi. Je voyais une casserole et, aussitôt, j'aurais voulu la prendre et la mettre dans ma poche. Alors, j'oubliais tout. Les épreuves de la nuit, le regret de ma vie passée. Une fantaisie me hantait : quand j'ouvrirais les portes, les fenêtres, au matin, nous serions autre part, dans un village où personne ne nous connaîtrait. Les rues seraient bordées de ces pins noirs que j'aime tant, couverts de résine comme s'ils étaient tapissés de cristaux. Quico serait lui aussi différent. Toujours ténébreux et étrange, mais je ne douterais plus de lui. Ce serait comme si une malédiction avait été levée et qu'il était devenu resplendissant, un prince, un être de lumière.

La fantaisie ne durait guère. Tu te souviens de ce que don

Abelardo nous racontait, sur les tourterelles ? Elles ne supportent pas l'eau claire, et, pour pouvoir boire, il faut qu'elles la troublent avec la patte, pour qu'elle corresponde mieux à leur humeur méditative. Eh bien, j'étais comme les tourterelles. Brusquement, cette clarté me blessait, et je devais faire quelque chose pour me défendre. Je crois que j'ai compris, alors, ce désir secret et profond de se livrer à des méchancetés mesquines qui s'empare des femmes quand elles souffrent. L'homme qu'elles aiment ne leur a pourtant pas fait de peine. Plus il les adore, plus le besoin de le tourmenter devient irrésistible, et le torturer leur apporte un soulagement. Maintenant, je sais pourquoi il en va ainsi. Elles ne peuvent pas supporter qu'il se conduise comme s'il détenait le secret de leur vie et cherchait à s'approprier, en les aimant, tous les instants de leur existence. C'est ce qui m'est arrivé. Je voyais Quico, et il me venait des envies de lui faire mal, de lui faire payer tout ce qui m'arrivait par sa faute. Je me rebellais contre cette domination. Certains jours en me repliant sur moi-même et en adoptant un ton d'indifférence feinte, ou en restant dehors tout le temps que je voulais ; d'autres en me décidant à passer aux actes : je ne rangeais rien, je ne nettoyais pas les taches que j'avais pu faire en cuisinant ou en mangeant, je laissais mes affaires traîner là où je les avais enlevées. Pourtant, je n'aimais pas faire ça. Je sais à présent qu'il est faux que les femmes ne souffrent pas quand elles agissent ainsi. Je n'étais pas heureuse de le tourmenter. Il y avait en moi une autre femme, qui me disait de le faire, comme si elle voulait sortir au grand jour, se substituer à moi, vivre ma vie. Je lui cédais sur ce point, mais sans conviction, et pourtant consciente qu'en la laissant agir à sa guise, je commettais une erreur, parce que, tôt ou tard, ce que je lui accordais se retournerait contre moi.

Je m'inquiétais pour rien, Quico était hors d'atteinte. D'autres puissances l'animaient. Il s'est mis à haleter. Je me réveillais la nuit et j'entendais son halètement dans l'obscurité, on aurait dit qu'il faisait un gros effort inhabituel, ou qu'il se déplaçait dans la maison en portant un poids très lourd qui lui infligeait les pires souffrances, et je me repentais de tout ce que j'avais fait en me promettant de ne plus recommencer. C'est à peu près à cette époque que les bêtes mortes ont commencé à apparaître. Je me souviens de la première fois. Je suis entrée dans le poulailler, le matin, j'ai vu les poules mortes, dispersées sur le sol, et les quelques survivantes qui me regardaient d'un œil épouvanté, comme si elles s'attendaient à me voir achever l'œuvre de destruction. Bien entendu, je n'ai pas pensé à lui. J'ai pensé à un renard, à un renard qui serait entré dans la basse-cour pendant que je dormais et se serait attaqué tout à son aise aux poules sans défense. Quelques jours plus tard, c'est le chat que j'ai trouvé mort. Là non plus, je n'ai pas pensé à Quico. Comment aurait-il pu faire une chose pareille, alors que je n'avais jamais surpris en lui la moindre manifestation de violence ? De plus, quand nous avons enterré la pauvre bête dans la cour et que je me suis mise à sangloter, il m'a prise amoureusement dans ses bras pour essayer de me consoler. Et, une quinzaine de jours plus tard, il est arrivé à la maison avec deux chatons, il m'a aidé à les soigner et à les élever comme si c'étaient les enfants qui ne voulaient pas venir ! Bon, ce n'était pas eux, c'était Quico qui ne voulait pas. Je désirais être enceinte, mais il faisait tout son possible pour l'éviter. Il se retirait au dernier moment. Ne fais pas ça, lui disais-je, comment veux-tu que nous ayons un enfant ? Il s'excusait et me promettait que, la prochaine fois, il ne le ferait pas. Mais la prochaine fois arrivait, et il recommençait. Je protestais, il se lovait contre moi en enfouissant sa tête dans le creux de mon cou. Pas encore, me disait-il. Et quand je lui demandais pourquoi, il se contentait de hausser les épaules et de me répéter qu'il valait mieux attendre.

C'est alors que le vide a commencé à se faire autour de moi. Même les sœurs Goya, quand j'allais acheter quelque chose chez elles, me lançaient des regards mauvais. Je ne comprenais pas pourquoi. Quand j'entrais dans un magasin, le silence se faisait, et quand j'y rencontrais quelqu'un que je connaissais, toutes les excuses étaient bonnes pour me quitter au plus vite. Je rentrais chez moi enragée. On m'évitait, ma compagnie devenait indésirable, mais je ne pouvais toujours pas m'en expliquer la raison. Entre-temps, on avait trouvé d'autres animaux morts, certaines fois d'une manière étrange, provocatrice, qui forçait à envisager une intention humaine. Un chien fut pendu à l'un des poteaux électriques, quelques canards décapités, dont on ne put retrouver les têtes, et quelqu'un s'introduisit la nuit dans l'enclos de don Andrés et coupa les mamelles de l'une des vaches. Jamais rien de pareil ne s'était produit au village. La pauvre vache se vida de son sang dans des souffrances atroces et emplit la nuit de ses mugissements épouvantés. Non, c'était maintenant hors de doute, ces actes criminels ne pouvaient être perpétrés que par un esprit tortueux et malade. Mais je ne savais pas encore qu'il y avait un lien entre ces actes et le traitement qu'on nous réservait. C'est toi, Reme, qui me l'as dit. Tu t'en souviens ? Tu es venue chez moi, profitant d'un moment où Quico était allé arroser les champs, et tu m'as parlé des brebis, tu m'as dit qu'on les avait trouvées le matin même horriblement mutilées devant le portail du cimetière et que les gens racontaient que c'était Quico qui avait fait ça. Parce que des gamins l'avaient vu porter des bêtes mortes sur son dos. Je me souviens encore de ton expression, de ton regard épouvanté tandis que tu m'annonçais ces choses inconcevables : on ne se contentait pas de dire que Quico avait torturé et mis à mort ces pauvres bêtes, on me déclarait aussi responsable que lui, puisque je le couvrais. Je me rappelle aussi comment tu m'as embrassée en me quittant, comment tu t'es arrêtée sur le seuil pour m'avertir que je pouvais être sa prochaine victime et que je courais un grand danger. Tu en es même venue à me demander de te suivre, de te laisser faire ma valise, et d'aller me cacher chez toi. J'ai refusé, d'un mouvement de tête, mais je n'ai pas pris sa défense. J'aurais aimé le faire, te dire que je considérais toutes ces histoires comme des infamies, mais je me suis contentée de te serrer douloureusement contre moi, sans dire un seul mot en sa faveur.

Quand j'ai fermé la porte derrière toi, je ne pouvais plus me soutenir. J'ai pensé aux poules égorgées, au chat que nous avions trouvé mort dans l'arrière-cour, et j'ai su que c'était lui. Je me suis souvenue qu'une fois, en se couchant, il s'était mis à trembler, à côté de moi. On aurait dit une bête taciturne, silencieuse, qui venait chercher ma protection. Je ne savais pas de quoi je devais le protéger, mais j'ai eu l'impression que ce corps énorme, entre mes bras, devenait plus mince, minuscule, pendant que je le serrais sur ma poitrine et le couvrais de caresses. Il m'a semblé que j'avais le pouvoir de le rapetisser, que je pouvais le réduire à la dimension d'un pouce et le cacher à l'intérieur d'un flacon, comme on le fait avec les grillons, les courtilières, et qu'ainsi il serait en sûreté. Ce n'est pas nous qui sommes bizarres, me suis-je dit, c'est la vie qui est louche. À cette époque-là, nous étions encore heureux. Nous passions nos moments libres enfermés dans notre chambre, sans nous lever du lit, et nous désirions que la nuit n'ait jamais de fin. Nous tenions même les volets fermés pour empêcher la venue du jour ! Nous étions paresseux, prisonniers de l'obscurité, ce qui excusait tout. N'est-ce pas ce que font tous les nouveaux mariés ? Ne cherchent-ils pas à se cacher, ne désirent-ils pas, en se caressant, accéder à des endroits de plus en plus secrets, dérobés, des galeries pleines de nourritures qu'ils n'auraient pas à quitter ? Je me souvenais de vous, de toi, de Gabina, de Puri, j'avais envie d'aller tout vous raconter, mais je trouvais toujours une excuse pour remettre la visite à plus tard. J'étais incapable de le laisser seul. Je pensais qu'il pouvait lui arriver quelque chose et, qu'à mon retour, je le trouverais mort. Ces pensées me bouleversaient. Parfois, je m'habillais, j'étais prête à sortir, et je m'arrêtais sur le pas de la porte pour courir vers lui, l'embrasser, me lancer dans ce jeu, celui de le rapetisser. Je te tiens dans un flacon, lui disais-je, tu es si petit que tu entres dans la poche de mon tablier. Je lui disais même, quand je préparais le repas, que si je voulais, je pourrais le mettre dans la poêle, le faire cuire avec le riz et les lentilles.

Il m'attirait comme l'aimant attire le fer. Tu te souviens du scandale qui a éclaté au village ? Nous sommes restés dix jours sans sortir de la maison, sans recevoir personne, portes et volets clos. Et, veux-tu que je te dise ?, ce n'est pas vrai, ce qu'on a dit, qu'il me retenait de force. C'était ma faute, à moi, c'était moi qui le voulais, moi qui ne le laissais pas sortir de la chambre, qui l'obligeais à manger au lit et qui l'empêchais d'aller répondre quand on frappait à la porte. Quico voulait se lever et je l'en empêchais de toutes mes forces. Il n'y a personne, lui disais-je, et j'appuyais ma tête sur sa poitrine, pour écouter le bruit de son cœur. Mais ensuite, tout a changé. Il était toujours plus impatient et bizarre, et il m'échappait, peu à peu. Il arrivait à se cacher, pour que je ne le voie pas, et, quand il se levait la nuit, ce n'était pas encore, à ce moment-là, comme s'il obéissait à un ordre qu'on lui aurait donné, mais comme si quelqu'un ou quelque chose avait réussi à pénétrer dans notre tanière obscure et le tenait sans cesse en état d'alerte. Très vite, il ne s'est pas contenté de se lever, il a quitté la maison. Pour ne pas revenir de toute la nuit, le plus souvent. Ou pour le faire à des heures indues, les bottes et les vêtements tâchés de boue, en proie à une agitation qui l'empêchait de trouver le sommeil. Je l'ai surpris je ne sais combien de fois couché par terre, avec cette respiration profonde, douloureuse, étrange, qui lui donnait l'air d'être malade, écrasé par le poids de pressentiments obscurs. Je le secouais par les épaules, je tâchais de le réveiller, et je le conduisais au lit. Quico, lui disais-je, ne reste pas là, par terre. On aurait dit un enfant qui a peur. Un enfant gigantesque, qu'il fallait protéger de sa propre force. Mais, alors, il me restait encore quelque chose de mon ancienne magie. Il suffisait que je le touche, que je pose ma main à plat sur n'importe quelle partie de son corps, ses épaules, son dos, pour que cette respiration cesse. Si je la retirais, elle recommençait. Cette agitation se prolongeait pendant des heures, et je restais à côté de lui, à essayer de le calmer. Certaines nuits, nous avons dormi tous les deux par terre. Lui couché sur le ventre, les poings fermés, les bras croisés sous sa poitrine, et moi sur son dos. Mais, très vite, pour calmer sa respiration douloureuse, il n'a plus suffi d'une douce pression de ma main, je devais m'allonger sur lui, le couvrir de mon corps, autant que je le pouvais. C'étaient des nuits interminables, et parfois ma fatigue était si grande que je finissais par m'endormir là, au-dessus de lui. Il me portait comme ça d'un endroit à l'autre, marchait à quatre pattes dans toute la maison en écartant d'un geste, au besoin, les obstacles qui se dressaient sur son chemin. Pour lui, il ne semblait pas y avoir d'obstacle infranchissable. De plus, il se comportait comme si tous les objets s'étaient ligués pour l'empêcher de passer, de trouver son chemin vers la nourriture, l'air respirable, la voie libre qui s'ouvrait de l'autre côté de la vie.

À ces moments-là, j'avais peur. Sa désolation, mon impuissance à lui venir en aide me faisaient souffrir, mais jamais je n'ai pensé que je pouvais courir un danger. J'ai eu peur pour la première fois quand tu m'as parlé des brebis. Peur qu'il puisse me faire, à moi ou à un autre être humain, ce qu'il avait fait à ces bêtes. Je me souviens que, cet après-midi-là, Ismaelillo est passé à la maison. Il venait chercher Quico, avec qui il allait souvent arroser les champs. Brusquement, en le voyant là dans la cuisine, j'ai pensé que Quico pourrait profiter du moment où ils étaient seuls pour lui faire du mal. Alors, je l'ai poussé dehors et je lui ai dit de s'en aller. Quand j'ai refermé la porte, je tremblais. J'ai dû aller à la cuisine me passer le visage sous l'eau. Je n'arrivais pas à me tranquilliser. J'ai commencé à respirer comme Quico, aspirant l'air à pleins poumons, expirant ensuite trop fort, avec peine, comme si je soufflais sur une brûlure. J'avais les jambes lourdes et, en allant et venant dans la maison, il me venait des envies de bousculer, de casser tout ce que je trouvais sur mon chemin. Je me disais que ce serait merveilleux de pouvoir passer à travers les murs. Bien vite, je me suis rendu compte que j'étais possédée par Quico, de plus en plus pareille à lui, comme s'il m'avait privée de ma volonté. La panique s'est emparée de moi. J'ai couru à ma chambre et j'ai fait ma valise ; je ne pliais pas les vêtements, je ne savais même pas ce que j'y jetais en tas, je ne voulais plus que m'enfuir avant son retour. J'ai traîné la valise jusqu'à la cuisine. La fatigue m'est tombée dessus, j'ai dû m'asseoir un moment. Quand mon regard s'est posé sur les couteaux, je me suis demandé quel était celui qu'il allait lever contre moi. Les tommettes du sol luisaient comme si elles étaient imbibées de sang. J'ai traversé la cour. J'ai vu les poules, les lapins, j'ai pensé qu'ils étaient en danger, mais je ne me suis pas arrêtée. Au moment où j'allais m'enfuir, je me suis souvenue des chats. Je suis retournée en courant à la maison, je les ai cherchés partout, en les appelant : Minous, Minous, où êtes-vous ? Mais ils ne se montraient pas. Je ne sais pendant combien de temps je les ai cherchés. Quand j'ai enfin compris que si je voulais fuir il fallait les abandonner, une idée m'est venue, au dernier moment. Je me suis souvenue qu'ils aimaient se cacher dans une pièce du haut, à l'abri d'une vieille couverture que je leur avais laissée là. Je suis montée en courant, et je les ai trouvés. Je les ai pris dans mes bras et je me suis précipitée comme une folle dans la cour. La valise avait disparu. J'étais certaine de l'avoir laissée près de la porte de derrière, mais elle n'y était plus. En me retournant, je l'ai vue, posée à plat au milieu de la cour. Je n'avais pas le temps de me poser des questions. Je suis allée la chercher, mais je n'ai pas pu la bouger d'un pouce. Il m'a semblé que mon cœur s'était arrêté de battre. Je tirais sur la poignée, mais je ne pouvais pas la soulever du sol. Mais qu'est-ce qui m'arrive ? me suis-je demandé. On aurait dit la scène d'un de ces cauchemars où rien ne tourne rond. Impossible de soulever cette valise, alors qu'un moment auparavant je l'avais portée facilement. À ce moment-là, j'ai remarqué que l'une des serrures était ouverte, et j'ai compris ce qui s'était passé.

Il l'a clouée au sol, me suis-je dit. J'ai ouvert la valise, j'ai sorti tous les vêtements, pour voir le fond. Les têtes des clous étaient bien visibles. Je me suis relevée, épouvantée, et j'ai cherché Quico, aux alentours. Il devait être là, caché quelque part, à épier mes moindres gestes, je le savais, comme je savais que c'était lui qui avait pris la valise et l'avait clouée par terre pour m'empêcher de partir. Je suis tombée à genoux, et je me suis mise à pleurer. Je t'en supplie, murmurais-je en ramassant les vêtements, ne me fais pas de mal. Je pensais aux animaux, à tout ce dont on l'accusait au village, surtout à la vache, en me disant qu'il pourrait un jour se retourner contre moi. J'ai voulu me lever, mais ma tête a commencé à tourner. Je suis tombée sur la valise, puis j'ai roulé par terre, sur le dos, avec une dernière pensée : Quico faisait tout ça parce qu'il m'aimait.

Je ne sais combien de temps je suis restée étendue dans la cour. Quand je suis revenue à moi, il faisait nuit. Je me sentais en paix, une paix profonde, je n'avais plus peur, je ne voulais plus fuir. La valise était toujours à côté de moi. La lampe de la cuisine allumée projetait dans la cour un rectangle de lumière jaune. La curieuse pensée que j'avais eue avant de m'évanouir m'est revenue à l'esprit, et il m'a semblé qu'elle n'était pas étrangère à cette paix. Je suis entrée dans la cuisine. Quico était assis à table et nos regards se sont croisés. Sous l'insistance du mien, il a fini par détourner la tête, tremblant. C'est toi qui le rends fou, me suis-je dit avec un sentiment de fierté. Va chercher la valise, lui ai-je demandé. Quico a hésité quelques instants avant de se lever. Je ne veux pas que les poules la couvrent de fiente, ai-je ajouté. J'ai regardé ses mains, ses grandes et belles mains dans lesquelles, en passant à côté de moi, il a caché son visage, en un geste instinctif de défense. Peu après, il était de retour avec la valise. Porte-la dans ma chambre, lui ai-je ordonné. Je l'ai suivi. Je sais, pour les bêtes, lui ai-je dit, du seuil. Je sais que c'est toi qui les tues. Je ne lui ai laissé ni le temps de répondre ni celui de se retourner, et j'ai filé tout

145

droit dans la rue. Quelques femmes, en m'apercevant, se sont mises à jacasser. Je me suis dit que je pourrais l'envoyer les tuer, et je suis arrivée à la boulangerie, elle était éclairée, je m'en souviens, j'ai voulu entrer, pour te voir. Mais j'ai changé d'avis. Je n'avais pas envie de t'entendre me poser des questions ni me dire ce que je devais faire. Qu'en savais-je moi-même ? Rien, je n'en savais rien, mais je ne voulais pas que quelqu'un décide pour moi. Quand je suis rentrée, Quico n'était pas à la maison. Je suis allée dans la cour. Les étoiles avaient apparu. Elles brillaient de cet éclat vif qui luit dans les prunelles des êtres privés de raison. D'ici, nous voyons tout, semblaient-elles dire. J'ai regagné la maison, et je me suis allongée sur le lit tout habillée. Je n'avais pas peur, je n'étais pas nerveuse, j'avais encore confiance en mon pouvoir. Et je me disais aussi que Quico avait agi ainsi parce qu'il était malade, que si je découvrais quel était son mal et l'en guérissais, tout s'arrangerait.

Des bruits m'ont réveillée. Quico était dans l'encadrement de la porte de la chambre et me regardait sans rien dire. Il n'était pas venu pour me faire du mal. Brusquement, j'ai senti une odeur bizarre, douce, qui s'est répandue dans la chambre et que je ne connaissais pas. Je cherchais à deviner d'où elle pouvait bien venir quand j'ai vu Quico s'approcher de moi. Il est arrivé au bord du lit, où il s'est assis, et le matelas s'est enfoncé sous son poids. L'odeur est devenue plus forte, j'ai compris qu'elle se dégageait de ses vêtements. D'où venait-elle ? Pourquoi sentait-il comme ça ? Quico s'est couché à côté de moi, sur les couvertures, et j'ai fermé les yeux pour mieux déchiffrer cette odeur indéfinissable. Il m'a semblé qu'il y avait quelque part un endroit où nous aurions pu être heureux. Un endroit où nous aurions pu mener une vie tout à fait nouvelle, rien qu'à nous, et que seul Quico pouvait m'y conduire. Que ce n'était pas lui qui devait être sauvé, mais moi. Quico, ai-je dit tout bas, reste auprès de moi, ne t'en va plus. Mais, le lendemain, quand je me suis réveillée, il n'était pas dans le lit. Je l'ai cherché dans la maison, la cour, les dépendances. Je suis même allée jeter un coup d'œil dans la rue, mais je ne l'ai vu nulle part. Cependant, je ne m'en suis pas souciée davantage, parce que j'ai eu la certitude qu'il reviendrait, la nuit, quand tout le monde serait endormi, et avec la même odeur.

Ce matin-là, je m'en souviens, je me suis lavé les cheveux, apprêtée de la tête aux pieds et, pour la première fois depuis longtemps, je suis sortie dans la rue sans la moindre honte. Peu m'importait ce que l'on pouvait penser de moi. Je revoyais Quico assis sur le bord du lit, qui me regardait, je songeais à cette odeur qui avait gagné les moindres recoins de la pièce, sereine de savoir que l'heure de me recueillir, d'être forte et d'agir était venue. Voilà pourquoi je ne m'inquiétais pas de ce que pouvaient dire les gens du village. Eux se contentaient de changer le désir le plus fervent de leur cœur en d'innombrables petits désirs, mais je savais ce qui s'ensuivait, à ce jeu, un chagrin profond, le sentiment d'avoir laissé passer quelque chose de décisif. Non, ils n'étaient pas meilleurs que nous. Ils ignoraient qu'une vie plus aventureuse, plus libre, un monde resplendissant attendaient ceux qui se risquent au-delà du cercle d'indignité et de misère qui nous cerne. Je me sentais capable de me hisser à sa hauteur, de me montrer digne de lui, claire comme le cristal, afin que sa lumière brille à travers moi.

Mais Quico ne devait plus revenir m'aider. Je l'ai attendu un jour, deux jours, dix jours, en vain, parce qu'il n'est plus reparu à la maison. Par la suite, le bruit à couru qu'il vivait dans les bois, dans la cabane du garde forestier, et qu'il achetait sa nourriture aux gitans, les seuls êtres humains qu'il fréquentait. Je l'ai revu deux fois, avant sa mort. Un après-midi, près du canal. Quelqu'un est venu me dire qu'il arrosait les champs, et je suis aussitôt allée le chercher. Il était maigre comme un clou, il avait les joues creuses et l'un de ses yeux couvert d'un bandeau noir, on racontait qu'une branche l'avait blessé pendant qu'il courait dans la forêt. Je t'ai apporté à manger, lui ai-je dit. Je lui avais préparé un repas, dans une gamelle. Il a mangé avec voracité, mais, peu après, il s'est levé, s'est éloigné de quelques mètres et a disparu derrière des arbustes. J'ai compris qu'il allait vomir. On racontait aussi qu'il mangeait comme une bête, et qu'après il allait vomir, peut-être volontairement, ou parce qu'il ne digérait plus la nourriture, après avoir si longtemps jeûné. Je lui avais aussi apporté du tabac, qu'il a fumé avec plaisir. Je lui ai demandé de revenir à la maison, il m'a promis qu'il le ferait après la tombée la nuit, mais il ne s'est pas montré.

Je l'ai vu une autre fois. C'était après la dénonciation. Les gendarmes sont venus me trouver à la maison, parce que quelqu'un s'était attaqué à des gens d'ailleurs, venus chasser là, et que d'après leurs descriptions, tous les soupçons se portaient sur Quico. Il demeurait insaisissable. Les gendarmes voulaient que je leur donne une photo pour que ces fameux chasseurs puissent l'identifier. Je n'avais pas de photo de Quico, ou, plus exactement, j'en avais une, celle de notre mariage, et je ne voulais pas la leur donner. Voilà pourquoi je leur ai dit que je n'en avais pas. Mais l'un d'eux l'a vue, sur le buffet. Celle-là fera l'affaire, a-t-il dit. Je n'ai fait qu'un bond. Cette photo ne sortira pas de chez moi ! me suis-je écriée en la lui arrachant des mains. Ils ont dû voir sur mon visage que je ne démordrais pas de ma décision, parce qu'ils se sont assis pour parlementer avec moi. Un des gendarmes était presque un enfant, et il baissait les yeux, de honte, quand l'autre parlait. Nous avons fait un pacte. Ces gens verraient la photographie, mais ce serait moi qui la leur montrerais. Ils étaient dans le bar d'Ursi, et je suis allée à leur rencontre avec les gendarmes. Ils étaient trois, deux hommes jeunes et une fille que j'ai haïe au premier coup d'œil. De toute évidence, Quico devait leur avoir flanqué une bonne raclée. La fille fumait sans arrêt, malgré sa lèvre fendue, et l'un des hommes avait la tête déformée par les coups. D'après eux, Quico avait jailli des buissons comme un fou furieux et leur était tombé dessus à bras raccourcis sans la moindre raison, mais la vérité restait à établir. Vu leurs manières, ils l'avaient

148

sans doute mérité. Ces porcs ont regardé la photographie et se sont mis à rire. Ils se moquaient de nous parce qu'ils nous trouvaient ridicules. Pourtant, la photo prise dans la cour, au soleil, était magnifique. Le photographe avait décoré les murs et le sol, on se serait cru dans un salon. J'étais assise, Quico debout derrière moi, aussi grand et superbe qu'un étalon. On aurait dit que l'on avait conduit un pur-sang dans un salon où l'on danse à longueur de journée et de nuit, et que j'avais été prise en photo accrochée à son cou. J'ai fusillé la fille du regard et je lui ai violemment arraché la photo des mains. Il aurait mieux fait de vous tuer, leur ai-je dit. L'un des hommes s'est levé comme une furie, mais le gendarme au visage d'enfant s'est interposé et lui a interdit de porter la main sur moi. Il était de mon côté, il aurait fait n'importe quoi pour moi, même sortir son pistolet et leur tirer dessus. Quelques jours après, j'ai vu Quico pour la dernière fois ; enfin, il y en a eu une autre, mais je la garde pour la fin. J'étais allée faire la lessive à la rivière et je rentrais avec le panier de linge. Il était si lourd que je devais m'arrêter tous les quelques mètres. On aurait dit qu'il était plein de pierres. Pendant que je soufflais, je pensais à Quico, je me disais que s'il avait été là, il l'aurait transporté sans peine, même avec moi dedans. Tu sais la force qu'il avait. Il portait les sacs de ciment deux par deux, et il me soulevait comme une plume. Une fois, pour s'amuser, il m'a posée en haut de l'armoire. Je me suis mise à crier comme une folle, mais cette grosse canaille est sorti de la pièce et m'a plantée là, dans cette mauvaise posture. Je n'osais plus bouger, de peur de faire dégringoler l'armoire, et j'ai dû l'attendre dans la position où il m'avait laissée ; assise sur le couronnement de l'armoire, les pieds nus pendant dans le vide, qui se reflétaient dans la glace, parce que j'avais perdu mes pantoufles. Je n'étais pas si mal installée. Ça a même fini par me plaire. Tu sais, ai-je dit à Quico quand il est revenu me chercher, je crois que j'aimerais bien vivre comme ça. D'en haut, on voyait tout beaucoup mieux, le lit, les tables de nuit, la toilette dans son coin. C'était surprenant, j'avais l'impression que tout pouvait arriver, parce que la vie est plus grande qu'on ne l'imagine.

Ce n'est pas ce que j'ai ressenti cet après-midi-là. J'ai posé le panier de linge par terre et, brusquement, en me relevant, j'ai eu l'impression d'être observée. La vaisselle de la cuisine, les carreaux de céramique des murs, les objets posés sur la table et le rebord de la fenêtre semblaient conserver en eux, même si l'on était encore en plein jour, leur mystère nocturne. J'ai eu l'impression que j'avais interrompu, en entrant, une conspiration imperceptible de laquelle les êtres de chair et de sang ne devaient pas se mêler. Je me suis assise sur une chaise dont les pieds, en raclant le sol, ont jeté une sorte de cri humain. J'ai failli partir en courant. C'est alors que je me suis souvenue de l'armoire, du bien-être que j'avais éprouvé, posée là-haut. Tu vas rire, mais j'ai décidé d'y remonter. J'ai eu toutes les peines du monde, mais j'y suis arrivée. Et alors, tu ne vas pas me croire, je me suis de nouveau sentie merveilleusement bien. Au point de fermer les yeux ! Morte de rire, parce que je pensais à ce qu'auraient dit les voisins s'ils avaient pu me voir, à ce qu'aurait pensé la fille à la lèvre fendue, ou le jeune gendarme, si, à ce moment-là, ils avaient pu pointer le nez dans la chambre et me voir perchée sur l'armoire, comme si je volais pendant mon sommeil.

J'ai appris une chose. Parfois, les secrets sont dangereux, ils créent un vide, et avec ce vide au milieu, tout ce qui environne la vie est condamné à disparaître. Et ce qu'il faut faire, en pareil cas, c'est voler par-dessus ce vide et chercher comme on peut l'endroit d'où il est venu. Moi, en montant sur l'armoire, j'étais dans cet endroit-là, et je savais que tout n'était plus, dès lors, qu'une question de patience. C'était comme être tapi près d'une source et savoir que tôt ou tard les animaux invisibles, cachés, vont devoir venir boire. Et c'est ce qui est arrivé. J'ai tout à coup senti de nouveau cette odeur merveilleuse, et il m'a semblé que venait de pousser près de moi un arbre qui aurait été la somme de tous les arbres qui sont au monde, et dont les branches se seraient étendues dans toutes les directions, avec leurs fruits et leurs feuilles mêlés. J'ai perçu un bruit de pas, et aussitôt après, un souffle, si proche que j'en ai senti la chaleur sur ma joue. C'était Quico. Andreona, réveille-toi, m'a-t-il dit en me secouant légèrement par les épaules. J'ai ouvert les yeux et son visage était là, devant le mien. Je n'ai jamais éprouvé avec personne d'autre une telle impression d'intimité, une telle conviction que chacun de ses gestes était bienveillant, seulement fait pour me rendre heureuse. Fais attention, m'a-t-il murmuré à l'oreille, tu vas tomber. Il m'a aidée à descendre et m'a couchée dans le lit. Tu es folle, a-t-il murmuré en souriant, tu t'es endormie en haut de l'armoire. Il examinait mon visage avec un mélange merveilleux d'étonnement et de crainte, comme s'il redoutait que ses traits pussent s'effacer d'un instant à l'autre. J'étais sortie de moi-même. Que tu sens bon, lui ai-je dit, et je l'ai humé de tous les côtés, j'ai même senti son pantalon, comme font les chiens quand ils se flairent le cul. Puis nous nous sommes étreints. Je n'avais en tête qu'une seule pensée : Sauve-moi, mon amour, sauve-moi.

Parfois, je me demande si cette odeur était réelle ou pas. Si elle existait vraiment, ou si elle n'était que le produit de mon imagination. Un jour, j'ai entendu don César raconter quelque chose de semblable : il arrive parfois que nos sens perçoivent comme réel ce qui n'existe que dans notre esprit. Ce sont des états particuliers dans lesquels on est la proie d'une surexcitation, on redoute et on désire quelque chose à la folie. Il parlait de mères qui ont entendu la voix ou les pleurs de leurs enfants morts, de vieillards qui ont vu leur maison se peupler d'animaux étranges qui recèlent, je crois, la question du véritable sens de notre passage sur terre. Je ne veux pas dire que ce n'est pas vrai et que ce sont nos nerfs qui nous jouent des mauvais tours, tout serait clair, dans ce cas. Non, c'est mon besoin que Quico soit auprès de moi, mon désir de le voir revenir, et ma peur que les gendarmes

151

le pourchassent comme un taureau brave, en lui tirant des coups de fusil, qui m'ont fait percevoir cette odeur. On pourrait aussi prétendre, je suppose, qu'il n'est pas venu me voir, cette dernière fois, et que cette visite ne s'est produite que dans mon esprit. Mais moi, j'en rigole bien, intérieurement, de cette supposition.

Parce que je me demande, alors : qui m'a descendue de l'armoire ?

8

Il s'était couché dans l'intention de se reposer un moment et de se défendre de la chaleur écrasante, mais Reme n'arrêtait pas de parler et aucun des deux ne dormait. Reme était comme emballée, elle parlait des catalogues de madame Benilde et de toutes les choses qu'elle commanderait quand ils auraient de l'argent, du bal de samedi dernier, du garçon qui avait fait la cour à Puri, et des films qu'elles avaient vus, avant que Pilatos ferme son cinéma. Raconte-m'en un, lui dit Isma en la regardant dans les yeux. Un grand silence régnait dans la maison, on n'entendait aucun oiseau, aucun chien, c'était comme s'ils étaient les seuls êtres vivants du village. Raconte-moi celui des sacs de bave, insista-t-il, en se penchant sur elle pour sentir l'odeur de ses cheveux. Reme tourna la tête et se mit à raconter le film. Il commence par l'arrivée d'une maîtresse d'école au village où elle a été nommée. Un village enchanteur, à flanc de montagne, avec des maisons pareilles à des jouets. Au début, tout va très bien, les voisins sont très avenants, les enfants doux et tranquilles, c'est à croire que la vue des montagnes et l'air des cimes les détachent des choses de ce monde.

Reme s'interrompit pour regarder Isma qui s'était déjà assis sur le lit, pendu à ses lèvres, et elle songea une fois encore au pouvoir absolu qu'elle avait sur lui, au point que sa vie dépendait de ce qu'elle pouvait dire ou faire. Et alors, poursuivit-elle avec une vague sensation d'angoisse, il commence à se produire des choses étranges. Par exemple, la maîtresse a toujours moins d'élèves. L'un après l'autre, ils arrêtent de venir en classe, sans la moindre excuse. Non seulement elle ne les voit plus en classe, mais elle ne les aperçoit plus dans les rues du village. Et, peu à peu, il arrive la même chose aux adultes, si bien que le village est de plus en plus désert et que les rares gens qui sont encore là refusent sèchement, avec impatience, de répondre à ses questions. La maîtresse, qui est très jeune, s'est liée d'amitié avec un bûcheron. C'est un beau garçon, bien bâti, qui descend de temps à autre au village pour la voir. Comme il ne sait pas lire, elle s'est engagée à lui donner des leçons, et, un beau jour, elle se rend compte qu'elle vit dans l'attente de ses visites. Elle tremble comme une feuille quand elle le voit apparaître sur le seuil de sa maison, et quand elle ouvre les livres, son émotion est telle que sa vue se brouille. Elle est également troublée par son obéissance. Il pourrait d'une seule main la soulever de terre et la porter sur son dos comme si elle ne pesait pas plus que l'une de ses vestes, et il fait pourtant tout ce qu'elle lui demande sans protester. C'est comme si un oiseau guidait un taureau.

Une nuit, alors que le village est déjà presque désert, le garçon vient frapper à sa porte. Elle, qui s'était déjà couchée, va lui ouvrir en chemise de nuit. Il est très nerveux, et il y a sur son visage une expression d'anxiété étrange. Il lui dit seulement trois mots : Viens avec moi. Mais elle, qui ne désirait rien de plus au monde, refuse. À partir de cette nuit-là, il ne revient plus chez elle. Elle se dit qu'il doit être honteux de sa conduite, quand elle découvre tout. Il ne lui restait plus que trois élèves, et voilà que l'un d'eux vient à manquer. Comme elle connaît les parents de l'enfant et que la situation l'exaspère, elle décide d'aller chez eux pour éclaircir enfin la raison de ces absences. Elle frappe à leur porte, mais personne ne lui ouvre. Elle s'en va quand, en passant devant l'étable, il lui semble entendre une respiration profonde. Elle entre et, une fois que ses yeux sont habitués à l'obscurité, elle découvre un spectacle surprenant. De l'une des poutres pendent deux sacs énormes, poisseux, dans lesquels on devine des membres humains. Le pire, c'est que ces corps sont vivants et que ce qu'elle a entendu, c'est leur respiration. Elle s'enfuit en courant et s'enferme chez elle. Elle ne sait que faire, ni comment s'expliquer ce qu'elle vient de voir, et n'a plus qu'une idée en tête, fuir au plus vite cet endroit épouvantable.

Reme, un flacon de vernis dans une main, se peignait les ongles des pieds. Quand elle eut fini, elle tendit les jambes autant qu'elle put, et regarda le résultat. J'ai des pieds horribles, fit-elle avec une grimace de désespoir. C'était un désespoir feint, parce que, au même instant, elle se jeta sur Isma. Je te croquerais bien tout entier, dit-elle en lui mordant le bras. Elle montrait les dents et il y avait dans ses yeux un éclat de férocité. Elle lui fit des chatouilles. Isma rit, se défendit, et ils finirent par lutter, noués l'un à l'autre. Il faisait chaud, les aisselles de Reme étaient trempées de sueur. Elle avait l'odeur des tout jeunes animaux qui oscillent encore sur leurs jambes. Tu veux qu'on aille au canal ? lui demanda-t-elle en se séparant de lui. Ils se levèrent aussitôt et s'habillèrent en un clin d'œil, mais ils ne mirent leurs chaussures qu'une fois arrivés à la cuisine, pour ne pas faire de bruit dans l'escalier. Isma se dirigea vers la porte. Pas par-là, lui dit Reme en le retenant par la chemise. Ils se dirigèrent vers la fenêtre, qui était presque au niveau de la rue, et par laquelle ils entraient et sortaient, parce que la porte, dont le bois avait gauchi avec le temps, s'ouvrait difficilement. Ils sautèrent de la fenêtre sans attendre, et partirent en courant. Les rues étaient désertes, à cette heure, les gens restaient chez eux pour se protéger de la chaleur. En passant devant le cimetière, tous deux se signèrent. En revenant, souffla Reme, tout bas, on dira un Notre Père. La petite de Pilar était dans une de ces tombes. Une tombe qui n'était pas pareille aux autres. On avait mis une croix blanche, et Pilar apportait tous les jours des fleurs, si bien que c'était la plus riante de toutes. On n'aurait pas dit que la petite était là-dessous, ni que son corps allait se remplir de vers. Reme dut deviner les pensées d'Isma, parce qu'elle le serra brusquement très fort sur son cœur, en un geste de protection. Le lendemain de l'enterrement, Felipón s'était échappé pour aller à la rivière et, à son retour, Rojo l'avait fouetté avec sa ceinture. Pilar avait volé à son secours. Laisse-le, avait-elle dit froidement, qu'il reste à la maison ne te rendra pas ta fille. Elle avait perdu son enfant et n'avait pas l'air d'en faire un drame, mais elle passait ses nuits à pleurer. Elle ne voulait pas se coucher et Rojo, de la chambre, l'appelait toutes les minutes, mais elle ne répondait même pas.

Ils prirent la traverse du canal. On voyait les arbres, au loin. Ils formaient une ligne mince, qui coupait l'horizon en deux. C'étaient des peupliers et des pommiers sauvages. Ces pommiers donnaient des fruits rachitiques, immangeables. À ce moment-là, dit Reme, reprenant le fil de son histoire, on frappe à la porte. C'est la vieille voisine. Elles s'assoient à table et se mettent à parler. La vieille dame lui dit que le village est un endroit très particulier, peut-être le seul village au monde dont les habitants se retirent pour hiberner. Ils le font en fabriquant des sacs dans lesquels ils s'introduisent, seuls ou à plusieurs, selon leur préférence, quand viennent les premiers froids. Les nouveaux mariés, par exemple, le font ensemble, ou les petits enfants et leur mère. Et ils restent jusqu'au printemps dans ces sacs pleins d'une substance gluante, que leurs corps secrètent pendant leur long sommeil. C'est tout. Ce n'est ni bien ni mal, il en est toujours allé ainsi au village, d'aussi loin que l'on s'en souvienne, et il en ira sans doute toujours ainsi, jusqu'à la disparition du dernier habitant. Voilà pourquoi le village se dépeuple, et bientôt, quand elle ira à l'école, elle trouvera la classe vide. Et que dois-je faire ? lui demande la maîtresse. Partir avant que cela arrive, lui répond la vieille dame sans ménagements. La jeune femme le fait l'après-midi même, et éprouve tout d'abord un immense soulagement d'avoir pris cette décision. Mais, bientôt, elle se rend compte qu'elle pense sans cesse au bûcheron. Aux soirées pendant lesquelles elle lui apprenait à lire, tandis que la lumière dorée du couchant frémissait sur les pages du livre comme un nuage de pollen. Et, plus particulièrement, à la nuit où il est venu la chercher. Elle comprend alors ce qu'il lui a véritablement demandé. D'entrer avec lui dans un de ces sacs, pour qu'ils passent ensemble les longs mois d'hiver. Elle essaie de s'imaginer ce qu'elle aurait éprouvé s'ils s'étaient tenus étroitement noués l'un à l'autre dans cet intérieur palpitant, seulement attentifs à des sensations élémentaires, la chaleur, la proximité, la sécrétion de cette substance gluante, qui aurait fait de leurs membres enlacés un seul organisme ralenti. Et elle se rend compte qu'il n'est rien au monde qu'elle désire davantage.

Ils avaient dépassé les dernières campagnes et ils voyaient au loin les poteaux électriques, le long du canal. Les ouvriers étaient en plein travail, suspendus aux poteaux, pareils à des araignées luisantes, et Reme se demanda si Javi était avec eux. Tout à côté, la bâche de la fourgonnette luisait elle aussi au soleil, huileuse. Elle se souvint du bon moment qu'ils avaient passé ensemble, l'après-midi de leur escapade, de l'insouciance et de la précision avec lesquelles Javi conduisait, même si, par deux fois, ils avaient failli partir dans le fossé, elle n'avait pas eu peur. Ils étaient arrivés sur la grand-route, et Javi l'avait invitée dans l'un de ces bars louches dont on parlait tant. Là, il était connu de tous, même des femmes vêtues de robes criardes et outrageusement fardées. La patronne avait donné plusieurs baisers à Javi, dont l'un sur la bouche, si fort qu'elle lui avait presque coupé le souffle. Mais elle n'était pas jalouse, parce que Javi venait de la présenter à ces gens comme son béguin. Elle s'appelle Remedios, leur avait-il dit avec fierté. Ensuite, il s'était approché de l'appareil à musique et avait mis un disque. Une chanson en anglais, dans laquelle le chanteur s'interrompait de temps à autre pour jouer de l'harmonica. Tu sais comment s'appelle cette chanson ? lui avait demandé Javi en la dévorant des yeux. Elle avait secoué la tête. En frappant aux portes du ciel. Ils étaient restés un moment les yeux dans les yeux, jusqu'à ce que Javi lui dise : C'est ce que je suis en train de faire. Quoi ? s'était-elle écriée, sans plus oser respirer. Frapper aux portes du ciel, avait-il fait en tournant vers elle son visage juvénile, mélancolique d'avoir eu la tentation de la posséder. Non, pas de la posséder, de tendre les mains pour la sentir, de la même manière que l'on sent l'eau tirée du puits.

Quand ils étaient sortis, la nuit venait. On avait allumé les réverbères, et ils s'étaient regardés encore un moment, comme prisonniers de ce halo de lumière surnaturel. Javi lui avait demandé si elle n'était pas fâchée qu'il ait dit dans le bar qu'elle était son béguin et elle lui avait répondu d'une drôle de voix : Mais non. Il allait l'embrasser quand un camion était arrivé en donnant des coups de klaxon qui avait fait sortir tous ceux qui se trouvaient au bar pour voir ce qui se passait. Ils avaient couru à la fourgonnette. Il se faisait tard et Javi devait ramener le véhicule en vitesse, parce qu'il l'avait emprunté sans autorisation. Les ouvriers le faisaient parfois et leur chef ne s'était encore rendu compte de rien. Le jour où il s'en apercevra, avait dit Javi en mettant le moteur en marche, nous serons bons pour l'échafaud. Deux grands papillons de nuit voletaient dans la lumière des phares. Décampez avant qu'il ne soit trop tard, s'était-il exclamé pour lui seul, parce qu'il avait l'impression qu'ils étaient nés de l'union de leurs corps et de la lumière verte de l'enseigne du bar. Puis, pendant un long moment, il n'y avait plus eu devant eux que la lune au-dessus de la route. Hypnotisés par son cercle nacré, incapables de dire un mot, ils se demandaient ce qu'ils devaient faire de ce trésor merveilleux, dans leur poitrine. Ils se rappelaient chacune des minutes de leur soirée, tout ce qui s'était produit, leur hâte, la précipitation avec laquelle ils faisaient les choses, comme s'ils redoutaient de les voir s'évaporer d'un instant à l'autre, conscients que l'on ne peut faire et dire qu'un certain nombre d'entre elles, et qu'il faut accepter de sacrifier les autres. Reme songea à ce que ce serait, d'être de nouveau seule avec Javi, mais sans devoir se presser ainsi, filer en fourgonnette d'un endroit à l'autre, sans devoir jamais la ramener nulle part. Ou, mieux encore, d'hiberner avec lui dans un sac plein de bave chaude. Avec tout le temps du monde pour tout faire et tout dire.

Ce ne serait pas mal du tout, fit Reme en le précédant de quelques pas. Elle tourna sur elle-même et sa robe, en se soulevant, s'évasa en cloche. Isma ne sut que lui répondre. Elle allait trop vite, le temps qu'il réagisse à ce qu'elle avait dit, elle était passée à autre chose. Reme était un oiseau, au moment où l'on croyait la saisir, elle était déjà ailleurs. Que désirez-vous ? demanda-t-elle avec une expression de serveuse contrariée. Donnez-moi un de ces sacs de bave pour deux. Ils marchèrent sans rien dire pendant un moment. Isma la regardait du coin de l'œil, avec la sensation de se réveiller d'un profond sommeil et d'avoir de la peine à reconnaître ce qu'il voyait. Reme était accablée de remords parce qu'elle venait de se rendre compte qu'il n'y avait pas de place pour lui dans sa vie. Ah ! pourquoi se faisait-elle de telles idées ? Pourquoi, quand Javi et elle quitteraient le village ne pourraient-ils pas l'emmener avec eux ? Elle en parlerait à Rojo et à Pilar, elle remplirait tous les papiers nécessaires pour le prendre en tutelle. Et Javi serait enchanté.

Elle se plaça derrière lui, l'enlaça, et, cette fois, ne le lâcha plus. Isma marchait devant et elle le serrait de toutes ses forces contre sa poitrine. Ils pouvaient à peine avancer. Elle eut de nouveau l'impression d'avoir brusquement reçu le bonheur en partage, comme une richesse remise entre ses mains, sans avoir rien fait pour la mériter.

Ils arrivèrent au canal. Les gens se baignaient le plus souvent près de la cabane du garde, où se succédaient les vannes d'irrigation, mais eux préféraient aller plus loin, parmi les arbres. Une branche s'étendait au-dessus du fossé, et quelqu'un y avait attaché une corde qui pendait, si bien qu'il suffisait de s'y accrocher et de prendre son élan pour passer sans peine de l'autre côté. C'était amusant, on avait l'impression de voler. Ils s'assirent sur la berge, et Reme remonta sa robe pour exposer ses jambes au soleil. L'eau courait, rapide et constante, dans le fossé encaissé ; Reme se sentit gagnée par une douce somnolence. Je vais faire un petit somme, dit-elle tout bas en bâillant. Isma alla regarder les têtards. En revenant, il la trouva endormie. Sa robe s'était ouverte quand elle s'était tournée sur le côté, laissant ses cuisses nues. Il les couvrit en tirant tout doucement sur le tissu pour ne pas la réveiller, puis regarda fixement ses pieds. La couleur rouge du vernis avec lequel elle s'était peint les ongles se détachait sur l'herbe. Elle ne pensait pas vraiment que ses pieds étaient horribles, et ne disait ça que pour le mettre dans l'embarras. Il songea à quel point Reme était contente d'elle, de ses jambes, de ses cheveux, de la courbe douce de ses épaules, de sa taille souple qui frémissait sous sa robe au moindre frôlement. On aurait dit, à la voir faire, incapable de s'empêcher de courir sans cesse vers tous les miroirs qui se trouvaient à sa portée, qu'elle ne pouvait vivre sans le bonheur de se regarder. De temps à autre, elle paraissait sortir de son rêve, quelque chose d'insaisissable dans son image la gênait, une ombre qu'il ne pouvait percevoir. C'est horrible, d'être femme, disait-elle en soupirant. Mais, peu après, il se rendait compte que ce n'était pas vrai, qu'elle ne le pensait pas vraiment. Il suffisait que quelqu'un entrât dans la boulangerie – et c'était encore plus évident s'il s'agissait d'un homme – pour qu'elle courût le servir, rayonnante de bonheur, comme si ce n'était pas du pain qu'elle pouvait lui offrir, mais une partie de son corps, son coude, par exemple, ou, si l'homme se penchait en avant, ses seins, mais de manière telle qu'elle semblait dire, en même temps : Pour rien au monde je ne te le vendrais.

Isma se plongea dans la contemplation du courant. Le fossé se fendillait et les petites pousses vertes qui pointaient des fissures du ciment semblaient appeler à l'aide. Une araignée avait tissé une toile parfaite, et, aussitôt qu'Isma toucha un fil de la pointe de son bâton, elle sortit de sa cachette pour chercher sa proie. Un verdier s'envola d'une branche au bout de laquelle s'agglutinaient de petites boules blanches, et la laissa tremblante. Isma se coucha sur l'herbe. Rien ne le différenciait des choses immobiles. Il aimait rester comme ça, longtemps, se dissoudre, devenir presque invisible. Il entendit le bruit d'un moteur et tourna la tête du côté de la route. C'était la fourgonnette de la compagnie d'électricité. Elle avançait au milieu d'un nuage de poussière, décidée et vibrante, comme prête à s'élancer dans le canal. Il fit des signes de la main et le véhicule s'arrêta juste devant le pont. Ce n'était pas Javi qui conduisait, mais l'un de ses amis, Luisma. Il allait au village chercher des rouleaux de câble, et n'arrêtait pas de se plaindre des moustiques. Ils sont déchaînés, déclara-t-il d'un air furieux. Je ne sais pas comment vous faites pour vivre ici. Isma vit le paquet de cigarettes sur le tableau de bord et lui en demanda une. C'est pour Reme, dit-il. Les yeux de Luisma étincelèrent d'intérêt. Il n'avait pas mis de chemise et son torse nu était adossé au siège, aussi large qu'un mur de torchis. Les moustiques devaient s'en donner à cœur joie, de virevolter au-dessus de cette poitrine, en choisissant avec soin l'endroit sur lequel ils allaient fondre. Tiens, fit-il, prends, mais ne va pas la fumer, surtout. La fourgonnette repartit, et Isma alla chercher Reme pour lui donner la cigarette. Mais Reme dormait encore. Il la posa à côté d'elle de sorte qu'elle puisse la trouver en se réveillant. Puis il se dirigea vers les vannes. Quelqu'un arrosait, et l'une d'entre elles était ouverte. L'eau filait, rapide, tourbillonnante, par la petite porte, formant dans le bassin une spirale d'écume. Une partie de cette eau débordait et tombait dans le petit ruisseau. Il était tapissé de lis pelus et de salicaires entre lesquels les insectes bourdonnaient comme des pilotes fous. La chaleur était intense, et Isma contempla la plaine. Un mouvement vibratoire, sorte de tremblement vaporeux, dévorait la ligne d'horizon et atténuait les couleurs. Une vive ondulation lumineuse rendait l'air visible, la lumière palpable. Isma se souvint des moments où il allait avec Jandri cueillir des coquelicots pour les brebis. Il entendit de nouveau le bruit de la fourgonnette. Elle revenait du village, et il la vit passer le pont en direction de l'endroit où les ouvriers dressaient les nouveaux poteaux électriques. Quelques-uns d'entre eux allèrent à sa rencontre et déchargèrent les rouleaux de câble. Peu après, il vit quelqu'un approcher à bicyclette sur le chemin. C'était Javi qui arrivait, penché sur le guidon, pédalant de toutes ses forces. Il s'arrêta en atteignant le bord du canal. Isma avait grimpé dans l'un des pommiers sauvages et contemplait la scène du haut des branches. Javi était en combinaison de travail et on aurait dit qu'il avait été enseveli dans la poussière avec sa bicyclette. Arrivé au pont, Javi eut quelques instants d'hésitation avant de longer le bord du canal en direction du bouquet d'arbres. Luisma lui avait dit que Reme était là, et il venait la chercher. Isma attendit qu'il eût disparu dans le feuillage, et il fit un détour, pour s'approcher d'eux sans attirer leur attention. Reme venait de se réveiller et arrangeait ses vêtements pendant que Javi s'asseyait à côté d'elle. Ils parlaient avec animation. Isma n'entendait pas ce qu'ils disaient, mais il voyait très bien leurs expressions. On aurait dit que tout n'était là que pour eux, le feuillage tremblant des peupliers, l'eau qui coulait, rapide, légère, glissait entre les parois en ciment du canal, le ciel lointain, d'un bleu étincelant et pur, les oiseaux qui le traversaient, très vite, comme s'ils avaient hâte d'arriver quelque part ; que la permanence de toutes ces choses, l'ordre qui les liait entre elles dépendaient de ce qu'ils pourraient dire ou faire. Tout à coup, il se produisit un fait curieux. Javi se leva et tendit la main à Reme, pour l'aider. Puis il enleva sa chemise, que Reme prit d'une main hésitante. Il l'encourageait à faire quelque chose qui ne devait pas être clair pour elle, parce que, à deux reprises au moins, elle voulut lui rendre sa chemise, que Javi refusa de prendre. Elle parut enfin se décider et, la chemise à la main, elle s'engagea dans le champ, en direction de l'une des vannes, qui était environnée de noisetiers. Avant de se cacher derrière les branches, elle se retourna. Javi, au bord du canal, agita la main à son intention en se contentant de sourire. Isma courut vers Reme en prenant garde de se soustraire au regard de Javi. Quand il arriva près d'elle, Reme se tenait immobile près de la vanne, pressant la chemise contre son visage et respirant son odeur avec délectation. Elle ne se troubla nullement en l'apercevant. Aide-moi à me déshabiller, lui dit-elle. Sa robe était boutonnée sur le devant et Reme leva les bras pour lui faciliter la tâche. Quand il arriva à la taille, elle fit un bond en poussant un petit cri, puis lui dit, d'un ton décidé : Je vais me baigner dans le canal. Sa voix était calme. Mais ce n'était plus sa voix. C'était une voix qui aurait pu sortir des profondeurs d'un lac, la voix de quelqu'un qui serait descendu au fond de l'eau pour chercher quelque chose et aurait parlé à un témoin resté sur la rive. Isma finit de déboutonner la robe, et Reme, avant de continuer, lui dit de fermer les yeux. Ça y est, fit-elle bientôt. Quand il leva les paupières, Reme avait mis la chemise de Javi. Elle lui arrivait presque aux genoux. Je sais que tu nous as épiés, lui dit-elle. Et elle ajouta aussitôt : C'est mal, très mal. Mais elle le dit avec le sourire. Elle s'éloignait quand elle s'arrêta brusquement et, se couvrant avec le pan de la chemise de Javi, enleva sa culotte. Je ne veux pas la mouiller, fit-elle en la lui tendant, timidement cette fois. Elle était comme ces animaux qui, avant de se risquer à explorer les environs, s'immobilisent un instant à l'ouverture de leur tanière pour s'assurer qu'aucun danger ne les guette, et qui, brusquement, s'aventurent tout heureux dans la garrigue sans plus se soucier du danger. Isma posa la culotte sur les autres vêtements, et courut aussitôt derrière elle. Il la rejoignit sur la berge du canal. Javi était déjà dans l'eau et la regardait, extatique. L'eau lui arrivait à peine à la taille, et il eut un geste qui se voulait d'excuse. C'est tout ce que nous avons, semblait-il lui dire. Ses yeux renfermaient toute la douceur des raisins. En apercevant Isma, il leva la main pour le saluer.

Tu ne viens pas, toi aussi ? lui demanda-t-il. Il allait dire que si, quand, en cherchant le regard de Reme, il y perçut une expression réprobatrice. Il refusa, d'un mouvement de tête. Va jusqu'au pont, lui dit Reme, et si quelqu'un arrive, préviens-nous. Au moment où elle entrait à son tour dans l'eau, les ongles de ses pieds brillèrent comme du corail.

Cet après-midi-là, il alla voir Víctor. Il dut le déranger pendant sa sieste, car, lorsqu'il vint lui ouvrir, il était d'une humeur massacrante. Javi et Reme sont allés ensemble dans le canal, lui dit Isma. Ils passèrent à la salle à manger, mais Isma tardait à parler. Tu veux quelque chose ? lui demanda Víctor. Il ne s'était pas coiffé, ses cheveux lui tombaient sur les tempes. Il faisait très chaud et, bien que tout fût fermé et plongé dans la pénombre, les mouches volaient dans la pièce. Il n'y avait pas moyen de s'en débarrasser. C'était comme si elles avaient le pouvoir de traverser les murs. Ah ! Bien sûr ! s'écria Víctor, se souvenant de la raison de ce silence, il faut que je te paie. Il alla verser une poignée de monnaie dans le bocal. Les pièces semblaient plus grosses, vues à travers le verre, et leur éclat rappelait celui des métaux précieux. Isma lui raconta ce qui s'était passé : Luisma avait dit à Javi que Reme et lui étaient au bord du canal, Javi était venu les rejoindre à bicyclette, ils s'étaient baignés ensemble, et comme Reme n'avait rien à se mettre, Javi lui avait prêté sa chemise. Víctor était bouleversé par le récit. Il était devenu d'une pâleur mortelle et le tremblement habituel de ses mains s'était tellement accentué qu'il renonça à saisir le verre d'eau posé devant lui sur la table. Isma s'en rendit compte. Veux-tu que je te donne à boire ? lui demanda-t-il en descendant de la chaise et en lui tendant le verre. Víctor accepta d'un léger mouvement de tête. La chose s'était déjà produite une fois, l'été précédent. Isma était sur les coteaux quand il l'avait vu arriver à cheval. Il se passait quelque chose d'étrange, parce que Víctor était beaucoup trop penché en avant et qu'il avait lâché les rênes. Il s'était brusquement accroché au cou du cheval, qui continuait de trotter, et on aurait dit qu'il allait passer par-dessus les oreilles de sa monture quand celle-ci s'était arrêtée. Víctor avait glissé sur le côté et s'était trouvé assis par terre. Isma s'était précipité à sa rencontre pendant que le cheval s'éloignait en direction de la source. Le visage de Víctor était couvert de sueur, mais exprimait à la fois la surprise et l'amusement, comme s'il ne pouvait comprendre comment il avait bien pu se mettre dans une telle posture. Isma le regardait, amusé, et Víctor lui rendait son sourire. Aide-moi un peu, lui avait-il demandé tout bas en lui tendant les mains. Ils s'étaient approchés de la source. Isma marchait tout doucement et Víctor s'appuyait sur ses épaules. Quand ils étaient arrivés, il avait dû se rasseoir avant de lui demander à boire. Regarde dans cette poche, lui avait-il dit en lui montrant l'un des côtés de sa veste. Les mains de Victor, posées sur ses genoux, tremblaient tellement fort que ses doigts n'arrêtaient pas de pianoter sur le tissu du pantalon. Isma avait glissé la main dans la poche pour en tirer une petite boîte argentée. C'était un verre pliable. Il n'en avait jamais vu, et Víctor s'était donné la peine de lui indiquer ce qu'il fallait faire pour le déplier. Isma était allé le remplir à la source, mais, comme il le lui tendait, Víctor avait levé les mains en l'air, pour lui montrer à quel point elles tremblaient, en lui disant : Je ne peux pas le prendre, il faut que ce soit toi qui me fasses boire. Isma avait porté le verre aux lèvres de Víctor, et après lui avoir donné à boire, il l'avait replié, refermant la petite boîte qu'il avait glissée dans la poche du veston, toujours selon les indications de Víctor.

Il n'avait pu oublier ce verre et, tandis qu'il posait l'autre sur la table, il se dit que la première chose qu'il ferait, quand le bocal serait plein de pièces, ce serait d'aller s'en acheter un. Quand il irait avec Reme à la campagne, il le sortirait de sa poche, et ils boiraient sans devoir se mouiller les mains. Mais Víctor songeait encore à la scène du canal, et il se mit à le harceler de questions. Et Javi, avec quoi s'était-il baigné ? Les avait-il vus s'embrasser ? Isma ne sut que répondre. Javi, quand ils étaient revenus, était déjà dans le canal, et il n'avait pu voir s'il avait gardé son caleçon. Il ne savait pas non plus ce qu'ils avaient pu faire dans l'eau, car Reme lui avait demandé d'aller faire le guet au pont. Víctor semblait déçu. Il avait apporté une poignée de pièces, mais il n'en laissa tomber que quelques-unes dans le bocal. Et même celles-là, grommela-t-il entre ses dents, contrarié, sont encore de trop. Cependant, il changea d'avis. Ça va, dit-il à Isma en lâchant le reste des pièces. Mais la prochaine fois, ouvre bien les yeux.

Sur la place, il rencontra Conchita. On lui avait confié une commission, et comme ils allaient dans la même direction, ils firent un bout de chemin ensemble. Conchita l'avait vu sortir de chez Víctor et lui demanda ce qu'il était allé y faire. Isma rougit jusqu'à la racine des cheveux. Il avait peur qu'elle devinât la vérité. C'est alors qu'il remarqua la finesse des jambes de Conchita. Elle portait une robe très courte sous le balancement de laquelle ses jambes oscillaient comme plient les baguettes tendres que l'on coupe au pied des peupliers. Il semblait impossible qu'elles pussent la soutenir. Avant de le quitter, Conchita lui demanda s'il irait se promener ce soir sur l'aire de La Vega. Il y a longtemps que tu n'y viens plus, dit-elle en prenant un air entendu. Un éclat chaud épousait les contours de son visage. Il avait l'impression qu'elle savait véritablement tout et qu'elle ne le jugeait pas pour autant, comme si elle lui avait dit : on fait tous des choses qui nous font honte. Si tu viens ce soir, c'est toi que je choisirai, lui souffla-t-elle sur un ton plus confidentiel. Et, agitant sa tête brune et se mordant la lèvre inférieure, elle ajouta : Je ne te ferai pas payer.

Chez Pilar, tout semblait être revenu à la normale après la mort de la petite. Rojo venait de rentrer des champs et, avec l'aide de Felipón et de Jose Fausto, il réparait la porte de derrière. Les coups retentissaient entre les murs comme si l'on démolissait la maison. Pilar était à la cuisine. Des femmes étaient venues la voir et, entre les coups, la rumeur étouffée de leur conversation se faisait entendre. Isma s'assit

166

dans l'escalier. Il pensait à Víctor et se demandait pour la première fois s'il agissait bien en lui disant ce que faisait Reme, ou si, en lui parlant comme ça, il la trahissait. Il entendit le père appeler Jose Fausto, qui refusait de monter. Il le fit à sa place. Le père était assis sur le bord du lit et, en l'apercevant sur le pas de la porte, il ne put cacher une grimace de déception. Ah ! C'est toi, murmura-t-il. Isma remarqua que Pilar avait pansé les blessures de ses jambes. On devinait sous la soutane la blancheur des bandes, comme si on l'avait lavé à la chaux. Une blessure pour laquelle il n'existe aucun remède, bougonna le père. Cette phrase faisait partie d'un sermon qu'il n'avait jamais pu prononcer. Il l'avait préparé depuis longtemps avec un soin extrême, mais, au dernier moment, il avait renoncé à prêcher et ne s'était même pas rendu à l'église. Il n'y retournerait plus et personne ne l'entendrait, désormais. Toutefois, certaines phrases vivaient encore dans sa pensée, bien des années plus tard, et il les répétaient souvent. Elles parlaient du ver qui ronge tout ce qui voit le jour, ce mal sans remède. Il demeura quelques instants silencieux, puis, changeant brusquement de ton, il lui demanda de dire à Jose Fausto de monter. Isma se tenait dans l'encadrement de la porte. Vous savez bien ce qu'il dit, lui répondit-il en reprenant la direction du couloir, guérissez-vous d'abord de cette manie de pincer. Sottises, sottises, entendit-il le père marmonner dans la chambre, je ne l'ai jamais touché, il invente tout ça pour me contrarier.

À ce moment-là, des bruits montèrent de la rue. Des bruits de pas, de gens qui couraient, s'appelaient les uns les autres. Felipón passa la tête dans la cage d'escalier et cria : Vite, Isma, viens vite ! Ils sortirent en courant. Tout le monde se dirigeait vers la rivière. Il aperçurent le Basque. Il arrivait avec sa bicyclette, qu'il tenait par le guidon, pour éviter de renverser quelqu'un. Ils lui demandèrent ce qui se passait en se joignant au cortège des curieux. Rojo et Jose Fausto avaient fait comme eux, sans même avoir lâché leurs outils, comme s'ils allaient en avoir besoin pour se défendre. Un

167

petit avion est tombé, leur dit le Basque. En arrivant à l'église de San Ginés, quelqu'un annonça à grands cris que c'était arrivé près du colombier de don Ramón. Ils traversèrent les aires et coururent en direction du pont. Isma vit Reme de loin. Elle portait une robe jaune qui se détachait parmi les gens qui couraient et ressemblait à une corolle en mouvement. En arrivant au pont, ils firent s'envoler une bande de grives. Elles parurent s'égailler dans toutes les directions, mais se regroupèrent aussitôt et s'éloignèrent en suivant le lit de la rivière ; on eût dit de la cendre emportée par le vent. Le ciel était d'un bleu éclatant et le colombier se découpait dans l'air limpide, semblable à un réservoir. Les plus vifs étaient déjà là, et l'on voyait à côté d'eux une structure métallique. Ça alors ! s'écria Felipón pendant qu'ils accéléraient le pas. Le petit avion, forcé de se poser en catastrophe, avait perdu sa queue et une de ses ailes. Il était là, le bec levé, son aile intacte douloureusement appuyée par terre, avec l'air de leur dire : C'est tout ce que j'ai pu faire. Il ressemblait à un grand oiseau que le poids des ans et d'innombrables vols avaient laissé sans force. Le pilote était un peu plus loin, avec son casque et ses lunettes spéciales. Il devait avoir reçu un coup sur la tête, parce qu'il ne semblait rien comprendre à ce qui se passait. Il demandait où étaient ses clefs, les cherchaient sans arrêt dans ses poches et par terre, autour de lui, en écartant ceux qui l'entouraient. Il était si agité que l'on dut le maîtriser, comme si l'on craignait qu'il pût faire n'importe quoi, leur arracher leurs cigarettes ou leurs allumettes et les manger. Ils virent arriver la fourgonnette. C'était Javi qui conduisait, et il cria par la portière : On va l'emmener au village ! Les regards de Reme et de Javi se croisèrent. Javi venait de descendre de la cabine quand Reme courut à sa rencontre et lui dit quelque chose à l'oreille. Le vacarme était phénoménal. Le pilote avait enlevé son casque, ses lunettes, et il regardait autour de lui avec une expression ahurie. Que se passe-t-il ? demandait-il d'une voix à peine audible. Vous avez eu un accident, lui dit Rojo, qui serra plus fort ses outils quand il le vit faire un pas dans sa direction, comme s'il redoutait de le voir se précipiter sur lui. Ah ! fit le pilote, avec la mine de quelqu'un qui se creuse la cervelle. Aussitôt, il ajouta, en fouillant ses poches encore une fois : J'ai perdu les clefs. On dut le tenir pour l'empêcher de tomber. Ses yeux avaient l'éclat, la désolation des bouteilles vides, sales. On va l'emmener au village, dit Javi en le prenant par le bras. Le pilote se laissa conduire jusqu'à la fourgonnette. Javi l'aida à s'asseoir sur le siège du passager, puis il fit de tour du véhicule et ouvrit la portière de l'autre côté. Il regarda Reme, et celle-ci, aussi vive qu'une étincelle, se coula sous son bras. Javi la souleva et ils se trouvèrent tous trois serrés dans l'espace exigu de la cabine, le pilote d'un côté, Reme et Javi de l'autre, radieux. Quand le moteur commença à tourner, Reme posa sur la petite route devant eux un regard perdu d'animal nocturne. On eût dit qu'ils n'allaient pas s'arrêter au village mais abandonner le pilote dans le premier caniveau venu pendant que nul ne les verrait, et partir seuls quelque part.

Isma se souvint du moment qu'ils avaient passé sur le bord du canal. Plus précisément de celui où, en revenant, il les avait surpris sur la berge. Ils venaient de sortir de l'eau et Javi la tenait par la taille. Ils sursautèrent en le voyant et Reme courut à sa rencontre. Oh ! Isma, souffla-t-elle, tandis qu'ils se dirigeaient vers les arbustes où elle avait laissé ses vêtements, je suis si heureuse ! Elle s'était rhabillée en vitesse et avait déplié sous ses yeux la chemise de Javi. Elle l'avait regardée, et regardée encore, comme si elle s'attendait à y voir s'inscrire quelque chose, puis elle la lui avait tendue en lui disant : Porte-la à Javi. Javi avait déjà remis son pantalon, et ils l'attendirent ensemble. Tu es témoin, dit Isma à Reme quand ils la virent apparaître, Javi m'a dit que la prochaine fois nous nous baignerons nus tous les trois. Reme les regarda en souriant. C'était le sourire étrange, presque douloureux, de quelqu'un qui a un secret. Je sais quelque chose que vous ne savez pas, semblait-elle leur dire.

Un peu plus tard, alors qu'ils retournaient au village, Isma lui demanda : Tu vas te baigner nue ? Pourquoi pas ? lui répondit Reme. Elle se sentait la fille la plus belle de la terre.

# 9

La rue avait jadis été le lit d'un torrent et, dans cette partie-là, elle montait en pente raide, dénivelant d'un côté toutes les maisons qui la bordaient. Celle de Reme se trouvait de ce côté-là et ils l'épiaient, perchés sur le parapet du pont. C'était un bon poste d'observation, sauf qu'il était trop haut, au-dessus du niveau de ses fenêtres, et qu'ils ne voyaient Reme entièrement que quand elle se baissait, pour faire le lit, par exemple. Le lit occupait la plus grande partie de l'espace réduit délimité par la fenêtre, et ils n'apercevaient pour ainsi dire rien d'autre. Le lit et, autour, les jambes de Reme qui allaient et venaient. Chaque fois qu'ils passaient par-là, ils s'arrêtaient pour jeter un coup d'œil. Felipón s'impatientait vite et donnait des coups de coude à Isma, qui ne se lassait pas de la regarder. Tantôt elle lui semblait essoufflée et inquiète, comme si elle venait d'échapper à un danger, et tantôt on aurait dit que chacun de ses gestes recelait une promesse, une connaissance précise de ce qui l'entourait. Pas seulement de ce qu'il pouvait y avoir dans sa chambre et dans la maison, dans la rue et les maisons d'en face, mais dans les brebis qui avançaient par petits élans titubants, s'agglutinant en haut de la côte, mais aussi de ce qu'il y avait en eux, qui l'observaient à la dérobée.

Voilà pourquoi il aimait aller à la boulangerie. Il s'asseyait sur la table et la regardait vaquer à ses occupations. Il lui semblait qu'elle cachait certaines choses, qu'elle vivait à la fois dans cet espace réel que tout le monde pouvait partager et dans un autre, inconnu, secret, qu'elle seule fréquentait. Ce n'était pas tout. Il y avait encore ce sentiment qu'existait quelque part une porte, que l'on pouvait seulement découvrir à l'aguet, en considérant les choses avec attention. Elle pouvait être dans les coins les plus insoupçonnables, derrière les sacs de farine, dans le trou d'ombre au pied de l'arbuste que l'on voyait de la fenêtre, à l'endroit qu'indiquait le manche de la louche traînant près des huches. Reme demeurait un instant silencieuse, à regarder dans l'une ou l'autre de ces directions, puis se remettait au travail. Elle est là, semblaient dire ses yeux quand ils croisaient les siens, et Isma sursautait sous ce regard comme il le faisait dans la rivière quand il sentait le coup de queue d'un poisson.

Ce matin-là, la chose se reproduisit. Isma vint dire à Reme que des gens étaient venus chercher les restes du petit avion, avec un camion qui était près du moulin, mais elle ne voulut pas bouger. Ils en font un foin, avec ça ! dit-elle, contrariée. On ne perd pas grand-chose. Reme lui demanda de s'approcher de l'une des huches et, brusquement, il n'eut plus envie d'aller là-bas. Quelques instant plus tôt, il s'était emballé à l'idée d'assister au chargement de l'avion sur le camion, et maintenant, ça ne lui disait plus grand-chose. L'accident, le pilote hébété qu'ils avaient conduit au village, tout cela n'était rien auprès de ce qu'il ressentait à côté de Reme. Près d'elle, il avait l'impression d'être dans la rivière : il y avait la même vie secrète, la vie qui se cachait au moindre mouvement. Et Reme paraissait vivre des deux côtés, le caché et l'apparent, aller de l'un à l'autre avec une facilité éblouissante, comme le faisaient les coccinelles et les poules d'eau, qui parfois se montraient dans ce monde puis disparaissaient résolument dans le leur, où on ne pouvait les voir.

Tu sais, dit soudain Reme, comme si elle avait suivi le fil de sa pensée, je crois qu'Andreona avait raison, nous ne devrions vivre que la nuit. Elle s'était assise sur le banc et lui tendait les bras, entre lesquels Isma se réfugia. Comme les serpents, ajouta-t-elle tout bas, en le serrant de toutes ses forces. Il était assis à califourchon sur ses cuisses, et il sentait sur son visage le léger coussinet de ses seins. La méritait-il ? Tout le meilleur était pour elle, la faïence sans ébréchure, la cuillère la plus brillante, la chaise la plus neuve, les biscuits entiers. Il pensa aux chiens qui suivent partout leurs maîtres, ne semblent vivre que pour faire ce qu'ils demandent, et se dit qu'il était comme eux.

Reme le posa par terre et lui dit d'aller jouer un moment, pendant qu'elle terminait ce qu'elle avait à faire. Après, je te raconte quelque chose, dit-elle. Mais, au lieu de partir, il se pelotonna au coin de la table. Il eut aussitôt sommeil. Réveille-toi, réveille-toi ! Reme le secouait par l'épaule. Tu ne devrais pas te fier à moi, lui dit-elle, les yeux noyés de larmes. Ils sortirent et allèrent chercher Gabina, qui était au magasin des sœurs Goya. Reme la demanda du pas de la porte. Dites-lui que je l'attends à l'Arc, lança-t-elle. Les sœurs Goya l'invitèrent à entrer, mais elle refusa. Sinon, dit-elle à l'oreille d'Isma, j'en ai pour tout l'après-midi. Ils attendirent un moment, et Gabina finit par apparaître. Je ne dois pas y retourner, leur annonça-t-elle, rayonnante. Elle avait vendu de la farine, une de ses joues en portait la trace. Attends, lui dit Reme, qui l'essuya avec un coin de son mouchoir. Elles étaient de la même taille et, à les voir si proches l'une de l'autre, n'importe qui aurait pensé que c'étaient deux sœurs. Deux sœurs qui auraient partagé les mêmes secrets, éprouvé le besoin de tout faire ensemble et échangé leurs pensées comme elles se prêtaient leurs vêtements. Elles virent les filles Goya penchées à leur fenêtre, qui les regardaient par-dessus le rideau. Elles croient que nous avons un rendez-vous, dit Gabina avec un rire moqueur en approchant ses lèvres tout près de l'oreille de Reme. Mais nous en avons un, lança Reme en se plaçant devant Isma, et avec le plus beau garçon du village ! Chacune d'elles le prit par une main et ils partirent en direction de l'Île. En arrivant aux champs, ils se

173

mirent à courir. Elles soulevaient Isma par les bras et le portaient pendu en l'air jusqu'au moment où elles n'en pouvaient plus. Gabina dut s'asseoir par terre, parce qu'elle était à bout de souffle. Elle savait comment s'y prendre avec les sœurs Goya. Quand elle voulait sortir avant l'heure, elle leur parlait des garçons. La cadette protestait, mais c'était toujours la grande, une fine mouche, qui décidait de tout. Si elle a donné rendez-vous à un garçon, il faut qu'elle y aille. Et si sa sœur ronchonnait encore, elle lui adressait un regard de reproche qui laissait nettement entendre : Dis-moi un peu ce que ça nous a apporté, à nous, de rester ici ? Profitez-en, amusez-vous pendant que vous êtes jeunes, disait-elle souvent à Gabina et à ses amies. Tout vaut mieux que de devenir deux épouvantails comme nous. Elle ne tolérait pas que l'on critiquât les jeunes filles, ni les actrices, ni ces femmes si belles que l'on voyait sur les couvertures des magazines. Leur beauté excusait tout. C'était là son idée. Les belles jeunes femmes devaient se donner du plaisir tant qu'elles le pouvaient. Un après-midi, Gabina surprit une conversation entre elles. La petite Goya pleurait et la grande le lui reprochait durement. Ne fais pas l'idiote, pleurer ne t'avancera à rien. Après un court silence, elle avait ajouté : Tu veux que je te dise ? Nous devrions mettre le feu à la boutique. Brûler avec les paquets de bougies et les sacs de lentilles.

Ils montèrent sur le talus et regardèrent d'en haut la rivière ; la chaleur était intense, et elle était presque à sec, sur le point de disparaître, engloutie par la terre assoiffée et rancunière. Ils auraient pu la traverser sans que l'eau leur arrive au-dessus du genou. Elle est minable, cette rivière, dit Reme à mi-voix, et ils se mirent à lui tirer des pierres, qui frappaient l'eau comme des balles. La cigogne ! s'écria Isma, tendant la main vers le ciel. C'était la cigogne de San Ginés, qui portait quelque chose dans son bec. C'est pour son nid, dit Gabina. Elle volait lentement, déployant ses ailes comme si elle fournissait un effort extraordinaire. Bang ! Bang ! s'exclama Reme, levant la main en forme de pistolet et visant vers le haut. Tu as cessé de souffrir, ajouta-t-elle en soufflant sur le bout de ses deux doigts tendus. Puis elle tira sur eux. Gabina se tordit comme si elle avait reçu une balle dans le ventre et oscilla d'un côté à l'autre, sur le point de tomber. Maintenant, à ton tour, dit-elle à Ismael, et, lui posant les doigts sur la tempe, elle fit mine de tirer à bout portant. Mais Isma se contenta de sourire. Ce garçon est à moitié fou, dit Reme en colère. Il ne sait même pas jouer. Et elle lui donna une tape. Toutefois, aussitôt après, quand ils se remirent à marcher, elle l'embrassa. La sueur mouillait la robe de Reme, formant une ombre circulaire sous son aisselle, et Isma se serra plus fort contre elle pour sentir son odeur.

Ce ne serait pas mal, dit Gabina. Quoi ? demanda Reme, qui se sentit gênée par l'étreinte d'Isma. C'était toujours pareil. Elle était la première à vouloir quelque chose et la première à s'en lasser. Comme s'il suffisait qu'elle eût une cuillerée de nourriture dans la bouche pour avoir envie de la recracher. D'avoir des menottes comme celles de don Lorenzo, poursuivit Gabina. Ce matin-là, elles étaient allées voir madame Benilde, et Reme lui avait demandé s'il était vrai que doña Gregoria avait des menottes. Jandri raconte, précisa-t-elle, que Ventura le Boiteux les a mises à Tasio parce que doña Gregoria lui en a donné l'ordre. Madame Benilde avait répondu que c'était sans doute vrai, parce que ces menottes avaient bel et bien existé. Toutefois, elles n'appartenaient pas à Gregoria mais à Lorenzo. Et pourquoi avait-il besoin de ça ? demanda Reme. Mme Benilde s'éclaircit la gorge avant de reprendre la parole. C'est une longue et sombre histoire dont on ne peut rien savoir avec certitude, murmura-t-elle. Mme Benilde lançait parfois des phrases comme ça, elle tenait beaucoup aux tournures bien châtiées, parce qu'elle avait été institutrice dans sa jeunesse. Une histoire, reprit-elle, qui, comme toutes celles de Lorenzo, ou presque, pourrait se résumer en une seule formule : cherchez la femme. Nul ne sait ce que Gregoria a enduré à cause de lui, conclut-elle. Et, refusant d'en dire davantage, elle était

sortie, les laissant seules dans la salle à manger. Elles feuille-
tèrent les catalogues. Dans l'un d'eux, elles virent des soutanes et des robes de curé, et elles pouffèrent de rire en se
rappelant les séminaristes. Elles ne pouvaient plus s'arrêter,
au souvenir de doña Gregoria assise à côté du phonographe
et d'elles-mêmes dansant avec ces pauvres garçons, qui se
déplaçaient autour de la table, raides comme des manches à
balai. Elle est complètement cinglée, avait dit Reme, et elles
s'étaient remises à rire comme des folles quand
Mme Benilde, qui était revenue, les avait tancées sévèrement.
Vous ne devriez pas vous moquer d'elle comme vous le
faites, leur dit-elle, en les foudroyant du regard. La pauvre
Gregoria a commis la même erreur que Jeanne la Folle, elle
a épousé un chaud lapin. Sur le seuil, où elle les avait raccom-
pagnées, pour se réconcilier avec elles, sans doute, elle leur
dit que si elles voulaient connaître l'histoire de ces menottes,
elles n'avaient qu'à s'adresser à Miguel Óscar. C'était l'ami
de Lorenzo, et il savait tout de cette sombre affaire, mieux
que quiconque. Mme Benilde était la seule qui appelait doña
Gregoria et don Lorenzo par leur prénom, sans leur donner
du don, comme si elle les avait pratiqués d'égal à égal.

Reme et Gabina sortirent en se poussant du coude et se
quittèrent à l'Arc. Viens me chercher cet après-midi à l'épicerie, dit Gabina à Reme après lui avoir donné un baiser sur la
joue. Le Rat et Chuchi étaient sur la place, et quand Gabina
passa à côté d'eux, ils lui emboîtèrent le pas. On a besoin
d'aide pour une branlette, lui dit le Rat. Chuchi rigola. Il avait
la bouche pleine de salive et dans ses yeux une expression
hallucinée et maligne. Je crois que je vais aller parler à ta
mère, lui dit-elle, et elle ajouta, en regardant le Rat : Quant
à toi, tu es un pauvre cinglé. Sur ce, elle partit en courant, et,
comme elle tournait le coin de la rue, faillit se jeter dans les
bras de Jesu et de Jandri. Où va cette poulette solitaire ? dit
Jesu, et ils se mirent à rire et à la tripoter. Gabina ne savait
que faire, parce qu'elle était contente, dans le fond, surtout
quand c'était Jesu qui la prenait par la taille, même si, plus

176

tard, une fois arrivée chez elle, elle mourait de honte en se souvenant qu'elle n'avait rien fait pour se défendre. C'est pourquoi, cet après-midi-là, alors qu'elles longeaient le talus dominant la rivière pour aller voir Miguel Óscar, elle avait pensé à ces menottes et à ce qu'elles pourraient en faire. Ce ne serait pas mal, de les avoir. Elles les porteraient toujours avec elles, et les garçons devraient se les laisser mettre, s'ils voulaient les accompagner. Comme ça, il n'y aurait pas de jeux de main, ajouta-t-elle, songeant encore à la scène du matin. Reme, de son côté, ne put s'empêcher de sourire. Elle imaginait que Javi venait la chercher en camionnette et qu'elle lui mettait les menottes, moins pour qu'il ne puisse pas la toucher que pour pouvoir le commander ; qu'ils étaient seuls au bar de la grand-route et qu'elle s'occupait de tout, glissait les pièces dans l'électrophone automatique, allait chercher les boissons au comptoir, lui donnait à boire. Javi approchait les lèvres de son oreille et lui demandait de le libérer, mais elle refusait, d'un mouvement de tête. Puis, de retour, elle l'attachait à la porte du four pour qu'il ne puisse pas partir. Tu es folle, dit-elle à Gabina en lui donnant une bourrade pour masquer son trouble. Je crois que depuis que tu es avec les Goya tu as perdu le peu de bon sens que tu avais. Mais Gabina suivait le fil de sa pensée. Ce serait merveilleux, insista-t-elle, revenant à sa vieille idée que les hommes ne se rendent compte de rien. Ils nous traitent comme du bétail. Ou, plutôt, rectifia-t-elle, comme du gibier. Si nous les laissions faire, il ne resterait rien de nous, même pas les os. Elle dit ces derniers mots en tendant ses bras, dont la minceur et la transparence semblaient être la preuve irréfutable de ce qu'elle venait de dire.

Deux canards s'envolèrent et allèrent se cacher entre les joncs, où elles ne purent les suivre du regard. Un peu plus loin, il y avait l'île et le petit pont en bois. Regarde, s'écria Gabina, voilà Miguel Óscar ! Il les observait, entre les arbres. Elles levèrent le bras pour le saluer, et il leur répondit en ôtant son chapeau. Un énorme barbeau fit clapoter l'eau

177

boueuse, et Gabina frémit en l'apercevant, parce qu'il lui fit penser à un bras humain, un bras coupé, séparé de son tronc. Le pont traversé, elles tombèrent sur l'âne. Il broutait l'herbe et, quand elles arrivèrent à sa hauteur, il leva la tête et les regarda avec une expression de surprise presque humaine. Un de ces jours, dit Reme tout bas, il va se mettre à parler. Moi, je suis sûre qu'il le fait déjà, repartit Gabina en riant.

Miguel Óscar les attendait à la cabane. Il y avait là une table et des bancs en pierre, où ils s'assirent. Autour d'eux tout était calme, comme arrêté, et la chaleur était tellement accablante qu'ils pouvaient à peine respirer. Miguel Óscar, pourtant, ne semblait pas s'en apercevoir. Il portait une veste en velours côtelé et son sempiternel chapeau noir. Il était descendu sur la rive, où il gardait des bouteilles au frais, et il leur offrit de l'eau, qu'ils burent avec plaisir. Puis il se mit à parler, sans s'interrompre et, sans même qu'ils eussent vu le temps passer, ils entendirent les cloches annoncer l'heure du rosaire. Bon, poursuivit-il en élevant la voix, don Lorenzo faisait toujours des siennes, et cette fois, il a poussé un peu loin. Il s'est toqué de ce jeu et le gendarme a pris peur. Il a dû aller chercher les menottes et les lui donner devant tout le monde.

La roulette russe, expliqua Miguel Óscar, les yeux rivés sur Isma, qui suivait le récit sans broncher. C'était un jeu qui semblait avoir été inventé par le diable. Il fallait un revolver, et don Lorenzo en avait un. Plus encore, à cette époque-là, il le portait souvent sur lui, car tout cela s'est passé peu avant la Guerre civile, un temps de haines sourdes, innombrables. Le jeu consistait à laisser une seule balle dans le barillet que l'on faisait tourner les yeux fermés, en espérant qu'elle ne se serait pas placée en face du canon quand on appuierait sur la détente. Je me souviens, continua Miguel Óscar en regardant maintenant tour à tour Gabina et Reme, que nous étions dans un bar à côté de la forge, un bar qu'avait ouvert le père de Chule, et que vous n'avez pu connaître. Don Lorenzo s'est mis à boire et à fanfaronner, il est vite devenu évident qu'il avait une idée derrière la tête, et que la victime serait le simple gendarme qui venait d'entrer pour boire un verre après son service à la caserne. Il l'a provoqué et personne n'avait pas encore compris où il voulait en venir que ce pauvre représentant de l'ordre s'était déjà enferré. Don Lorenzo lui a parlé de ce jeu, la roulette russe, et, en un rien de temps, il l'a défié. Il ne lui a même pas laissé le loisir de voir où il mettait les pieds. Il a préparé le revolver, a appuyé le canon sur sa tempe et a pressé sur la détente. Puis il l'a tendu au gendarme, en lui disant : À ton tour. Gonzalo de Vega, qui était dans le bar, a voulu l'arrêter. Ne fais pas le con, Lorenzo ! a-t-il lancé de sa grosse voix qui retentissait comme un éboulement de roches dans un ravin, laisse ce gosse tranquille. Don Lorenzo lui a jeté un regard assassin. Un silence terrible s'est fait, et le gendarme a dû prendre le revolver. Mais il n'est pas arrivé à tirer, parce qu'il a fléchi sur ses jambes au dernier moment. Il était trempé de sueur et il y avait sur son visage une expression de folie et de supplication. Don Lorenzo, sur un ton subitement détendu, presque amical, lui a alors demandé les menottes. Dans le bar, on n'entendait même pas une mouche voler. Je peux attendre, a-t-il ajouté. Le gendarme est allé chercher les menottes à la caserne. Il est revenu quelques minutes plus tard, et les a posées sur la table. Maintenant, s'est écrié don Lorenzo en s'adressant au père de Chule, verse à boire à tout le monde. Il y avait sur son visage une expression de triomphe, mais aussi d'égarement. Comme si son esprit était déjà ailleurs, à méditer une nouvelle folie.

Et savez-vous pourquoi il voulait ces menottes ? leur demanda Miguel Óscar en allumant la cigarette qu'il venait de rouler. Aucune idée, répondit aussitôt Reme. Gabina s'agita sur son siège et Isma suivit attentivement les évolutions de la fumée, qui s'accumulait sous le bord du chapeau de Miguel Óscar et dont l'épaisseur brouillait les traits de ce dernier. Il avait ramené une femme de Vigo, une femme qui lui rendait la vie impossible, et il voulait ces menottes pour pouvoir l'attacher. Là-dessus, Miguel Óscar se mit à rire. Don

Lorenzo ne savait pas ce que c'était que le travail, il ne remettait pas en question ses privilèges, mais ce n'était pas un mauvais bougre, et il aidait autant qu'il le pouvait les gens dans le besoin, surtout ceux du village. Il se montrait correct avec tout le monde, depuis les autorités et ceux de sa classe jusqu'aux journaliers engagés pour la moisson. De nouveau, Miguel Óscar s'interrompit pour tirer sur sa cigarette. Isma le voyait avaler la fumée, puis la rejeter, aussi épaisse et suffocante que les vapeurs des longues cuissons dans les cuisines. Mais il avait un vice, reprit-il. Les femmes. Il allait en rut, comme les bêtes, et tant qu'il n'était pas assouvi, il ne tenait pas en place. Le plus incroyable, c'est qu'il avait payé, pour cette femme. Gabina l'écoutait bouche bée, et Reme l'avait pris par la main, comme si elle cherchait sa protection. Pendant ce temps, autour d'eux, tout bouillonnait de vie. Un vent léger berçait les feuilles des peupliers, qui battaient comme de petites pales en métal, et les oiseaux affamés piaillaient d'excitation. Chaque chose, l'eau de la rivière, les laîches et les joncs de la rive, les nuages qui exhibaient leurs ventres blancs dans le bleu vif du ciel, clamait sa nature sans se soucier ni se mêler du reste. Isma observa Reme. Elle seule semblait échapper à cette règle commune, car elle n'écoutait pas ces voix mais se les appropriait en volant de l'une à l'autre. Gabina était juste à côté d'elle, et Isma se dit une nouvelle fois qu'elles se ressemblaient. Et si un oiseau était alors venu se poser sur la table, il y aurait aussi eu une ressemblance entre elle et lui, parce que, en de pareils moments, Reme avait le pouvoir de se refléter dans toutes les créatures de ce monde.

Il y a eu un temps, poursuivait Miguel Óscar, où des choses inimaginables pouvaient se produire, dans ce pays. Par exemple – il s'éclaircit la gorge et tira deux bouffées de sa cigarette – qu'un homme riche puisse acheter une femme dans un port et l'amener chez lui sans avoir de compte à rendre à personne, comme s'il s'agissait d'une vache ou d'une brebis. Reme poussa un profond soupir. Elle approcha son visage de celui de Gabina, qui en revêtit aussitôt la forme, comme si elles étaient jumelles. Isma dut fermer les yeux, comprenant aussitôt qu'il allait avoir une nouvelle crise, et, en effet, il n'entendit plus la voix de Miguel Óscar. Il voyait ses lèvres bouger, mais ses paroles lui échappaient. Il ne percevait pas non plus le chant des oiseaux qui, quelques instants plus tôt, emplissaient encore de leur tintamarre les abords de la rivière, ni le froissis des peupliers, alors que le vent agitait violemment leur feuillage. Non, pas maintenant, se dit-il en serrant les poings avec force. Il tâcha de centrer son attention sur la première chose qui se présentait à son esprit, comme il le faisait toujours en pareil cas, et ce fut cette fois le petit flacon de vernis à ongles. Reme lui avait demandé d'aller le lui chercher, et il était monté dans sa chambre. Il l'avait trouvé sur la table de nuit, à côté de l'image de la Vierge. Ne touche pas à ça, lui avait dit la Vierge qui en mourait d'envie, mais il avait saisi le flacon et dévalé les marches quatre à quatre. Reme l'attendait dans la cour. Elle venait de se laver la tête, et laissait sécher ses cheveux au soleil. Isma lui avait donné le vernis, et Reme avait alors approché les lèvres de son oreille, mais ce n'avait pas été pour lui dire merci. Je voudrais que tu meures à l'instant, avait-elle murmuré. Maintenant qu'il n'avait plus le flacon à la main, Isma ne se rappelait même pas sa forme. Il ne savait pas davantage où il était lui-même. Il ne pouvait plus remuer les jambes, dont leurs muscles, soumis à une tension extrême, lui faisaient mal. Je vais tomber, songea-t-il, mais il sentit que quelqu'un le poussait du coude et entendit une voix lointaine lui dire : Je suis là... Il eut l'impression que cette voix avait dû voler par-dessus un ravin avant d'arriver jusqu'à lui. Quelqu'un, tout près, lui soufflait au visage, de tous les côtés, comme pour en ôter des poussières. Ouvre les yeux, lui disait-on tout bas. Miguel Óscar parlait encore des menottes. Quand il leva les paupières, Isma vit Reme qui l'examinait, anxieuse. Ça ne va pas ? lui demanda-t-elle toujours à voix basse, tu es trempé comme un canard. Isma remua la tête sans la lâcher des yeux, sourire aux lèvres. Reme lui sourit aussi. Elle était très belle, le visage ainsi tourné vers lui. Maintenant, elle ne semblait plus maîtresse de tout, ni vouloir que tout fût à sa ressemblance. Isma entendit de nouveau les rumeurs de la rivière et en même temps la voix de Miguel Óscar qui poursuivait son récit, impavide. Il parlait de l'époque où il avait été l'alcade du village.

Un jour, disait-il, doña Gregoria est venue me chercher à la mairie. Elle n'a même pas frappé à la porte et s'est écriée : C'est très grave, tout en posant ses mains tremblantes sur les papiers qui couvraient mon bureau. Et, après avoir invoqué l'amitié qui avait toujours uni nos deux familles, elle m'a prié de l'accompagner. Elle n'a pas ajouté un mot, m'a lancé un regard impérieux, poursuivit Miguel Óscar, puis elle est sortie. J'ai dû laisser ce que j'étais en train de faire et la suivre. Elle était très petite et marchait à pas menus, mais si vite que je n'ai pu la rattraper qu'à l'Arc. Elle n'a même pas tourné la tête pour me regarder, à ce moment-là. Nous avons fait le reste du chemin ensemble sans échanger une parole. Doña Gregoria marchait avec beaucoup de dignité, je regardais du coin de l'œil ce bloc d'orgueil en essayant de deviner la raison qui la poussait à agir ainsi, parce que jamais encore elle ne s'était adressée à moi pour me demander quoi que ce soit, et jamais, bien entendu, elle n'était entrée à la mairie, qui, depuis l'avènement de la république, devait être à ses yeux un lieu de perdition indigne d'elle. J'ai pensé à son mari, bien sûr, et j'ai aussitôt établi un rapprochement entre cette visite surprenante et ce qui s'était passé peu auparavant dans le bar des parents de Chule, quand il avait forcé le gendarme à aller lui chercher les menottes. Ce rapprochement s'imposait, je crois, parce que les rumeurs allaient bon train, au village. Depuis quelques jours, don Lorenzo mettait à peine le nez dehors, et le bruit courait qu'il était avec une femme. Une femme qu'il avait fait entrer dans son foyer, et dont il avait imposé la présence à doña Gregoria. On disait même que don Lorenzo avait perdu la tête pour de bon et forçait doña Gregoria à servir cette femme comme si elle était la maîtresse de maison. Toutefois, aucune des servantes ne l'avait vue. Doña Gregoria leur avait interdit de mettre les pieds dans l'escalier qui conduisait à leur chambre, et c'était sous son étroite surveillance qu'elles montaient faire le lit. Une fois, elles avaient trouvé la pièce sens dessus dessous. Le miroir, la cuvette et le broc de toilette étaient en morceaux, les draps lacérés, les murs tâchés de reliefs de nourriture, et l'odeur si forte, bien qu'elles se fussent empressées d'ouvrir les fenêtres, qu'une jeune bonne s'était trouvée mal et avait dû descendre respirer de l'air frais dans la cour, car on aurait dit qu'une bête fauve y avait été tenue en captivité.

Il n'est pas difficile d'imaginer ce que je redoutais, tandis que je marchais à côté d'elle, reprit Miguel Óscar après une nouvelle pause. Que voulait-elle de moi ? Pourquoi m'entraînait-elle avec elle sans m'avoir donné la moindre explication ? Et, surtout, pourquoi fallait-il agir avec une telle urgence, une telle précipitation, comme si l'on était réduit à la dernière extrémité et qu'il n'y avait plus une seconde à perdre ? Nous sommes arrivés chez elle. Je me souviens que la porte était entrouverte et que doña Gregoria l'a poussée violemment, de tout son corps. Je l'ai suivie dans un long couloir en écoutant le bruit de ses pas menus, rapides, résolus, et celui de sa respiration oppressée. Quelques colombes se sont envolées. Elles se levaient sur ses pas et voletaient péniblement dans le couloir avant de s'enfuir dans la cour. En les voyant, j'ai songé aux esprits tourmentés des disparus. Doña Gregoria m'a conduit à la salle à manger et m'a fait asseoir à la table. Je suppose que vous avez envie de boire quelque chose, a-t-elle dit comme ça, et, saisissant une clochette, elle l'a agitée énergiquement. Peu après, une servante s'est présentée. Apporte-nous de l'eau, lui a-t-elle ordonné. Nous avons attendu qu'elle revienne avec le pot et les verres, nous avons bu, et elle m'a raconté sans s'encombrer de circonlocutions que son mari tenait une femme enfermée dans l'une des pièces du haut depuis deux mois. Ce n'était pas une femme comme les autres, elle se comportait comme une bête. En fait, pour l'avoir, il avait dû l'acheter, payer dix-sept mille réaux à des marins, à Vigo. Il lui avait tout d'abord juré, pour introduire cette femme sous son toit, que ce n'était que pour quelques jours, le temps qu'il lui fallait pour mettre ses papiers en règle, mais elle s'était vite rendu compte qu'il la bernait et n'avait pas l'intention de laisser partir sa créature. Bientôt, il ne s'en était même plus caché. Il l'insultait devant l'inconnue, la forçait à leur monter les repas, comme si la dame, ce n'était pas elle, mais l'autre. Il se moque même, a-t-elle ajouté, que je sache qu'ils dorment dans le même lit.

À peine Doña Gregoria m'avait-elle dit ça que retentissaient un gémissement et un murmure inintelligible de paroles lointaines, lancées précipitamment. Mon cœur s'est serré, de crainte, parce que j'ai eu l'impression d'entendre des prières et des lamentations de veillée funèbre. Qu'est-ce que c'est ? suis-je parvenu à demander à voix basse. Doña Gregoria a levé la main pour montrer l'escalier, en me disant : C'est elle, elle est possédée du démon. Alors, j'ai compris ce qu'elle attendait de moi : que je monte parler à son mari pour tâcher de le ramener à la raison et le soustraire à cette fatale influence. Il faut que tu la fasses sortir d'ici, m'a-t-elle dit en me saisissant vigoureusement par le bras. Il y avait dans ses yeux une expression d'immense détresse, qui m'a fait croire que sa raison ne tenait plus qu'à un fil. Alors, elle a plongé ses ongles dans ma chair et, avec une grimace de désespoir, a ajouté : C'est une négresse. Et je me suis brusquement retrouvé seul. En montant cet escalier qui craquait et grinçait sous mes pas comme s'il allait s'effondrer, j'avais l'impression de traîner derrière moi la maison entière et tous ses occupants. Je montais lentement, m'arrêtant à chaque marche pour retarder le moment où j'allais me trouver face à eux. À quoi bon leur parler, et que dire à cet homme, alors que je me souvenais du jeu de la roulette russe et du jeune gendarme, que je le revoyais risquer sa vie pour se passer un caprice ? Non, don Lorenzo n'était pas de ceux qui renoncent à ce qu'ils désirent, aucun homme de son rang ne l'aurait fait, sans doute parce que ces hommes-là étaient accoutumés à disposer des autres et du monde comme s'ils leur appartenaient, et j'ai compris que rien de ce que je pourrais dire ne le ferait changer d'idée. De plus, qu'en avais-je à faire, moi ? Pourquoi devais-je prendre le parti de doña Gregoria, qui ne m'avait jamais inspiré la moindre sympathie ? Sur le palier, je les ai de nouveau entendus. Cette fois, ce n'étaient plus des cris ni des pleurs, mais des murmures, des paroles que je pouvais à peine saisir, entrecoupés de soupirs et d'étranges petits cris. J'ai mis un moment à reconnaître qu'il s'agissait de plaintes, de prières que cette petite adressait à don Lorenzo pour qu'il la laisse partir. C'est alors que j'ai senti cette odeur dont avaient parlé les servantes. Une odeur forte, douceâtre, qui rappelait le fruit trop mûr, blet, celle des garde-manger par les après-midi caniculaires. Les volets étaient clos et j'avançais dans une pénombre épaisse, sans savoir exactement où j'allais. Je me suis heurté à un amas de meubles, j'ai failli tomber, mais j'ai pu reprendre mon équilibre au dernier moment. Des gémissements sont encore parvenus à mes oreilles. Bon Dieu, Lorenzo, où es-tu ? me disais-je. Presque à l'aveuglette, j'ai encore avancé, et, brusquement, j'ai aperçu une légère lueur. La lumière se glissait sous la porte et éclairait à peine le parquet, qui semblait enduit de graisse. Je me suis approché en essayant de ne pas faire de bruit, et l'odeur est devenue plus forte, si forte que j'ai dû m'arrêter. Oh, Seigneur, qu'est-ce que c'est, d'où sort cette odeur ? me suis-je dit. Enfin, je suis arrivé devant la porte et je me suis arrêté, pour écouter. La petite se plaignait, disait des choses incompréhensibles, et don Lorenzo essayait de la tranquilliser. Je ne peux pas, je ne peux pas, répétait-il.

Alors, j'ai saisi la poignée, ouvert tout doucement la porte et pointé le nez à l'intérieur de la chambre. Miguel Óscar s'interrompit et resta là à regarder le visage de Reme et celui de Gabina, l'un et l'autre embrasés. Il pensa se taire, ne pas aller plus loin, mais ses paroles avaient soulevé le dépôt de

185

ses souvenirs et il était trop tard pour reculer, comme s'il avait ouvert une des vannes du canal et essayait de retenir l'eau de ses deux mains.

Jamais je n'oublierai ce que j'ai vu, reprit-il, et le jet d'eau impétueux frappa les paumes de ses mains et gicla, vigoureux, tout à l'entour, où il n'avait plus le pouvoir de le contenir, ni de diriger son cours. Cette petite était de dos, complètement nue, et don Lorenzo la lavait, très lentement, avec la plus grande minutie et la plus délicate attention, comme si la moindre négligence, la moindre précipitation auraient pu la blesser. Je n'ai jamais rien vu d'une telle douceur, aussi irrésistible et douloureuse, ajouta-t-il. La petite était debout dans une cuvette, les mains attachées dans le dos avec les menottes, et don Lorenzo la lavait avec un recueillement suprême. Elle était noire, mais sa peau, une fois mouillée, prenait toutes les nuances du bois, des plus claires aux plus sombres, celles de l'acajou et du noyer, mais aussi celles du châtaignier et du jeune pin. La scène se passait dans un silence sans pareil, où l'on ne percevait que le faible bruit des gouttes d'eau, quand don Lorenzo pressait l'éponge, et les gémissements isolés de la petite, qui ne paraissaient pas provenir de son corps mais d'un monde et d'un temps antérieurs à l'existence des corps humains, un monde de forêts suffocantes et d'animaux furtifs sans cesse menacés de mort. Tout à coup, elle s'est mise à parler, non pas dans notre langue mais dans une autre, plus douce et mélancolique, en laquelle j'ai aussitôt reconnu du portugais, et toujours au bord des larmes, car la seule chose qu'elle lui réclamait inlassablement, c'était de la laisser partir. Don Lorenzo, renfrogné, buté, remuait la tête en signe de refus. En se tournant, il m'a vu, immobile devant la porte. Il a eu une réaction inattendue, car, au lieu de couvrir la nudité de sa maîtresse ou de m'inviter à m'en aller pour que je ne puisse la voir nue, il m'a adressé une mimique de désespoir complice. Et, tout doucement, il a fait tourner la petite, jusqu'à ce qu'elle me fît face. Dans cette position, il s'est remis à la laver avec un soin encore accru, si pareille chose était possible, s'attardant sur chaque centimètre de son corps, repassant l'éponge à plusieurs reprises aux endroits où il l'avait déjà passée, comme si ce n'était pas ce corps, pourtant si beau, qu'il offrait à mon regard, mais les pensées que ce corps lui inspirait. Un corps fait de la même substance que ces pensées, et qui, pour la première fois, se matérialisait, grâce à la folle intensité de son désir.

Miguel Óscar se tut pendant quelques instants. Il avait fermé les yeux et faisait un visible effort pour trouver les mots justes et rendre intelligible ce que lui-même, fort probablement, avait de la peine à cerner. J'ai compris tout à coup, poursuivit-il, que s'il se conduisait comme ça, c'était pour essayer d'obtenir mon approbation, me convaincre de ne pas le juger, ou, du moins, de ne pas le faire à ce moment-là, en ne me fiant qu'aux apparences, parce que ce qui était en jeu, c'était quelque chose de beaucoup plus important que la luxure : la rencontre avec une autre réalité, une autre vie, plus profonde, devant laquelle pâlissait la vie de tous les jours. Une de ces rencontres décisives qui nous changent l'âme, et à partir desquelles plus rien n'est jamais pareil. À cet instant-là, j'ai éprouvé à la fois de la peine et de la peur. De la peine pour cette pauvre fille, retenue de force, obligée de continuer à alimenter ces fantasmes maladifs, et de la peur devant la folle détermination que révélaient les gestes de don Lorenzo et sa décision de placer la loi de sa seule volonté au-dessus de toute autre loi. Je me suis enfui. J'ai de nouveau heurté dans ma fuite les meubles entassés contre lesquels je m'étais cogné un peu plus tôt, et je me suis précipité à l'aveuglette dans la cage d'escalier, avec une seule idée en tête : sortir au plus vite de cette maison et ne jamais plus y remettre les pieds. Je l'ai fait comme un voleur, en cachette, sans prendre congé de doña Gregoria, parce que la pensée de la trouver sur mon chemin et de devoir lui fournir une explication m'atterrait. Je n'ai pas arrêté de courir avant d'avoir atteint l'Arc. Je me souviens que quelques saltimbanques, sur la place, criaient le spectacle qu'ils allaient donner au village le soir même, et que j'aurais bien aimé être à leur place, dans leurs costumes pimpants, partager leur terrible insouciance, parce qu'ils avaient l'air, tout en sachant bien qu'ils étaient condamnés, comme tous les habitants du village, comme tous les habitants du monde, de ne pas s'en soucier du tout, ou, s'ils s'en souciaient, de ne pas s'en attrister, de ne pas devenir pour autant des êtres aussi taciturnes que nous.

Doña Gregoria n'est pas sortie de chez elle pour me rappeler, mais je n'étais pas arrivé à la mairie depuis dix minutes qu'une de ses servantes venait me dire de sa part qu'elle m'attendait. Dis-lui que j'y vais tout de suite, lui ai-je répondu en tâchant de ne pas lui laisser voir mon désarroi, parce que, bien entendu, je n'avais aucunement l'intention de le faire. Moins d'une heure plus tard, la jeune fille reparaissait. Le message était le même, mais plus pressant, doña Gregoria m'attendait chez elle et me priait de ne pas trop tarder, parce que la neuvaine allait bientôt commencer. Cette fois, j'ai essayé d'être plus explicite. Dis-lui que je suis occupé, ai-je répondu en brassant les papiers posés sur le bureau, et que j'irai la voir quand je le pourrai. Elle est revenue une troisième fois à la charge, mais nous ne nous sommes pas rencontrés pour autant. J'ai vu par la fenêtre approcher la petite servante et je me suis éclipsé par la porte de derrière. Je ne suis pas retourné au village de tout le reste de la journée. Je suis venu ici, à l'Île, et j'ai passé la nuit à la cabane, caché comme un malfaiteur. Je ne pouvais ni dormir ni fixer mon attention sur ce que j'essayais de lire ou de faire, car je n'arrivais pas à m'ôter de la tête ce qui s'était passé au cours de l'après-midi, je ne cessais de considérer les faits sur toutes les coutures pour trouver une explication qui ne cessait de se dérober. Elle m'a échappé à ce moment-là et elle devait encore m'échapper pendant les jours qui ont suivi ; et même aujourd'hui, où j'ai pourtant tourné et retourné dans tous les sens ce que j'ai alors pu voir et entendre, je ne me risquerais pas à donner une interprétation de ce qui est arrivé. Mais, en ce qui concerne le rapport que don Lorenzo a réussi à établir avec cette fille et la part qu'y a pris doña Gregoria, j'en ai une, car je me suis vite rendu compte que doña Gregoria n'a pas seulement été victime de cette histoire aussi suffocante qu'obscure, et que ses décisions ont joué aussi bien sur son déroulement que sur sa brusque fin tragique.

Aujourd'hui, je suis certain, bien que je ne puisse pas le prouver, que c'est elle qui a dénoncé son mari, en un coup très hasardeux aux conséquences imprévisibles, parce que la Guerre civile avait éclaté, et tout le monde connaît les conséquences des dénonciations, il suffit de voir ce qui est arrivé au pauvre Antonino, dont le seul péché n'a jamais été que de savoir broder comme un ange. Mais, cette nuit-là, je ne pouvais encore rien savoir ni rien soupçonner, parce que tout cela ne s'était pas encore produit, et que Doña Gregoria, qui a toujours été une admirable actrice, tenait à la perfection son rôle de victime, rôle que tout le village, par ailleurs, lui concédait volontiers. Comme si, pour citer madame Benilde, Jeanne la Folle était ressuscitée à Villabrágima pour venir raconter l'unique histoire qui l'intéressait, celle de ses amours malheureuses avec Philippe le Beau. À présent, je sais que ce n'est pas tout, même si ce rôle, celui de l'infante écartée du pouvoir, éternelle insomniaque, folle d'amour et de jalousie, convenait à merveille à doña Gregoria, et si don Lorenzo ressemblait beaucoup plus qu'il n'aurait été prêt à l'admettre à ce roi inconsistant, un peu niais, qui ne pensait qu'à ses aventures galantes, et même si tous deux allaient reproduire la fin tragique de ces souverains, don Lorenzo mourant soudainement dans la force de l'âge, et doña Gregoria errant dans les couloirs de sa demeure, folle à lier, avec le sentiment d'avoir été dépossédée d'un empire sur lequel elle n'avait pourtant jamais régné, sauf si l'on appelle empire quelques centaines d'hectares de terre sèche comme l'amadou et leur récolte de céréales rachitiques, une douzaine de bêtes de selle et une maison aux commodes pleines de missels, de rosaires et d'images des saints, et si l'on peut comparer les constructions mentales des grands de ce monde avec ses manies : peur d'être volée par ses servantes, qui la poussait à les épier sans répit, peur de manquer une seule neuvaine du calendrier ecclésiastique, qu'elle faisait sur un prie-Dieu apporté à l'église sur son ordre, afin de bien marquer la distance incommensurable qu'il y avait entre elle et les autres femmes du village. Tout bien considéré, peut-être madame Benilde avait-elle raison et doña Gregoria ressemblait-elle vraiment à Jeanne la Folle. Parce qu'elle avait eu cet amour malheureux pour un homme qui s'était très vite lassé d'elle, qu'elle s'était mariée avec lui par obligation, car il s'était agi d'un de ces mariages arrangés en famille, ils étaient cousins germains, répondant à un projet parfaitement organisé, au désir de ne pas fragmenter outre mesure les propriétés, ce qui, à la longue, devait finir par les débiliter, et que, depuis son mariage, doña Gregoria n'avait vécu que pour préserver de son mieux cette union absurde qui allait finir par la détruire. C'est là ce qui lui donnait ses vrais titres, cet empire sur lequel elle avait régné. Un empire ténébreux où seuls osaient parfois pénétrer les gens de son monde, cette bourgeoisie rurale qui s'est toujours caractérisée par l'étroitesse de ses vues, sa haine envers tout ce qui différait d'elle ou laissait soupçonner une possibilité de vivre, de considérer les choses autrement. Cette bourgeoisie dans les demeures de laquelle, en des temps meilleurs, on en était même venu à tirer l'eau du puits avec des seaux en argent et où il y avait eu des nuées de serviteurs, mais où on ne trouvait pas d'autres livres que les missels, pas d'autre loi que celle, implicite, de l'intérêt. Bref, des empereurs régnant sur un royaume de paroissiens et d'instruments de labour. Or, doña Gregoria était descendue dans un royaume occulte pour tous les siens, avait tenté d'y régner, d'habiter ses corridors pleins d'ombres, d'appels inouïs et d'exigences aussi dévoratrices que le feu. Et tout ça pour cet amour. Car il est vrai que le mariage avait été arrangé, et qu'ils l'avaient d'abord accepté malgré eux, surtout don Lorenzo, qui avait vingt-deux ans et ne voulait pas s'ensevelir vivant dans cette sombre demeure avec une femme près de deux fois plus âgée que lui, mais aussi doña Gregoria, qui ne l'appréciait pas davantage, considérant qu'il avait partie lié avec le désastre, puisqu'elle était réservée et dévote et que Lorenzo avait commencé à se montrer tel qu'il allait être par la suite, un homme faible, seulement attaché à satisfaire ses désirs, d'ailleurs des plus vulgaires, et que tout ce qui était étranger à ses goûts lassait démesurément, en particulier ce qui avait trait à l'église et à l'accomplissement de ses devoirs de chrétien, auxquels il manquait souvent, moins par mécréance que par paresse irrémédiable. En cela, il ne changea point, contrairement à doña Gregoria, qui conçut bientôt une passion démesurée, inimaginable, pour un homme qui jamais ne la mérita, qui la poussait à lui pardonner ce que jamais elle n'aurait pardonné à nul autre, et moins encore à elle-même : ne pas aller à la messe, ne pas s'endimancher et préférer passer des heures entières au bar à jouer aux cartes avec les gens du village ; à lui pardonner même ses fréquentes absences, qu'elle tâchait de dissimuler aux servantes, défaisant elle-même le lit pour faire croire qu'il avait dormi à la maison, ou parlant tout haut en contrefaisant sa voix, s'enrouant jusqu'à la souffrance pour se créer une fausse compagnie à laquelle nul ne pouvait croire, vu que, quelques instants auparavant, on avait aperçu don Lorenzo au bar, ou à cheval dans la campagne, en train de compter fleurette aux filles du village, et on la savait seule, irrémédiablement seule, et ainsi passaient la plupart des jours, parce que don Lorenzo se lassait de sa compagnie, de l'excès de sollicitude qu'elle lui témoignait, et tout prétexte lui semblait bon pour quitter la maison, où, souvent, on ne le revoyait pas de plusieurs jours, pendant qu'elle allait à l'église, et de l'église chez elle, et, une fois encore à l'église dans l'après-midi, elle y allait au moins deux fois par jour, puis elle passait ses nuits à veiller, allant d'une pièce à l'autre en attendant son retour, parcourant les escaliers et les couloirs un bougeoir à la main, toujours vêtue de noir, obligeant ses servantes, quand elle avait faim, à poser les plats par terre, où elle mangeait sans toucher aux couverts, happant la nourriture avec sa bouche comme le font les animaux, et elles, les servantes, presque toutes des filles du village, riaient dans son dos, alors qu'en réalité elle leur faisait peur et que leurs mères, chaque matin, devaient les forcer à se rendre dans cette maison, où elles ne voulaient plus aller, entre autres choses parce que c'était à peine si elle les payait, quand elle ne les accusait pas d'avoir volé de la nourriture, cassé des verres ou des assiettes, qu'elle ne manquait pas de leur retenir sur leur salaire, si bien qu'en fin de mois, selon ses calculs, elle ne leur devait presque rien, et ce rien, elle le leur faisait encore attendre, un mois après l'autre, en alléguant les arguments les plus invraisemblables pour justifier ce retard. Toujours absorbée par son idée fixe, elle en était réduite à se livrer à cette déambulation éternelle, douloureuse, autour de l'unique figure de sa passion, qu'elle emmaillotait de suppliques, s'inventant tous les jours de nouvelles formes de tourments et de pénitences : refuser de parler, proférer de terribles insultes ou ne plus vouloir entrer dans la maison, comme la fois où, en plein hiver, elle est allée dans la cour, s'est arrêtée devant la porte de la rue et n'a plus voulu bouger, certaine que don Lorenzo allait arriver d'un moment à l'autre et qu'il devait la trouver là, à l'attendre, si bien que Ventura le Boiteux, qui, à cette époque-là, était à peine sorti de l'enfance mais veillait pourtant sur elle avec une dévotion ne demandant rien en retour, un dévouement sans mesure dont il ne s'est jamais départi jusqu'à présent, de peur qu'elle gèle sur place, a dû faire un feu, un grand feu dans la cour pour la réchauffer, l'empêcher de mourir de froid, et l'a entretenu en l'avivant avec des troncs d'yeuse jusqu'au moment où les coqs ont commencé à chanter et où il a pu la convaincre de rentrer. Le plus curieux, c'est qu'à ces moments d'égarement épouvantable, d'engourdissement de ses facultés, pouvaient succéder des périodes où elle était capable de réparer les torts qu'elle avait causés avec une pondération et des égards qui nous comblaient tous de gratitude et d'étonnement. Bien sûr, quelques minutes plus tard, sous l'effet de la moindre contrariété, elle retombait dans l'enfer de cette passion aussi inévitable qu'absurde, où tout, même les choses les plus insensées, redevenait possible, envoyer seller un cheval et partir au galop à travers champs, ne pouvoir se contrôler et se mettre à crier des insanités, à l'église, par exemple, où on l'entendait soudain se répandre en récriminations, ou dire, sans s'en rendre compte, tout ce qui lui passait par la tête, des choses comme : Lorenzo, tu es un véritable salaud, à la grande joie des gens du village et à la grande honte des membres de sa famille, qui finirent par intervenir à plusieurs reprises pour rétablir l'ordre, ou du moins sauver les apparences, qui n'existaient plus, mais sans succès, car don Lorenzo ne pouvait plus rester dans cette maison, n'y passait que de rares moments, à manger et à dormir, et doña Gregoria s'était déjà précipitée dans les abîmes de la folie et retombait, d'une manière toujours plus profonde et irréparable, dans ses délires de femme abandonnée. Des délires qui ne lui laissaient pas un instant de répit, qui l'emportaient dans ce royaume de ténèbres et d'infini dédain où elle allait finir par se perdre, mais où elle devait aussi découvrir le soutien inespéré de sa pensée la plus irrépréhensible : que la vie est toujours au-dessous de ce que l'homme est capable de concevoir.

Je le lui ai entendu dire maintes fois, la dernière, c'était il y a à peine deux ans, continua Miguel Óscar après s'être rafraîchi le gosier avec une grosse gorgée d'eau, quand je suis allé lui apporter quelques tomates du jardin. Je me souviens qu'il venait de pleuvoir et que doña Gregoria était debout devant la fenêtre par laquelle entrait la fraîcheur du soir. Alors, elle s'est tournée vers moi et m'a regardé avec l'air de se demander si elle rêvait ou était éveillée. La vie, m'a-t-elle dit, est fatalement inférieure à ce que nous sommes capables de concevoir. Elle l'a dit doucement, en promenant son regard sur les objets qui l'entouraient comme si elle redoutait de les voir disparaître d'un instant à l'autre et de n'avoir plus d'autre recours que de prier qu'on lui vienne en aide, car elle n'était plus sûre d'avoir vécu.

Mais, évidemment, je ne pouvais encore rien deviner de tel, à cette époque, et malgré la première idée que j'avais pu me faire pendant ces quelques jours sur ce qui se tramait dans cette maison, je n'étais pas encore capable d'en mesurer la gravité, ni de prévoir la violence qui allait s'ensuivre et nous bouleverser tous, même pas après que doña Gregoria fut venue me chercher à la mairie. Ce soir-là, je m'étais contenté de me cacher ici, dans cette cabane, pour me soustraire à ses exigences, et j'avais passé la nuit à récapituler ce qui s'était produit, l'arrivée de doña Gregoria, son étrange requête, notre marche à travers le village jusqu'à sa maison, presque au pas de course, parce que doña Gregoria avançait à une telle allure que les gens se tournaient pour nous regarder. Nous devions former un couple assez comique, elle et moi, Gregoria Laurel et Miguel Óscar Hardy, enfin, ce n'était pas tout à fait ça, parce qu'elle était petite et grosse et moi grand et maigre. Je repensais à sa terrible confession et à la scène de la chambre, dont je ne devais jamais oublier le sombre éblouissement, à don Lorenzo lavant cette petite qui réclamait en geignant sa liberté. S'il y avait pour moi sur terre un endroit qui ressemblait à l'enfer, c'était cette maison.

C'est ce que j'ai dit à don Lorenzo deux jours plus tard. Tu as fait de ta maison un lieu de perdition. Il était venu me trouver ici, il s'était assis là, et Miguel Óscar montrait l'endroit du banc où était assise Gabina, il était très pâle et n'a pas tardé à en venir au vif du sujet. Il réclamait mon aide, parce qu'il ne savait plus comment s'en sortir. Tu dois la laisser partir, lui ai-je dit. Mais il n'a pas voulu. Il avait caché son visage dans ses mains et se balançait d'avant en arrière, comme s'il cherchait dans ce va-et-vient un apaisement qu'il ne pouvait trouver autrement, sinon dans ce bercement de nouveau-né, de branche flottant à la dérive au gré du courant. Ce balancement qui recèle le désir de ne pas être, de s'oublier soi-même, de se remettre enfin de toutes ses peines. Il ne pouvait dormir, il mangeait à peine, une angoisse perpétuelle l'accablait, le faisait sursauter au moindre bruit et le poussait même parfois à se montrer brutal. Il m'a confié qu'il avait fait des choses horribles qu'il ne parvenait même pas à comprendre, qu'il vivait tourmenté par l'idée qu'il allait perdre la raison, mais que ces tourments ne pouvaient le faire renoncer à la petite. Au contraire, plus la torture était vive plus il avait besoin d'elle. Ce n'était qu'auprès d'elle que ses craintes s'estompaient et perdaient toute importance.

C'est alors qu'a éclaté la Guerre civile. Le village est resté dans la zone tenue par le parti conservateur, et il y a eu une répression sourde et sauvage, beaucoup plus terrible qu'on ne l'a reconnu par la suite. Abus de toutes sortes, disparitions, vengeances, les choses les plus inimaginables, les plus sinistres étaient devenues aussi naturelles que de demander son chemin au premier passant venu quand on est égaré dans un coin que l'on ne connaît pas. Mais, ici, nous nous connaissions tous, et nous n'avions d'autre coin où aller, sinon au cimetière. Des groupes de phalangistes allaient de village en village, faisaient la loi, et les exactions se multipliaient sans possibles recours à la justice ni moyens de défense. Nous vivions sous le régime d'une terreur qui, d'un moment à l'autre, pouvait tous nous frapper. Il suffisait que quelqu'un inventât une histoire et nous dénonçât à l'un de ces groupes ; et la menace était encore plus pesante pour ceux qui s'étaient fait remarquer en affichant des idées républicaines. Don Lorenzo, bien entendu, était du côté des exécuteurs, de par sa naissance et ses convictions, encore qu'il ne se soit jamais livré aux mêmes violences que ses compagnons, mais il a pourtant été la victime inattendue de ces débordements. Un après-midi, un de ces groupes de phalangistes a frappé à sa porte. Il n'était formé que d'hommes qui ne venaient pas des villages des alentours mais des environs de Salamanque. Comme ils ne connaissaient pas don Lorenzo, ils ne lui ont pas mâché le mot. Il y avait eu une dénonciation, et ils exigeaient qu'on leur livrât la fille, accusée de je ne sais quelles

195

énormités. Ils lui ont dit : Nous venons pour la Portugaise. Mais don Lorenzo, qui était allé leur ouvrir le pistolet à la ceinture, l'a levé sur eux, et ils ont reculé. Tu es sur la liste, enfant de pute ! lui ont-ils lancé en s'en allant. Et, deux nuits après, on a tiré contre les fenêtres. Un camion s'est arrêté juste devant la maison, et ils ont ouvert le feu, tout en rigolant et en visant les fenêtres de l'étage, dont les vitres ont volé en éclats, comme soufflées par le déchaînement de leur haine. Ils ont alors crié : Donne-nous la négresse ! Il y a eu un autre incident. Un hobereau d'un village voisin est venu chercher querelle à don Lorenzo dans le bar du village, un certain Vásquez Aguilar. Il était en compagnie de trois autres hommes, tous en chemise bleue, ils se sont mis à parler de la fille et à lâcher grossièreté sur grossièreté. Des choses que je ne peux pas répéter, des vantardises sur ce qu'ils étaient prêts à lui faire. C'est alors qu'ils s'en sont pris à don Lorenzo. Ils lui ont demandé ce qu'il faisait avec elle au lit, et autres gentillesses de même acabit dont je n'ose rien dire, par pudeur. Don Lorenzo s'est défendu de son mieux. Il était aussi pâle que le mur, sans doute parce qu'il se rappelait l'incident de la patrouille et qu'il commençait à se rendre compte que l'affaire le dépassait. Il leur a répondu qu'il ne savait pas de quoi ils parlaient, et a soutenu qu'il ne cachait chez lui aucune fille, encore moins une négresse. Laissez-moi tranquille, a-t-il ajouté, que diable, je ne sais même pas de quoi vous parlez ! Mais il a eu peur et, le soir même, il est venu me trouver ici. J'étais dans une position très délicate. J'avais été élu maire du village aux dernières élections, ce qui avait failli me coûter la vie au commencement de la guerre. On a menacé deux fois de m'exécuter, et il s'en est fallu d'un rien. Mais il y avait eu l'épisode du chien, que Monleón s'était chargé d'abattre sur la place, et ils m'avaient laissé tranquille. À condition que je disparaisse. J'étais venu vivre ici, à l'Île. C'était comme si je n'existais pas, je ne bougeais pas de cette cabane, même pas pour aller chercher ce dont je pouvais avoir besoin, l'une de mes sœurs s'en chargeait à ma place. Bon, don Lorenzo est donc venu me voir ici et m'a demandé de l'aider à sauver la petite. S'ils la trouvent, ils la tueront, a-t-il dit pour me convaincre. Il pensait que l'homme indiqué pour la sauver c'était moi, justement parce que j'étais le plus suspect. Personne n'imaginera que tu vas aller chercher les embrouilles, a-t-il ajouté. J'y ai pensé pendant quelques minutes, et je lui ai dit que je le ferais. Qui sait pourquoi ? J'avais peut-être envie de me donner un peu d'activité, d'entreprendre quelque chose de nouveau, différent de tout ce qui m'entourait, quelque chose qui me rachèterait de ma démission, de mon épouvantable consentement. Qui me permettrait de recouvrer en partie la dignité que j'avais perdue en gardant le silence, durant tout ce temps. J'ai considéré cette évasion comme un enjeu personnel, et j'ai gagné. Nous avons fait sortir la petite dans une charrette de luzerne que j'avais conduite à la porte de derrière, où elle attendait, avec don Lorenzo. Nous l'avons aidée à monter dans la charrette, et nous l'avons couverte de luzerne. Je devais l'emmener à Tordehumos, où un chauffeur de taxi, ami de don Lorenzo, nous attendrait avec un saufconduit. Le soir même, ils seraient à la frontière du Portugal. Personne ne devait nous voir, parce que la moindre erreur pouvait faire capoter le projet et nous coûter la vie. Tout s'est déroulé comme prévu. Nous sommes arrivés à Tordehumos avec une heure d'avance sur le rendez-vous prévu avec le chauffeur de taxi. La nuit était tombée et j'ai demandé à la petite si elle voulait descendre de la charrette. Tu pourrais te dégourdir les jambes, lui ai-je dit. Je l'ai aidée à descendre en écartant la luzerne, et je lui ai offert une cigarette, qu'elle a aussitôt acceptée. Elle avait les poignets bandés et, comme elle tirait sur la cigarette pour l'allumer, la lueur rouge de la braise a éclairé son visage ; il avait quelque chose de doré, de végétal, et les bandes, à ses poignets, semblaient couvertes de pollen. On aurait dit qu'elle était restée pendant tout ce temps dans un essaim, au centre d'une activité aussi frénétique que secrète, dont il n'était pas possible de déchiffrer le

197

sens, et qu'elle avait fini par échapper à cette sollicitude terrible et prendre son envol, seule, dans le vaste monde. J'ai été surpris par sa fragilité, sa beauté, et j'ai compris encore autre chose, qu'elle était destinée, où que ce soit, à provoquer la même folie, parce qu'elle avait la qualité de la reine des abeilles, des rayons les plus sombres, et, avant même d'avoir pu s'en rendre compte, d'avoir rien pu faire pour l'éviter, un autre essaim aurait pris la place du premier et se trouverait à son tour dans le cœur torride et horrible où se produirait le miel nouveau. Je me souviens qu'en me penchant pour lui dire adieu, j'ai de nouveau senti cette odeur incomparable, qui là, à l'air libre, n'était plus suffocante mais délicate et parfaite, semblable à l'odeur douce des ruches. J'ai pensé à ces abrutis de petits messieurs, auxquels il aurait suffi de s'arrêter, de fermer les yeux un instant pour oublier tout le reste et suivre cette trace délicate. Le chauffeur de taxi est arrivé, et j'ai aidé la petite à monter dans la voiture. Bonne chance, ma belle, lui ai-je dit en levant le poing, et elle m'a répondu en agitant la main par la portière. La blancheur de ses bandages se détachait dans l'obscurité, comme les coups d'ailes d'un oiseau las.

Ils se sont éloignés sur le chemin en direction de la grand-route, et je suis resté immobile jusqu'au moment où je les ai perdus de vue ; puis, insensiblement, j'ai cessé d'entendre le bruit lointain du moteur. Tu n'emportes pas un bon souvenir de ce foutu village, ai-je pensé, Dieu veuille que l'endroit où tu arriveras soit plus tendre pour toi. Pourtant, je savais qu'il ne pouvait en être ainsi. Elle était trop belle et plongerait dans la confusion et le malheur tous ceux qui l'approcheraient. Sans le vouloir, bien sûr, parce que la beauté est le visage le plus fuyant de la douleur. Je suis arrivé chez moi très tard, je me suis aussitôt couché, et j'ai tâché de m'endormir. Mais j'étais beaucoup trop excité pour trouver le sommeil. Je me suis levé deux fois, et, les deux fois, je suis allé dans le jardin et je me suis approché du tas de luzerne. J'ai plongé le nez dedans, pour tenter de retrouver la trace de cette odeur sans pareille. Je pensais aussi à ces poignets bandés qu'elle avait sans doute meurtris en essayant de s'évader. Et je me suis rendu compte que tout le monde, au village, avait perdu la tête.

Miguel Óscar s'interrompit, regarda en souriant Gabina et Reme, puis Isma, dont il caressa les cheveux avec la paume de sa main, immense. Que vous dire de plus ?, c'est tout ce que je sais. L'effort qu'il avait dû fournir pour se remémorer tous ces événements l'avait sans doute fatigué, et il désirait être seul. Nous sommes une génération épouvantable, marmonna-t-il en se levant du banc. Nous devrions nous taire à jamais, ne plus mettre le nez dehors. Ils firent un petit bout de chemin ensemble. Isma s'était de nouveau placé entre Reme et Gabina, et il se serrait très fort contre elles, comme s'il voulait se confondre avec leurs robes et leurs corps. En arrivant au pont, ils se dirent au revoir. Cependant, fit brusquement Miguel Óscar, Tasio n'a pas pu voir ces menottes, ni Ventura de Boiteux s'en servir pour l'attacher au râtelier. Ni l'un ni l'autre n'a pu les toucher, poursuivit-il, parce que doña Gregoria lui avait demandé, à lui, de les jeter.

Elle est venue me trouver quelques mois après la mort de son mari. Nous avons parlé assez longuement. J'ai été étonné par sa lucidité, sa manière d'analyser les faits et ses inévitables conclusions, aussi précises que des théorèmes. En fait, elle est venue me demander pardon, pour ce qui s'était passé et pour leurs tentatives, les siennes et celles de son mari, de se servir de moi. Je lui ai dit de ne pas s'en faire, que c'était naturel, entre voisins et amis, et que la seule chose que je regrettais, c'était de n'avoir pas pu les aider comme il l'aurait fallu. Nul ne peut aider personne, a-t-elle dit tout bas, tous les hommes sont seuls. Puis elle s'est mise à parler de son mari, de tout ce qu'il avait subi et de la dureté avec laquelle elle l'avait traité. Elle se considérait comme coupable de tout. Tu ne sais rien de ce qui s'est passé dans cette maison, a-t-elle murmuré. Et elle m'a demandé une faveur : de l'accompagner à la rivière. Je ne savais pas ce qu'elle avait derrière la tête, mais je l'ai fait sans poser de question. Quand nous sommes arrivés sur le talus, elle a tiré un paquet de ses vêtements, un paquet noué dans un mouchoir. Dedans, il y avait les menottes. Je veux que tu les jettes à la rivière, m'a-t-elle dit. Je suis descendu sur la rive, j'ai cherché l'endroit le plus profond de la rivière, et je les ai lancées dans l'eau. C'est fait, lui ai-je dit d'un regard quand je l'ai rejointe. C'était une invention du diable, a-t-elle soufflé. Et, tendant les deux bras, elle a découvert ses poignets. J'ai vu les cicatrices qu'un usage prolongé de ces menottes avait fini par creuser dans sa chair.

# 10

Reme ferma la porte du four et tira ses cheveux en arrière pour les attacher en queue-de-cheval. Je suis la seule à connaître la véritable histoire du serpent, dit-elle. Doña Carmen, la femme du maître, était venue à la boulangerie faire des gâteaux, et Reme surveillait le four pour ne pas les laisser brûler. Isma était avec elle depuis une demi-heure. Tu vas voir l'engueulade qui t'attend ! lui dit Reme, parce qu'il ne se décidait pas à partir. Pilar l'avait envoyé aux Casas Nuevas faire une commission à sa belle-sœur, et, en revenant, il avait rencontré Mme Maura. Viens que je te nettoie, lui avait-elle dit, parce qu'il s'était barbouillé le visage. Elle l'avait fait avec un coin de son tablier. Puis, en l'attrapant par le menton et en lui levant un peu la tête pour le regarder dans les yeux, elle lui avait dit, satisfaite : on dirait que tu sors de la Verrerie des rois d'Espagne. Mme Maura aimait beaucoup à dire cette phrase, parce que, jeune fille, elle était allée à Ségovie chez une de ses cousines, et elles avaient visité ensemble la verrerie qui se trouve à côté des jardins de La Granja. Elle ne se souvenait pas être jamais allée dans un endroit aussi étrange et réjouissant, avec ces hommes qui soufflaient dans de longs tubes pour former des bulles de verre mou qui vous donnaient envie de les toucher et de les porter à la bouche. Ils faisaient chauffer ces bulles dans de grands fourneaux béant à même le sol, la fabrique semblait flotter sur une mer de feu et les hommes se contenter de profiter de sa chaleur et des figures qui s'y formaient. Dans le magasin, les pièces de verre alignées sur les étagères lui avaient paru si belles qu'elle n'avait pu s'empêcher d'en toucher une en cachette pour se convaincre qu'elles ne s'évanouissaient pas quand on cherchait à les saisir. Ensuite, en sortant, elle avait bousculé l'un des ouvriers, qui s'était aussitôt excusé. Jamais encore on le l'avait traitée avec une telle déférence. Oh ! Pardonnez-moi, mademoiselle ! Elle se souvenait encore de ces paroles dites presque à mi-voix, de l'expression de crainte respectueuse qui les accompagnait, comme si l'ouvrier avait cru qu'un simple frôlement pouvait lui faire une blessure irréparable. Depuis lors, la fabrique était devenue pour elle un endroit unique au monde, et très souvent, surtout quand elle voulait exprimer son ravissement ou adresser quelque reproche, elle réapparaissait, idéalisée, dans son discours. Elle s'était servie de cette comparaison après avoir débarbouillé Isma, en voyant l'éclat de ses yeux, qui paraissaient sortis de cette fabrique, parce que c'était pour elle l'éloge par excellence, le plus délicat du monde.

Mais ensuite, au lieu de le laisser partir, elle l'avait fait entrer pour lui confier un panier couvert d'une serviette en lui demandant d'aller le porter chez Heliodoro Carro. Isma porta le panier, puis alla voir Reme à la boulangerie. Il lui raconta ce qu'il avait fait, et Reme le gronda, en lui disant qu'on l'envoyait toujours faire des commissions, et qu'il passait sa journée à aller d'un endroit à l'autre, comme s'il était à tout le monde et à personne. Tu es comme Antón le cochon, qui lui aussi allait tout le temps de porte en porte. Un de ces jours, ajouta-t-elle sans pouvoir s'empêcher de sourire, ils te tireront au sort sur la place et celui qui te gagnera te saignera pour faire du boudin. Isma avait souri lui aussi, de toutes ses dents, parce que Reme était de bonne humeur et qu'il savait qu'à ces moments-là elle le laissait faire ce qu'il voulait. Bien entendu, il en avait profité pour rester avec elle à la boulangerie. Ils débarrassèrent et nettoyèrent la table, que madame

Carmen, en préparant ses gâteaux, avait complètement chamboulée. C'est une porcasse, dit Reme, ça ne m'étonne pas que don Abelardo préfère ses oiseaux. Et, après avoir lavé les plats et jeté un nouveau coup d'œil dans le four, elle chercha dans le tiroir un paquet de cigarettes. C'étaient des américaines que lui avait offert Javi. Elle en glissa une entre ses lèvres, prit une expression intéressante d'actrice consciente que des milliers de regards sont fixés sur elle, et dit à Isma : J'attends. Isma courut la lui allumer. Sublime, murmura-t-elle en soufflant avec plaisir la fumée qu'elle venait d'aspirer au plus profond de son corps. Isma savait que c'était un cadeau de Javi parce qu'il les avait vus faire, le matin même. Javi avait arrêté la camionnette devant la boulangerie et donné des coups de klaxon. Reme était sortie comme une flèche. Je ne peux pas rester, avait dit Javi. Il était allé chercher des pièces de rechange, et le contremaître l'attendait sur le chantier. Si je n'y retourne pas tout de suite, je me fais écharper ! s'était-il exclamé en lui tendant les paquets par la fenêtre. Tiens, je suis sûr que tu n'en as plus. Et il avait donné un tel coup d'accélérateur qu'ils avaient cru un instant qu'il allait s'écraser contre le mur. Tu es fou ! lui avait lancé Reme du pas de la porte, ivre de bonheur, en lui adressant de grands gestes de la main tandis que la camionnette dévalait la rue. Mais, en se retournant, Isma avait remarqué sur son visage une ombre, une expression de douleur. Viens ici, avait-elle dit en lui tendant les bras. Elle avait encore cette même expression quand elle tapota ses cuisses. Isma alla s'y asseoir, et elle le serra fort, très fort, comme le serpent de Rioseco avait serré le jeune berger, dit-elle.

Les gâteaux de madame Carmen étaient encore au four et ne seraient cuits que dans un moment ; en attendant, ils pouvaient parler tranquillement et se bécoter. Bien sûr qu'il s'en rendait compte, bien sûr qu'il savait ce qu'il faisait, lui disait Reme à l'oreille avec une voix insinuante, mais il l'a pourtant serré, serré jusqu'au dernier souffle de vie. Et, tandis qu'elle lui parlait ainsi, elle le serrait elle-même de toutes ses forces dans ses bras, comme si elle voulait l'étouffer. Et sais-tu pourquoi il l'a fait ? continua-t-elle en le lâchant brusquement et en approchant son visage du sien pour le regarder dans les yeux. Il l'a fait parce qu'il était fou de jalousie, et, comme elle disait ces mots, il y eut dans ses yeux un éclat de douleur. Elle était la seule, répéta-t-elle, en s'écartant un peu de lui parce qu'elle se sentait soudain lasse, la seule à connaître la véritable histoire. Le serpent a tué le berger, mais ce n'est pas vrai qu'il l'a fait sans le vouloir, seulement parce qu'il était fou de joie de le revoir enfin, après tant d'années d'absence ; il l'a fait exprès, il a vraiment voulu sa mort, comme les amoureux désirent si souvent la mort de ceux qu'ils aiment. Parce que c'est ça, l'amour, quelque chose de très étrange, et les amoureux se surprennent souvent à désirer ce qu'ils n'auraient jamais cru possible, et si tu ne me crois pas, pense à Andreona, et à tout ce qu'elle est arrivée à faire quand Quico s'est pendu. Isma eut un frisson, en entendant le nom de Quico. Il y avait plusieurs jours qu'il ne l'avait pas vu, mais il était certain qu'il rôdait toujours dans le village autour des gens et des bêtes qui mouraient, parce qu'il était attiré par les odeurs et les formes de la mort. D'un geste instinctif, Isma couvrit de sa main la bouche de Reme, qui se figea, en le regardant. C'est bien, murmura-t-elle, comprenant tout. Elle se souvenait à son tour de ce que leur avait dit don Bernardo, un après-midi : Les paroles, si elles sont vraies, peuvent ressusciter les morts ; et ils redoutaient que Quico pût revenir d'entre les ombres si quelqu'un l'appelait par son nom.

Non, ça ne c'est pas passé comme on le dit, reprit-elle aussitôt qu'Isma eût retiré sa main et libéré sa bouche. Oui, le berger était bien parti à la guerre pour de nombreuses années, loin du serpent qui, pendant ce temps, grandissait, grandissait, devenait gigantesque, et descendait encore tous les après-midi jusqu'à la route en espérant le rencontrer. Les années s'écoulaient, mais il ne l'oubliait pas. Au contraire, chaque jour qui passait, il se souvenait mieux de lui et l'ai-

204

mait toujours plus follement. Il se souvenait qu'en venant le chercher pour lui donner du lait, le berger sifflait, de la route, pour lui signaler son arrivée, qu'il le prenait dans ses mains et jouait avec lui, qui s'enroulait autour de ses doigts. Alors, très délicatement, comme s'il était la chose la plus précieuse de la terre et qu'il redoutait de le voir se briser d'un instant à l'autre, il le glissait dans sa gibecière et le portait avec lui dans la campagne, jusqu'à l'heure du repas, où il trayait une des brebis pour lui donner du lait dans une gamelle. Le serpent le buvait avec fureur, parce qu'il était très glouton ; en quelques semaines, depuis qu'il connaissait le jeune berger, il était devenu aussi gras et luisant que les cierges que don Ramón allume à l'église pour les funérailles. Et, quand ils étaient repus, le berger déboutonnait le col de sa chemise, le serpent se glissait dans l'ouverture et ils s'endormaient tous les deux. Parce que le serpent aimait la chaleur du corps du berger, inconnue dans son monde, où tout était froid, humide et gluant. Et Reme tirait sur la chemise d'Isma pour la faire sortir du pantalon, coulait ses mains et ses bras dessous, comme si ses membres étaient le serpent, et cherchait les recoins les plus secrets de son corps pour s'y endormir. C'était une amitié étrange, continua-t-elle tandis que ses doigts jouaient sous l'étoffe, chatouillaient Isma qui contenait son rire à grand-peine, une amitié telle qu'on n'en avait encore jamais vu au monde, et qu'on n'en verrait jamais plus. Mais vraie, aussi vrai qu'ils étaient là à se faire des mamours et qu'elle l'avait choisi entre tous les enfants du monde. Et justement parce qu'il l'avait choisi entre tous, il avait le droit de faire de lui ce que bon lui semblait, n'importe quoi, prendre ce couteau, par exemple, lui couper une oreille, ou un doigt de la main, ou la langue, pour qu'il ne puisse plus jamais parler à personne d'autre qu'à lui, puis la mettre dans sa poche et ne la lui donner que quand ils seraient seuls et que nul ne viendrait les déranger. Cette histoire est aussi vraie que tout ce que je viens de dire et, de plus, elle s'est passée ici, tout près de l'endroit où ils se trouvaient en ce moment, parce que, en réalité, le berger n'était pas de Rioseco mais de Villabrágima, même s'il devait aller tous les jours à Rioseco pour s'occuper des brebis, car c'était là qu'il travaillait. Et sais-tu comment il y allait ? En courant. Il se levait très tôt et partait en courant le long du talus de la rivière, alors qu'il faisait encore nuit, pour pouvoir arriver à Rioseco à l'heure où il devait mener paître les brebis. Il parcourait ces huit kilomètres à toute allure, il avait toujours aimé courir, dès son plus jeune âge, et, avec le temps, il s'y était tellement habitué qu'il aurait pu aller à Valladolid en courant sans même se fatiguer, c'était depuis toujours un enfant exceptionnel, comme cet autre, et Reme regarda un instant Isma dans les yeux avec un sourire, auquel tous les gens du village confiaient des commissions, qu'il faisait sans protester, car c'était un de ces enfants saints qui apparaissent de temps à autre sur terre, comme saint Tarcice, et dont tout le monde profite parce qu'ils ne savent pas dire non. Et il allait partout en courant, d'une maison à l'autre, portant des paniers et des billets, et ces courses n'en finissaient jamais, parce que les habitants d'une maison l'envoyait dans celle d'à côté et ainsi de suite, si bien que, courant à longueur de journée, il avait à peine le temps de penser à lui-même, ou de jouer avec les autres enfants, ce à quoi il n'attachait pas grande importance, car il ne savait pas s'y prendre avec eux, et ils lui faisaient peur, le houspillant sans cesse. Et quand il était enfin seul et partait vadrouiller dans la campagne, c'était encore en courant, mais pas de la même manière, non plus parce qu'il le fallait et pour faire ce que les autres lui demandaient, mais pour son plaisir. Qui sait pourquoi ? Peut-être trouvait-il que rien de ce qu'il faisait n'avait de sens – vivre dans ce village, avec tous ces gens qui lui demandaient ceci ou cela, devoir se soucier de se nourrir, de se vêtir, de travailler pour les autres – et que ce qu'il découvrait n'en avait pas davantage ; par exemple, il voyait une porte, cette porte n'était pas pour lui ce qu'elle était pour tous les habitants du village, et s'il s'attardait un moment à la regarder, il éprouvait bientôt une immense tristesse, semblable à celle que lui inspiraient les arbres au bord de la rivière, les charrettes sur la route ou les chats errant sur les toits. Quand il voyait un chat, il se demandait qui il pouvait bien être, et il avait de la peine, parce qu'il lui semblait que le chat ne savait pas non plus ce qu'il faisait là, à courir sur les toits, ni pourquoi il était venu au monde ; il éprouvait la même peine quand il regardait une porte, à l'idée que personne ne savait ce qu'étaient les choses, que tout le monde passait à côté d'elles sans leur prêter la moindre attention, sans se soucier de ce qu'elles étaient vraiment, et c'était comme si elles pleuraient toutes, comme si toutes se tournaient vers les hommes pour leur demander ce qu'elles faisaient là, mais eux non plus ne savaient pas ce qu'ils étaient, ni ce qu'ils étaient venus faire au monde. Alors, il partait en courant dans la campagne, il courait sans faire nulle part la moindre halte, par les chemins où personne ne passait et ne pouvait lui faire signe de s'arrêter, des chemins écartés, loin de tout ce qu'il connaissait, et où, quand il s'immobilisait enfin, il n'entendait plus que ces questions : Qui sommes-nous ? Que sommes-nous ?, et il désespérait, incapable de répondre. C'est ainsi qu'un jour, alors qu'il menait paître les brebis, il rencontra le serpent, tout petit, presque mort de faim, et il eut pitié de lui. Aussi mince qu'une ficelle, il pouvait à peine bouger, tant il était affaibli. Il lui donna du lait et, chaque jour, quand il arrivait au même endroit, il sifflait, le serpent accourait à sa rencontre, il le nourrissait en trayant ses brebis, et bientôt, la bête forcit, devint magnifique. Il prit l'habitude de l'emmener avec lui, parfois dans sa gibecière, ou niché entre ses vêtements, car le serpent aimait être porté ainsi, collé contre son corps, pour en sentir la chaleur. Il se faufilait par-là, et Reme faisait comme si ses doigts étaient le serpent et les glissait par la jambe du pantalon court, puis montait, montait jusqu'à son sexe, qu'elle caressait, juste un moment, en disant que c'était ça qui plaisait par-dessus tout au serpent, parce que cette petite chose lui faisait l'effet d'une chenille et qu'il devait regarder ailleurs chaque fois qu'il l'effleurait, pour ne pas céder à la tentation et n'en faire qu'une bouchée. Et ainsi, jour après jour, il en allait de même, la première chose que faisait le jeune berger quand il partait dans la campagne avec ses brebis, c'était aller chercher le serpent, qui l'attendait toujours au même détour du chemin, et il s'habitua à lui de manière telle qu'il ne vivait plus que pour le moment où il arrivait à cet endroit avec ses brebis et se mettait à siffler en attendant que le serpent vienne à sa rencontre. La campagne même commença à lui paraître différente, elle n'était plus désormais l'endroit étrange où tout se répandait en lamentations, mais cet autre, merveilleux, où le serpent l'attendait, caché, et où les choses ne s'inquiétaient pas de se demander ce qu'elles étaient, ni ce qu'elles faisaient en ce monde, mais criaient seulement : Je suis là ! Je suis là ! comme si tout ce qui comptait, c'était se rencontrer et être enfin ensemble. Et les jours passèrent ainsi, et les semaines, les mois, un an, et de nouveau les jours et les semaines, les mois et les années, jusqu'à ce que le berger et le serpent fussent devenus grands, même s'ils ne s'en apercevaient pas, parce qu'ils se retrouvaient tous les jours au même endroit et faisaient à peu près la même chose, le berger donnait du lait au serpent, et il lui fallait maintenant traire plusieurs brebis pour le repaître, il le prenait sur ses épaules, mais se fatiguait très vite et, ployant sous le faix, devait lui demander de descendre ; de son côté, le serpent faisait durer autant qu'il le pouvait le contact de leurs peaux, et le jeu de ses anneaux, même s'il ne pouvait plus aussi facilement se glisser sous les vêtements sans les déchirer ni l'enlacer sans lui faire mal, comme la fois où il avait serré si fort que le berger, silencieux sous l'étreinte, s'était évanoui. Ce jour-là, en reprenant conscience, il resta là à regarder le serpent, remarqua pour la première fois à quel point il avait grandi, alla même jusqu'à le mesurer et constata qu'il dépassait les deux mètres, et que sa bouche était si grande qu'il aurait pu avaler d'un seul coup un mouton entier ou une poule, avec ses plumes et tout le reste. Il s'avisa aussi du danger auquel il était maintenant exposé, car on n'avait jamais vu sur ces terres un serpent de cette taille, et il était certain que le premier qui le découvrirait courrait au village prévenir les autres, qui, armés jusqu'aux dents, se lanceraient aussitôt à sa poursuite, et ne renonceraient pas avant de l'avoir tué, comme ils l'avaient fait une fois avec ce loup qui, par un hiver très froid, était descendu des hauteurs de León. C'est ainsi qu'il commença à avoir peur, peur que quelqu'un puisse les voir et aille le dire au village, et peur que le serpent trop confiant se laisse capturer par quelqu'un qui le tuerait pour l'écorcher et aller montrer sa peau à tout le monde. Serpent, il faut que tu sois très prudent, lui disait-il à chaque nouvelle rencontre, et il insistait, lui conseillait d'éviter les hommes, de s'habituer à vivre seul, de ne jamais sortir de sa cachette sauf si c'était lui qui l'appelait. Sur ces entrefaites éclata une guerre terrible, et les messagers du roi vinrent à Rioseco, Villabrágima et les villages des alentours pour recruter les jeunes gens dans leurs troupes. Ils leur promettaient des voyages dans des pays lointains, des aventures avec des femmes merveilleuses, un butin colossal, et les garçons s'y laissaient prendre et s'engageaient dans l'armée. Et ceux qui ne voulaient pas être soldats, ceux qui refusaient d'entendre toutes ces belles promesses et de s'enrôler volontairement, ils les emmenaient aussi avec eux, mais de force, en les entassant dans des chariots comme du bétail que l'on mène à la ville les jours de foire pour le vendre à l'encan. Ce fut ainsi qu'ils ravirent la plupart des garçons de la région, les villages en furent presque dépeuplés ; les mois, les années passèrent, et on ne les voyait pas revenir, parce que les officiers les emmenaient d'un pays dans un autre, et de cet autre à un autre encore, où ils participaient à des guerres auxquelles ils ne comprenaient rien, leurs pensées tournées vers leur village et ceux qu'ils y avaient laissés, les uns leurs parents, leurs frères et sœurs, les autres leur fiancée, et notre berger, ce serpent qui venait le rejoindre sur le chemin quand il passait avec ses brebis. Et le plus merveilleux, poursuivit Reme qui avait de nouveau enlacé Isma dont elle pressait la tête sur son sein, c'est que le serpent le faisait encore, il allait le chercher et, jour après jour, se tapissait dans le tournant en espérant voir venir son ami, au lieu du nouveau berger, son remplaçant, plus pâle, plus vieux, qui marchait en traînant les pieds et avait une voix aigre de corneille. Même s'il souffrait ensuite de voir ses espoirs trompés, il se rendait tout de même au rendez-vous, ne laissait pas passer un seul jour sans aller l'attendre, et le temps s'écoulait, mais plus lentement, tout autrement que quand ils étaient ensemble et qu'il se sentait pareil à un torrent s'égaillant en tous sens, bondissant, semblable aux heures légères des lièvres et des poissons, alors qu'à présent il se traînait amèrement comme s'il charriait des pierres, chaque jour une nouvelle roche arrachée au cœur même de la nuit des serpents, à ces galeries sombres et pleines de bave de son monde, et portée jusqu'au petit tournant où il rencontrait le berger et où celui-ci lui offrait le lait tiède de ses brebis, le son allègre de sa voix et la douceur de son corps. Et tandis qu'il continuait d'aller ainsi à sa rencontre, le serpent grandissait, grandissait un peu plus chaque jour, semblait ne jamais devoir s'arrêter de grandir, grandir encore, aussi longtemps qu'il lui serait donné de vivre, de la même manière, sans arrêt, jusqu'à atteindre des dimensions incroyables, celles des cordillères et des grands fleuves qui parcourent le monde. Il ne devint pas aussi grand que ça, bien sûr, dit Reme en s'étirant, et ses seins ressortirent sous son chemisier comme de petits animaux qui viennent de se réveiller et se lovent dans leur coin, ne songeant qu'au repos, mais, disons, comme cette pièce, et elle traça une ligne imaginaire entre la porte du four et celle de la rue, et sa tête aussi grosse que celle d'une brebis. De quoi faire dresser les cheveux sur la tête, remarqua-t-elle, mais il ne semblait pas en être conscient autrement que par le fait qu'il avait besoin de toujours plus de nourriture, et que les proies qu'il choisissait étaient toujours plus grosses ; il n'avait d'abord chassé que des lézards et de petites taupes, puis était venu le tour des perdrix, des canards, et, une fois, occasion mémorable, d'une outarde qu'il surprit dans son nid et sur laquelle il se jeta avec autant de résolution que d'impétuosité, car la faim le rendait mauvais et il avalait sans réfléchir tout ce qu'il trouvait sur son chemin, il aurait même pu en venir à dévorer les petits enfants, et, sur ces mots, Reme regarda fixement Isma avec un sourire de menace, s'il avait su où les trouver. Et il se rendit compte d'autre chose : que toutes les bêtes avaient peur de lui et couraient se cacher du plus loin qu'elles l'apercevaient, si elles en avaient le temps, parce qu'il suffisait qu'il puisse les approcher d'assez près et les regarder pour que, paralysées d'épouvante, elles soient incapables de fuir, de faire le moindre mouvement, de sorte qu'il n'avait même pas à les poursuivre, il ne lui restait qu'à s'approcher encore un peu et à ouvrir la bouche pour qu'elles passent, entières, dans son ventre. Même les animaux les plus braves avaient peur de lui. Une fois, il rencontra au bord de la rivière un taureau qui était venu boire et qui, en l'apercevant entre les joncs de la rive, prit la poudre d'escampette, affolé, et je ne parle pas des brebis, auxquelles il aimait se montrer brusquement, parce qu'il assistait aussitôt à une débandade générale, et c'était à crever de rire, de les voir toutes courir en se cognant les unes contre les autres, avec leurs têtes qui brimbalaient comme des clochettes. Et veux-tu que je te dise ? demanda-t-elle à Isma en le regardant fixement dans les yeux, tout cela lui plaisait bien, parce qu'il découvrait en lui un pouvoir, lequel résidait surtout dans son regard, un pouvoir plus grand que tous les autres, ceux qui régissaient le cours des autres vies, par exemple, celui des lois de la nature, et, pour ces dernières, il en était même arrivé à se dire qu'il aurait peut-être pu les changer s'il l'avait voulu, mais il ne l'avait pas encore essayé sur les hommes, qu'il redoutait encore, qu'il fuyait dès qu'il les voyait approcher, se souvenant de ce que lui avait recommandé le berger : ne pas se montrer, leur cacher son existence, vivre loin d'eux, de leurs villages, de leurs chemins, parce que le monde des hommes et celui des serpents ne pouvaient se rencontrer sans douleur, et que chacun était condamné à représenter pour l'autre ce qu'il y avait de pire, de plus ténébreux. Voilà pourquoi il ne voulait rien savoir des hommes, pourquoi, quand il en voyait un, il se cachait dans les fourrés et n'en bougeait plus jusqu'à ce qu'il l'eût vu s'éloigner sur le chemin, et, même alors, il attendait encore un peu avant de sortir de sa cachette qu'après cette présence redoutable se fût également effacée son odeur, cette odeur étrange qu'ils répandaient tous et qui rappelait celle du bois et de la graisse brûlée. Alors, quand le vent avait peu à peu dissipé toute trace de son passage, il recouvrait son aise, se sentait de nouveau le plus redouté de tous les animaux et hypnotisait les oiseaux, les poules et les rats d'eau, qu'il tuait parfois seulement pour le plaisir, même s'il n'avait pas d'appétit, à seule fin d'éprouver le pouvoir qu'il avait sur eux, surtout dans ses yeux, car il suffisait qu'il regarde un arbre pendant un moment pour que celui-ci se dessèche. Et sais-tu ce qu'était ce pouvoir ? lui demanda Reme qui s'était penchée au-dessus d'Isma et lui parlait les lèvres collées contre son cou, celui d'obtenir ce qu'on veut, oui, de posséder toutes choses, de les faire siennes, toutes, les plantes, les pierres du chemin, les agneaux et les perdreaux, mais aussi de pouvoir les abandonner, les oublier quand on se lasse d'elles, et de le faire sans remords, sans avoir à se demander si c'est bien ou mal. Et cette force, il sentait qu'il pouvait l'exercer sur tout, sauf sur ce berger, et ça, il ne pouvait le comprendre. Il ne comprenait pas ce qui se passait, ni pourquoi il venait tous les jours au tournant du chemin, pour attendre qu'il daigne apparaître, ni pourquoi ensuite, quand la nuit était tombée, il regagnait l'obscurité de sa caverne sans avoir la moindre envie de faire quoi que ce soit, se demandant pourquoi, avec toute sa puissance, il ne pouvait obtenir une chose aussi simple : le faire revenir. Et il se disait parfois que quand il reviendrait enfin, il le tuerait, et il se voyait se jeter sur lui à son retour et l'étouffer dans ses anneaux, parce qu'il était enragé de devoir l'attendre aussi longtemps, mais il lui arrivait aussi de songer à ce retour comme à la plus belle des choses qui pouvait se produire, et la scène était alors très différente, il voyait le berger apparaître et s'élançait à sa rencontre, tandis que le berger courait vers lui, de son côté, et ils s'enlaçaient ardemment, follement, car ils rêvaient tous deux de cet instant depuis des années, auprès de quoi tout ce qui les environnait, les nuages, les feuillages des arbres, les cardons des rigoles, mais aussi tout ce qu'ils avaient laissé derrière eux, lui la nuit des serpents et le berger le monde des hommes, leur paraissait peu de chose et ne comptait plus.

Mais un jour, tout parut changé au serpent, dès son réveil. Il ne savait pas ce qui se passait, c'était curieux, rien n'était comme d'habitude, il avait l'impression que tout ce qui l'entourait lui cachait quelque chose, une nouvelle que les entours préféraient, avec à la fois un certain plaisir et une légère honte, garder pour eux, ne confier à personne. Que se passe-t-il ? demandait-il, mais on ne lui répondait pas, et le serpent comprenait qu'on ne voulait rien lui dire, en remarquant que les choses, autour de lui, s'esquivaient, se dérobaient, se soustrayaient autant qu'elles le pouvaient à son regard, c'était ce qui faisait que rien n'était plus pareil, que le temps infini où elles s'offraient pleinement à sa curiosité sans rien cacher, rien garder pour elles, semblait avoir pris fin et cédé place à un autre, dans lequel elles recelaient désormais un espace clos, un trou, un cœur impalpable. Et c'était comme si ce cœur qu'elles avaient à présent et qui leur permettait de s'ouvrir à d'autres vies, à d'autres corps, à d'autres goûts et à d'autres pensées les éloignait de tout ce qu'elles avaient été jusqu'alors, que c'était là le prix à payer pour avoir un cœur, et que celui qui ne voulait pas payer ce prix demeurait sans âme. Cependant, le serpent, qui sait pourquoi, avait toujours l'impression que ce secret, cette nouvelle qu'on lui cachait, était lié à un événement survenu au village, et quand il posait des questions qui restaient sans réponse, il lui semblait voir un éclat blanc, entendre le bruit de quelque chose que le vent agitait et gonflait, qui ne pouvait exister qu'au village, parce que la chose avait cette propriété particulière que seuls peuvent avoir les produits de la main de l'homme et qui les fait paraître à la fois proches et lointains, réels et rêvés, joyeux et terribles. Et il décida d'aller au village. C'était la première fois qu'il osait le faire, parce qu'il n'avait jamais oublié ce que le berger lui disait des hommes et jamais ne s'était approché d'eux. Il le fit pourtant, rempli de crainte, en se glissant par les chemins les plus détournés jusqu'aux premières maisons, sur les toits desquelles il put se déplacer plus librement et sans sursauter à chaque instant. Alors, il vit le berger, car c'était là ce qui se passait, ce que toutes les choses autour de lui savaient depuis longtemps mais n'osaient lui dire : le berger était revenu après dix ans d'absence, était devenu un beau jeune homme vigoureux, plein de qualités aussi douces que surprenantes, et il n'était pas seul, mais accompagné d'une femelle de son espèce, une jeune fille aussi belle et gaillarde que lui. Et il sentit que les choses, autour de lui, ne lui avaient pas seulement caché la nouvelle de ce retour, mais encore un secret qui se rapportait à cette jeune fille, et dont il ne parvenait pas à deviner la nature. Il perçut de nouveau l'éclat blanc et le claquement violent de la toile tendue, mais il avait beau regarder, il ne comprenait pas de quoi il s'agissait ni d'où ce bruit et cet éclat pouvaient bien venir. La jeune fille et le berger n'arrêtaient pas de parler, saluaient tout le monde en riant, et arrivèrent enfin dans une ruelle obscure où ils se tournèrent l'un vers l'autre et restèrent là à se contempler, sans rien faire d'autre que se regarder inlassablement dans les yeux, avec une attention et une intensité telles qu'il était difficile de dire s'ils éprouvaient, ce faisant, du plaisir ou de la peur. Et Reme regarda longuement Isma, suivit doucement du bout de l'index la ligne de ses sourcils en lui soufflant à l'oreille : Ils se regardaient comme je te regarde, toi ; mais elle le dit avec une grimace de douleur, parce que, en vérité, elle pensait à Javi, qu'elle avait surpris la veille au soir en compagnie de Rosarito dans une attitude qui l'avait remplie d'inquiétude. Rosarito était particulièrement en beauté, avec sa robe un peu trop déboutonnée, au point que l'on voyait les dentelles de sa combinaison, et Javi avait approché les lèvres de son oreille, comme elle venait de le faire avec Isma, pour lui dire quelque chose, quelque chose qui avait fait rayonner le visage de Rosarito comme si un nuage avait dévoilé le soleil, qui se serait remis à briller de tout son éclat.

C'est ce que vit le serpent, le berger se penchant vers l'oreille de cette jeune fille et lui disant quelque chose qu'il ne put entendre mais qui devait être très tendre, car le visage de sa compagne devint radieux. Tout d'abord, le serpent, honteux d'avoir surpris cette scène, fit demi-tour, regagna la campagne et alla se cacher dans sa grotte, mais, un peu plus tard, cette honte se mua en rage, parce qu'il lui sembla que le berger l'avait trahi, et que c'était la faute de la jeune fille s'il avait oublié sa promesse et n'était pas venu à sa rencontre. Et, de nouveau, les jours passèrent, le serpent se rendait sur le bord du chemin, mais le berger ne se montrait pas. C'était une situation très pénible pour le serpent, qui avait une telle peine qu'il ne pouvait même plus chasser, ni errer dans la campagne, sinon pour aller attendre le berger au tournant de la route. Il ne mangeait pas, sortait à peine de sa caverne, entre autres raisons parce que les animaux des champs, les arbres, enfin, tout ce qu'il croisait sur son chemin semblait dire la même chose : Il ne reviendra pas ; voilà ce qu'il entendait dire en allant vers le tournant, que le berger ne reviendrait jamais et que lui, le serpent, n'avait que ce qu'il méritait, avec tout le mal qu'il avait fait. S'il descendait boire à la rivière, il en allait de même, de toutes parts, les choses et les animaux chuchotaient sur son passage et se réjouissaient que le berger soit au village mais ne veuille pas monter le voir, et c'était ainsi qu'ils tiraient vengeance de tout ce que leur avait fait subir le serpent et en profitaient pour se rebeller contre son pouvoir, en lui faisant sentir qu'en définitive il n'était pas aussi puissant qu'il le croyait, et que c'était là la leçon que tôt ou tard recevaient tous les puissants

215

de ce monde, qui étaient un jour forcés d'assister à ce spectacle pour eux incompréhensible : un mot, une petite fille, ou la feuille la plus chétive d'un arbre leur barrait le chemin et les terrassait, tout simplement parce que ce mot, ou cet être apparemment sans défense, parvenait à se loger là où leur cœur était à nu. Deux fois encore, le serpent retourna au village et épia le berger, qui maintenant ne se gênait plus pour sortir bras dessus bras dessous avec la jeune fille rieuse, et, de temps en temps, se tournait d'un côté et de l'autre comme s'il le cherchait du regard, lui, le serpent, comme s'il sentait sa présence tapie dans un coin du village, ou savait qu'il les suivait et les guettait à la dérobée, mais aussi comme s'il en profitait pour lui faire savoir qu'il n'y avait rien à faire : les bergers étaient nés pour vivre auprès des jeunes humaines, et c'était justement pourquoi, chaque fois qu'une jeune fille et un serpent s'étaient disputés l'un d'entre eux, le jeune homme avait toujours fini par choisir la créature de son espèce, car le monde des serpents est aussi froid que l'eau suintant des glaciers et plein de mucus, les serpents doivent ramper sur le sol, tandis qu'eux ont la peau tiédie par les mets qu'ils font cuire, leurs lèvres répandent sans cesse des paroles et ils se déplacent avec la légèreté des canards dans les rivières. Un jour, le serpent se trouva seul avec elle. En la voyant venir, du haut du toit où il s'était tapi, avec le foulard qu'il avait jadis vu sur le berger, il pensa descendre dans la rue, la guetter, caché dans un coin, et se jeter sur elle, mais la jeune fille pénétra brusquement dans une maison, et il l'aperçut bientôt par une ouverture ; alors, il entendit ce bruit qui avait déjà frappé ses oreilles tandis qu'il essayait d'obtenir des choses qu'elles lui disent ce qui se passait, il vit les draps étendus dans la cour, les éclats blancs que le soleil en tirait en les éclairant, et comment les souffles de vent les gonflaient et les faisaient claquer comme des voiles de navire, et ces draps clamaient que les noces étaient pour bientôt, alors, il comprit que c'était la nouvelle que les choses annonçaient depuis longtemps et qu'il n'avait pas voulu entendre : l'heure était venue pour le garçon de prendre femme, et, entre toutes les femelles de son espèce, il avait choisi cette jeune fille. Il attendit jusqu'à la nuit, à l'abri de la toiture, et la promise réapparut et se mit à se déshabiller à la lueur d'une chandelle, ôta sa robe, puis sa combinaison, et lui apparut enfin nue, la poitrine découverte ; aussitôt, il se souvint des mamelles des brebis et du lait que le berger en avait si souvent tiré pour le lui donner, à lui, mais les seins de la jeune fille lui parurent infiniment plus beaux ; une fois encore, les filles des hommes remportaient la palme, c'était à croire qu'entre toutes les créatures du monde elles avaient eu le bonheur d'être de naissance les plus belles, et sans doute le lait de leurs seins devait-il être le plus doux, voilà pourquoi le berger avait jeté son dévolu sur elle ; il semblait bien que les jeunes filles obtenaient des hommes tout ce qu'elles voulaient en les conduisant dans des endroits écartés où elles leur donnaient le sein, leur faisaient boire leur lait, un lait à la saveur incomparable, qui les rendait fous, parce que, dans le fond, aussi grands et forts qu'ils pussent paraître, tous se rappelaient avoir tété le lait de leur mère, ne pouvaient jamais en oublier la saveur et ne vivaient que pour y goûter encore. Le serpent ragea de n'avoir ni bras ni jambes pour pouvoir s'habiller comme elle, ni mains ni doigts, ni, surtout, ces seins dorés comme le pain blond, le caramel bouillant. Il devint fou, parce qu'il ne voulait pas être un serpent mais une jeune fille, et la nuit des serpent qui, jusqu'alors, lui avait procuré de suprêmes délices, lui parut odieuse, il ne pouvait penser aux digestions interminables, au terrible silence de son corps, aux mues, à tout ce monde de mucosités et d'aguets nocturnes sans frémir, sans se dire que c'était un monde horrible dans lequel il ne pourrait jamais entraîner le berger, qui jamais ne pourrait s'habituer à y vivre, puisqu'il aimait le monde douillet des cuisines, des draps étendus, des jeux sur la place et des champs regorgeant de blé, et à cette pensée, son âme n'était plus que ténèbres, chaque heure qui passait le découvrait plus farouche, plus vindicatif et mauvais. Enfin, un jour, le berger vint le voir, il se souvint de lui et monta le chemin en pensant qu'il ne le trouverait pas, qu'il était sans doute mort, ou avait quitté la région, et, en arrivant au tournant, il se mit à siffler, et le serpent, qui était dans sa caverne, immobile, somnolent, l'entendit mais ne reconnut pas d'emblée son sifflement, ce fut seulement quand le berger siffla encore qu'il sortit de sa torpeur, de son inertie, encore qu'en se disant : Allons, ce n'est que le sifflement du vent dans les joncs ; mais il secouait de plus en plus sa torpeur, était de plus en plus attentif, bien qu'il se refusât encore à reconnaître que ce qu'il entendait était bien le sifflement du berger, qu'il prenait maintenant pour un chant d'oiseau, celui de l'eau giclant des vannes, jusqu'au moment où il ne put se leurrer plus longtemps et quitta la caverne, ce monde étrange plein de peaux mortes et de contacts épouvantables, pour aller à travers champs à sa rencontre. Et le berger était là à l'attendre et, en l'apercevant, il lui tendit les bras ; le serpent oublia tout, les années de solitude, d'attente interminable, la trahison, et courut vers lui, si vite qu'il ne put voir l'expression d'horreur qui se peignit sur le visage du berger quand celui-ci s'avisa de sa dimension réelle, et, privé de toute possibilité de fuite, demeura figé tandis que le serpent nouait autour de lui ses anneaux. Il ne vit pas davantage à ce moment-là son expression d'épouvante, qui se nuançait cependant d'une indéniable douceur, une douceur qui ne semblait guère convenir à un pareil moment, mais qui se maintenait obstinément au centre même de cette scène ténébreuse, pareille à un oiseau qui se serait égaré dans une nuit de crimes et voletterait d'un côté à l'autre sans percevoir le danger, qui serait même capable de descendre jusqu'aux grosses glandes où s'accumule le venin pour s'y mouiller les plumes et, c'était là le plus important, faire tout cela sans juger ni accuser personne de ce dont il était témoin. Le vol de cet oiseau retint un moment le serpent, ses yeux plongèrent dans ceux du berger et ils échangèrent un regard de merveilleuse entente, conscients tous deux que, quoi qu'il advienne, ils se reconnaîtraient toujours, à n'importe quel endroit de la terre, même si, aussitôt après, le serpent perçut de nouveau l'éclat blanc et le claquement des draps dans la cour, il va se marier, il va se marier et, fou de jalousie, se mit à serrer progressivement, toujours plus fort, pendant que le regard du berger, qui ne se rebellait pas contre ce qu'il lui faisait mais semblait le comprendre sinon l'encourager à poursuivre, devenait toujours plus doux, car la mort de l'un d'eux, c'était le prix à payer, le prix qu'il faut toujours payer quand un berger et un serpent décident de s'aimer. Il serra encore plus fort, et Reme, qui avait pris Isma dans ses bras, faisait de même, serrait elle aussi de toutes ses forces, tandis qu'Isma, aussi blanc que le mur, la regardait en souriant, et le berger souriait aussi, parce qu'il ne pensait plus à la jeune fille qu'il avait laissée au village, mais à toutes les fois où lui et le serpent s'étaient retrouvés, quand il venait siffler sur le bord du chemin et que le serpent sortait des broussailles, qu'il trayait les brebis pour lui donner leur lait, et qu'il le voyait grandir et grandir encore, jusqu'à devenir la plus belle créature de cette terre terrible, et le serpent cessa de voir l'éclat blanc des draps étendus, et, à la place, commença à sentir les battements toujours plus faibles du cœur du berger, qui lui disait de continuer, de serrer encore un peu, que peu lui importait de mourir, jusqu'au moment où le dernier soupir poussé, il sentit le corps inanimé, enfin sans vie, mêlé au sien, se sépara tout doucement de lui et le vit étendu sur le sol, la tête inclinée comme celle des poupées de son dont se servent les bateleurs pour faire leurs numéros. Non, poursuivit Reme en reprenant haleine et en relâchant à son tour la tension de ses bras, si bien qu'Isma put respirer librement entre eux, ce n'est pas vrai que le serpent a tué le berger sans le vouloir, par mégarde, en se laissant emporter par la joie de le revoir après toutes ces années d'absence sans plus mesurer ses forces, il l'a fait délibérément, progressivement, conscient de son acte, et décidé à aller jusqu'au bout, comme tous ceux qui, comprenant qu'ils ne peuvent retenir ce qu'ils aiment, préfèrent le détruire avant qu'un autre ne s'en empare et ne se l'approprie. Il l'a tué pour cette seule raison, parce qu'il avait vu cet éclat et entendu le claquement des draps qui disaient qu'il allait se marier avec la jeune fille, et parce qu'il était fou de jalousie à l'idée que le berger avait pu l'oublier.

Reme s'interrompit encore pour reprendre haleine, et jeta tout autour d'elle un regard perdu, comme si elle ne savait plus où elle était. Son expression était grave, et Isma, appuyé contre sa poitrine, entendait battre son cœur. Brusquement, elle fit un bond. Zut ! Les gâteaux !, le repoussa, courut au four. Ils ne sont pas brûlés, c'est un véritable miracle ! s'exclama-t-elle, et, s'adressant à Isma avec un air menaçant, elle lui dit : C'est de ta faute, tu me distrais. Elle sortit du four les gâteaux de madame Carmen, et les fit glisser sur la table. Puis elle se tourna vers Isma. Maintenant, va-t'en, j'ai du travail. Isma était déjà à la porte quand Reme s'adressa de nouveau à lui : Et alors ? lui demanda-t-elle, je n'ai même pas droit à une bise ? Isma courut jusqu'à elle et l'embrassa sur la joue, aussi chaude que la porte du four. Les gâteaux étaient alignés sur la table. Il y en avait des ronds et d'autres en forme d'étoile. Tous étaient impeccables, parce que Reme les moulait à merveille. Tu en veux un ? lui demanda-t-elle avec un sourire tentateur. Isma hocha la tête. Ils étaient encore brûlants. Attends un peu qu'il refroidisse, dit-elle, sinon, tu auras mal à l'estomac. Mais Isma le fourra tout entier dans sa bouche dès qu'il fut dans la rue. Il pensait au serpent, ce devait être comme ça qu'il avalait les animaux, en n'en faisant qu'une bouchée, et aussi à la dernière fois qu'il était allé à Rioseco avec Reme. Ils étaient partis à bicyclette pour aller voir la peau du serpent. Elle était pendue dans l'église de Santa María, au-dessus de la porte principale, et, depuis le temps qu'elle était là, on voyait encore ses petites écailles et ses dessins zigzagants, qui semblaient imiter le cours de la rivière et les sentiers de montagne. Mais aussi le tracé des éclairs par les sombres soirs de tempête. En arrivant aux Cuatro Cantones, il vit Puri, avec le poisson. Elle parlait à Marta la Pétoche devant sa porte, et elles lui firent signe de les rejoindre. Dis à Reme qu'il faut que je lui parle, lui lança Puri en interrompant un instant leur discussion. Marta la Pétoche ouvrit son paquet et lui montra ce qu'il contenait. C'étaient des sévereaux, ils brillaient sur le papier brun comme des morceaux d'ardoise. On dirait les couteaux de l'Éventreur, lui dit-il, ses petits yeux étincelants. Et Isma sourit aussitôt de toutes ses dents. Bien vu ! s'écria Puri, rayonnante et, avant de se tourner de nouveau vers Marta la Pétoche, elle dit encore à Isma : C'est très malin... et elle l'embrassa.

Sur la place, il rencontra le Basque, qui lui dit que Canela, la chienne de Jandri, venait de mettre bas. Il y avait huit chiots en tout. Au cours de l'après-midi, on irait les jeter à la rivière, parce que madame Maura avait déclaré qu'elle ne voulait pas de bête chez elle. Il faut en garder un, fit Isma, qui avait entendu dire que si on leur enlevait tous leurs petits, les chiennes devenaient folles. Il eut envie d'aller les voir, mais il préféra retourner à la boulangerie. Tu es encore là ? dit Reme à mi-voix. Puri a dit qu'elle voulait te parler, lui annonça-t-il tout bas. Et voilà ! lança-t-elle, fâchée. Le petit commissionnaire ! Mais sa contrariété disparut aussitôt. Allez, viens, fit-elle avec un geste de la main. Et elle lui donna un autre gâteau, en forme d'étoile. Elle était à côté des portes du four, la chaleur avait fait rougir ses joues, mais son visage était pourtant frais et tout propre, comme si elle venait de le laver à l'eau bouillante sans se brûler. Isma songea qu'elle était peut-être bien capable de mettre la main dans le four et de saisir une braise rougeoyante. Je te l'ai dit mille fois, insista-t-elle, ils profitent tous de toi. Et, après un bref silence, elle ajouta, sur un ton peiné : Ils te traitent comme un petit chien sans maître. Mais, aussitôt qu'elle eut enfourné les gâteaux, elle lui confia elle aussi une commission : Si tu vois Javi, dis-lui que je n'ai pas l'intention d'aller sur la place cet après-midi. Elle rageait encore de ce qu'elle avait vu, et ne pensait à rien d'autre qu'à ce qu'elle pourrait bien faire pour se venger de lui et de Rosarito. Alors, Isma lui dit que Canela venait d'avoir des petits et qu'on voulait tous les lui enlever. Ils ne peuvent pas faire ça, gémit Reme tout doucement, et ses joues furent bientôt baignées de larmes, elle va mourir de chagrin.

# 11

Rosarito était dans la cour et, du seuil, sa mère l'appela à grands cris. Laissez, dit Reme, j'y vais. Elle connaissait le chemin et se dirigea vers la cuisine. Les casseroles en cuivre accrochées au mur brillaient comme des casques de soldats. Quand elle arriva dans la cour, Rosarito se tourna vers elle et lui sourit. Elle venait de se laver les cheveux, de se mettre des bigoudis, et même ainsi, elle était belle. Reme se dit que c'était vraiment étrange de la voir dans cette cour tellement sale, avec ces vieilles poules déplumées et ces bouses de vache, où elle paraissait vraiment ne pas être à sa place.

Je suis montée voir ma tante, dit Reme en guise d'excuse, et comme elle croisait les mains derrière son dos, elle se souvint que Javi, en le voyant faire ce geste, lui disait qu'elle ressemblait à un séminariste. Rosarito lui fit signe de s'approcher, et Reme s'assit à côté d'elle, les mains toujours croisées dans le dos, comme si Javi l'observait, derrière la clôture. Tu es un traître, songea-t-elle, sur le point de pleurer. Les liserons étaient couverts de petites fleurs blanches et les moineaux qui heurtaient les tiges en se poursuivant les détachaient et les faisaient tomber. On aurait dit que sur le sol de la cour, de ce côté-là, on avait semé des grains de riz. Rosarito sentait très bon, elle semblait avoir passé son après-midi enfouie dans les liserons et n'en être sortie que pour l'accueillir. D'un endroit vague, lointain, leur parvenait le martèlement d'un moteur. Ils doivent arroser, dit Reme, pour qui le silence devenait pesant. En réalité, elle était furieuse, mais ne voulait pas le montrer, elle ne voulait pas que Rosarito pût deviner les véritables motifs pour lesquels elle était venue la voir cet après-midi. Rosarito, la brosse à la main, regarda les cheveux qui s'étaient emmêlés aux poils, puis chercha le regard de Reme et se lança avec entrain dans le récit de son déjeuner avec sa belle-sœur Marilar, qui n'avait pas arrêté de lui raconter des histoires de Galice. Par exemple, qu'à Cée, près de Finisterre, quand elle était petite, on ramassait les cheveux coupés tombés par terre et on les brûlait. On ne pouvait pas les jeter à la poubelle parce que « cheveu chrêmé ne doit être foulé ». Sais-tu ce que ça veut dire ? lui demanda-t-elle. Reme fit signe que non d'un mouvement de tête. Qu'on ne peut marcher sur les cheveux, parce qu'ils ont été oints par l'huile sainte du baptême. Ils croient aussi, ajouta Rosarito, en lui montrant la brosse, qu'il ne faut pas jeter les cheveux qui tombent quand on se coiffe, parce que si un oiseau s'en sert pour faire son nid, on aura mal à la tête, et qu'il ne faut pas couper les ongles des enfants de moins d'un an, c'est la mère qui doit les ronger, jusqu'à cet âge-là. Ah bon, et pourquoi ? fit Reme, souriante, parce qu'elle trouvait très belle l'image de la mère rongeant les petits ongles de son bébé. Pour éviter que quelqu'un s'en empare et s'en serve pour lui jeter un sort, expliqua aussitôt Rosarito. Puis, sans même que Reme eût cherché à lui tirer les vers du nez, elle lui parla de Javi, lui raconta qu'elle l'avait vu la veille, dans l'après-midi. Elle était allée à l'église avec sa tante Daniela, et, en sortant de la neuvaine, elles l'avaient rencontré dans la cour, où ils avaient bavardé un moment. Et devine de qui on a parlé, fit-elle en approchant son visage de celui de Reme. Ses yeux brillaient comme l'eau des puits, du même éclat provocant et secret. Reme haussa les épaules, essayant de dissimuler son trouble, parce que dès l'instant où Rosarito avait évoqué Javi, sa gorge s'était nouée et elle avait senti la cadence de son sang s'emballer dans ses veines. De qui veux-tu que ce soit ? s'écria Rosarito, sourire aux lèvres, en se levant et en ôtant ses bigoudis, mais de Remedios Carro, bien sûr. Reme se dit que tous les oiseaux des alentours devaient avoir les yeux posés sur cette magnifique chevelure, et guetter l'occasion propice. Rosarito était lancée, rien ne pouvait plus l'arrêter. Il est fou de toi, précisa-t-elle, et elle lui parla de la chance qu'elle avait, parce que Javi était un garçon délicieux, pas comme ceux du village, qui n'étaient que des brutes. Elle passa aussitôt à Jandri, disant que les choses, entre eux, en étaient au point où il valait mieux qu'ils ne se voient plus, parce que, s'ils continuaient comme ça, il y aurait un drame. Et elle lui raconta que dernièrement, un soir, Jandri était monté la chercher complètement saoul, et que, comme elle refusait de descendre, il avait fait des tours et des tours devant chez elle avec sa bicyclette, en appuyant sur le timbre jusqu'à ce que Caballero sorte de chez lui et le chasse à cause du tintamarre qu'il faisait. Plus tard, ils s'étaient rencontrés sur la place et Jandri l'avait regardée avec une telle haine qu'il lui avait fait peur. Je t'assure, Reme, lui dit Rosarito avec une expression où la peur et le plaisir se mêlaient, on aurait dit le comte Dracula. Elles entendirent sonner les cloches de Santa María et prêtèrent l'oreille. Chaque sonnerie avait sa signification et elles comptèrent en elles-mêmes les coups de cloche. Ce sont les vêpres, dit Reme, qui se leva, sous prétexte que sa tante l'attendait. C'est vrai, vas-y, murmura Rosarito, moi aussi je me suis mise en retard. Elle l'accompagna jusqu'à la porte. Personne n'aime être ce qu'il est, fit-elle à mi-voix en se penchant pour l'embrasser, mais, aussitôt après, quand leurs regards se croisèrent de nouveau, elle sourit, comme si elle ne se souvenait plus de ce qu'elle venait de dire, ou comme si les paroles c'était une chose, et les compromis qu'il fallait faire pour rester en vie une autre. Comme si les paroles étaient le cheveu qu'emportaient les oiseaux.

Reme était si contente qu'en arrivant au sommet de la côte, elle se mit à courir. Elle pensait à Javi, au bar de la grand-route, et n'eut plus qu'un désir : que dimanche arrive et qu'elle puisse retourner dans ce bar et s'asseoir avec lui à la table proche de la fenêtre. La couleur verte des éclairages au néon donnait à cette table un air tremblant et étrange, elle semblait plongée dans les profondeurs vertes de la mer. Elle se souvint de ce qui s'était passé, la dernière fois : Javi était allé mettre un disque et, en revenant près d'elle, il l'avait regardée avec étonnement, comme s'il doutait que cet instant fût réel. Elle le regardait elle aussi de la même manière. On eût dit qu'ils étaient sous l'eau et que d'un moment à l'autre ils allaient nager en direction du lustre. Puis elle pensa à Jandri, et à quel point il différait de Javi. En fait, celui à qui Jandri ressemblait le plus, c'était à Quico. Ils étaient comme des bêtes, qui devaient aller se cacher quand elles se sentaient blessées.

En passant devant le lavoir, elle vit Puri et Gabina et courut à leur rencontre. Puri et Gabina la regardèrent avec des yeux ronds, ceux d'un veau sur le point de beugler pour appeler à l'aide. Aujourd'hui, j'ai l'intention de ne rien faire, leur dit Reme, mais, un instant plus tard, elle les aidait à essorer le linge. Quand elles eurent fini, elles se mirent à parler. Vous voulez que je vous dise ce qu'il en est ? demanda Puri. Elle faisait allusion à ce qui lui était arrivé avec le muet. Il était si expressif, expliqua Puri. On aurait dit qu'il parlait avec ses yeux. Elles demeurèrent un moment silencieuses. La chaleur était terrible et le jet d'eau qui giclait du tuyau faisait une musique bénie. Il donnait envie de mettre sa tête dessous. Chiche que tu n'entres pas là, dit Gabina à Puri. Ah, non ? répliqua cette dernière, et, sans hésiter ni perdre un instant, elle enleva ses chaussures et enjamba le rebord du bassin. L'eau lui arrivait seulement aux genoux, aussi prit-elle le parti de s'asseoir. Le tissu de sa robe tremblait à la surface comme la crème du lait. Elles l'accompagnèrent chez elle en riant comme des folles. Sa grand-mère était là, qui demanda : Qu'est-ce qui te prend, ma fille ? Rien, grand-mère, je vais me changer. Elle laissait derrière elle des taches d'eau et semblait faite d'une substance resplendissante qui se répandait à son passage. Sa grand-mère, qui y voyait à peine, pointait le nez sur ces traces en se demandant d'où elles avaient bien pu sortir. Elles montèrent ensemble à la chambre de Puri et l'aidèrent à se changer. La pièce, comme les autres, était pauvre et sans grâce, et Reme éprouva la même impression qu'elle avait eue un peu plus tôt chez Rosarito, aucune des deux n'était où elle aurait dû être. Tout le secret était là, quelque chose manquait, la véritable vie faisait toujours défaut. Mais Puri ne semblait pas s'en soucier, parce qu'elle avait le don particulier de marier, avec un naturel époustouflant, les choses les plus extravagantes avec les plus communes. Il suffisait de voir ce qui s'était passé avec le muet, par exemple. Elles étaient allées aux fêtes de Morales, où Puri avait passé des heures entières avec un muet, sans même découvrir son défaut, et elle avait encore eu le front de leur répéter des fragments entiers d'une conversation qui n'avait pu avoir lieu. Un autre fois, un taureau brave s'était échappé, et Puri, qui devait être la seule du village à ne rien en savoir, avait réussi à le chasser en le fouettant avec une brassée de joncs, croyant qu'il était inoffensif, pour se faire une place dans le champ où étendre son linge. Puri ouvrait de grands yeux quand elle racontait ces choses-là, même les plus insolites, avec un mélange de sérénité et de fascination, comme si les banalités et les exceptions d'importance étaient indissolublement mêlées. D'après madame Benilde, la vie était pour elle une de ces tapisseries mêlées de fils d'or, qui ne sont cependant pas tressés avec les autres, plus vulgaires, et dont les touches exceptionnelles transfigurent les moindres motifs, une vasque, une main, un oiseau, sans que cet or ait le moindre soupçon que sa nature, au contact des vulgarités du monde, pourrait être gravement altérée.

Mais ce n'était pas tout, car elle semblait bien avoir fait un pacte avec les choses curieuses de ce monde, pour qu'elles lui arrivent à elle, de préférence, ou se produisent en sa présence, ce qui était d'autant plus incompréhensible qu'elle était un prodige de normalité. D'ailleurs, elle ne s'en inquiétait pas outre mesure et n'en tirait pas davantage de grandes conclusions, bien entendu. Elle semblait toujours se trouver où elle n'aurait pas dû être, victime de tribulations destinées à une autre, parce qu'elle passait là par hasard. Mme Benilde avait déclaré devant Gabina, Andreona et Reme que si Puri avait vécu à Nazareth, ce n'est pas la Vierge Marie que l'ange serait allé visiter, mais elle. Se serait-il trompé ? L'affaire aurait pu donner lieu à plus d'une discussion théologique, mais elles n'étaient pas suffisamment rompues à ce genre d'exercice. En tout cas, si cela lui était arrivé à elle, elle serait maintenant dans les Évangiles, et je suis sûre d'une chose, avait ajouté madame Benilde l'après-midi où elles en avaient parlé, c'est que les Évangiles ne se seraient pas terminés de la même manière. Gabina, Andreona et Reme étaient tombées d'accord avec elle. Puri aurait demandé une audience à Pilate, et tout se serait conclu d'une façon beaucoup plus sensée. Surtout pas par une crucifixion, c'était certain. Mais qui sait comment. Dans le meilleur des cas, avec Pilate à la cuisine, battant des œufs pour préparer selon les indications de Puri un de ces desserts comme elle en apportait parfois à la boulangerie, et qui leur glaçait le sang dans les veines, parce qu'il était hors de question de les manger et de lui faire comprendre qu'elle ferait mieux de se consacrer à autre chose, vu que ses talents de pâtissière n'étaient pas précisément de ceux qu'il convient de cultiver. Mais qui eût pu lui dire la vérité, quand elle vous regardait avec ses yeux démesurément écarquillés, languides et somnolents, comme si elle attendait seulement qu'on lui eût dit que c'était délicieux pour annoncer qu'elle allait faire une petite sieste, si bien qu'il ne restait plus qu'à lui mentir encore une fois ?

Mme Benilde disait souvent que Puri était un ange sans la moindre malice. Elle n'en avait peut-être pas, mais ce qui lui arrivait parfois n'était guère de nature angélique. Ce fut elle qui, la première des quatre, contempla une érection, par exemple. Elle se promenait sur le bord de la rivière quand elle avait aperçu de loin les brebis de Poldo. Topete devait vadrouiller dans le coin, parce que c'était lui qui les menait paître. Elle alla à sa rencontre. Topete était son cousin, il avait à peu près le même âge qu'elle, mais elle le dépassait d'une tête, car il était plutôt trapu, ce qui lui valait son surnom de Bondon[1]. Il était cependant très dégourdi et amusant, et il n'avait aucun complexe. Pendant les fêtes, il était le premier à les faire danser. Comme son visage leur arrivait à peu près à la hauteur des seins, il profitait de l'aubaine, mais avec une telle spontanéité, une telle insouciance que, hormis Rosarito, elles le laissaient faire, surtout en été, quand elles portaient des robes légères décolletées et que sa barbe les piquait. Petit profiteur, lui disaient-elle. Arrêtez de vous plaindre, vous adorez ça, rétorquait-il tranquillement. Elles ne faisaient même pas mine de se fâcher, parce que rien en lui ne semblait vicieux, ni dangereux, c'était comme aller cueillir les mûres, que l'on mange sans faire de chichis à mesure qu'on les arrache aux ronciers, et ça n'allait pas plus loin, ils ne faisaient de mal à personne et les ronciers ne se flétrissaient pas sur pied quand ils les touchaient, voilà ce que leur disaient les regards de Topete quand il les invitait à danser et les serrait tellement fort qu'il leur coupait presque le souffle : À qui faisons-nous du mal ? Et elles, bien sûr, ne pouvaient que répondre : À personne. Dès lors, elles étaient tombées dans son piège, dans lequel, il est vrai, elles n'étaient pas si malheureuses. Bref, Puri alla donc à sa recherche, et elle le trouva endormi. C'était l'heure du déjeuner, il avait sans doute englouti un pain entier et le lard qui allait avec, le sommeil s'était emparé de lui, et il s'était assoupi à l'ombre d'un chêne vert. Alors, la chose s'était produite. Topete avait déboutonné son pantalon, qui devait le serrer, et, en se tournant, avait tout déballé. Mieux valait ne pas se demander à quoi il rêvait, car son engin était dressé comme un piquet. Et il était si long et si épais qu'au dire de Puri, avec les deux

1. *Topete* signifie gros bouchon, *bondon*. *(N.d.T.)*

mains jointes, on n'aurait pu en faire le tour. Puri en resta stupéfaite, sans plus savoir que faire. Elle avait peur, si elle bougeait, qu'il pût se réveiller et la surprendre dans une situation si compromettante, parce qu'elle était certaine qu'il suffirait que Topete ouvrît un œil pour deviner ce qu'elle avait en tête, et qu'il valait mieux que personne ne sût. Ce n'est pas possible qu'on puisse faire ça, disait-elle ensuite à Gabina et à Reme quand elle leur racontait la scène. Que tu es bête ! lui répondaient-elles, elles aussi un peu plus nerveuses qu'elles ne l'auraient voulu, les enfants ne viennent-ils pas par le même endroit ? Et, sans pouvoir s'arrêter de rire, elles lui posaient toutes sortes de questions, moins pour savoir ce qu'elle avait vu, ce qui les intéressait aussi, que pour voir la tête qu'elle ferait en le racontant, comme la fois où elle était devenue tellement rouge qu'elles s'étaient imaginé qu'elle allait éclater.

Deux jours après, Puri rencontra Topete. Elle portait un panier avec les commandes de poisson, et son émotion fut telle qu'il lui échappa des mains. Les poissons sautèrent du panier et glissèrent sur le sol dans toutes les directions, avec tout l'élan et la vivacité des courants marins. Qu'est-ce qui lui arrive, à celle-là ? demanda Topete à Gabina et à Reme quand, quelques instants plus tard, il les croisa devant la boulangerie. Elle m'a regardé, ajouta-t-il avec une intuition étonnante, comme si j'étais le Fiancé des grands chemins. Le Fiancé des grands chemins allait de village en village, chapardant tout ce qui lui tombait sous la main, mais surtout les jeunes filles, qu'il emmenait dans sa grotte et épousait de force. Elles éclatèrent de rire, d'un rire tel qu'à force de se tordre, elles faillirent tomber par terre, et elles rirent encore plus fort quand Gabina, montrant la braguette de Topete évidemment renflée, dit à Reme à l'oreille : C'est la grotte du Fiancé des grands chemins.

Puri était aussi celle qui en savait le plus long sur doña Gregoria et savait le mieux s'y prendre avec elle, car elle allait parfois faire son ménage. Doña Gregoria la faisait appeler quand elle avait besoin de ses services, et Puri, sur ordre de sa mère, qui avait toujours eu une dévotion marquée pour cette maison, laissait ce qu'elle était en train de faire et courait vite l'aider. La mauvaise humeur, le cœur lourd de doña Gregoria s'éclairaient en présence de la jeune fille qui, aussitôt entrée sous son toit, était prise d'une véritable frénésie de nettoyage. Elle aérait les chambres, lavait les couvre-lits et les rideaux, et ne rencontrait pas la moindre difficulté, s'il le fallait, à confiner doña Gregoria dans la cuisine pour fourbir les pièces du rez-de-chaussée, en particulier la salle à manger, où se tenait la plupart du temps doña Gregoria et qui était aussi sale qu'une bauge et puait à vous faire tomber à la renverse. Elle s'offrait même le luxe de jeter certaines choses à la poubelle. Dans cette maison, vous n'avez que des vieilleries. Même si doña Gregoria protestait et essayait de l'en empêcher, c'était Puri qui avait le dernier mot. Comment pourrait-elle être une sorcière, disait-elle ensuite à ses amies, quand elle a même pitié des papillons de nuit ? Elle se souvenait de la fois où elle l'avait surprise devant les fenêtres grandes ouvertes, les yeux rivés sur la lampe vers laquelle se précipitaient les papillons de nuit, qui se brûlaient au contact de l'ampoule et tombaient morts sur le tapis, tandis que, le visage figé par la douleur, et incapable de rien faire pour les arrêter, elle murmurait sans répit : Oh, mon Dieu, mon Dieu, pourquoi vont-ils vers la lumière, mais pourquoi vont-ils vers la lumière, mon Dieu ? C'était ce que Puri avait découvert : que doña Gregoria était une femme brisée, craintive, rongée de doutes et de remords, qui, sans doute, vouait encore un culte immodéré à son défunt mari, dont le nom ponctuait régulièrement ses discours, et Lorenzo disait ceci, et c'était lui qui se chargeait de préparer les cadeaux de Noël, et nul ne montait à cheval avec autant de grâce que lui, de grâce, oui, c'était bien le mot qu'elle employait, et c'était un vrai prince arabe, et dans les fêtes, il remportait toutes les faveurs. Elle ne pouvait vivre sans avoir près d'elle la photo de son mariage, même quand elle se mettait à table, elle la posait devant elle. On les voyait tous deux se tenant par le bras, lui, don Lorenzo, souriant et aussi fringant qu'un poulain, elle effrayée, les yeux baissés, comme si elle n'osait pas regarder l'appareil photo de peur que ses pensées pussent s'imprimer sur la plaque. Que pouvaient-elles bien être, ces pensées ? Même Ventura le Boiteux ne les connaissait pas, lui qui avait pourtant servi toute sa vie dans cette maison.

Un peu toquée, ça oui, ajoutait Puri, qui perdait surtout patience quand doña Gregoria s'entêtait à aller à l'église aux heures les plus indues. Elle s'affrontaient alors, se disputaient violemment, mais il n'y avait pas moyen de la convaincre et, finalement, c'était toujours à elle d'aller demander les clefs à don Ramón, le curé. Tiens, pendant que j'y pense, dit Puri, s'interrompant un instant et regardant Gabina, don Ramón m'a demandé de tes nouvelles. Et, après avoir ajouté qu'il était toujours plus beau, elle leur dit, en pensant à la petite brûlure qu'il avait à la hauteur de l'un des sourcils : Il ressemble à Michel Strogoff. Alors, Gabina baissa les yeux, se soustrayant à leurs regards, pour qu'elles ne pussent deviner ses pensées, parce qu'il lui semblait encore voir le choucas en train de lui dire, dans le grenier de don Abelardo : Celle qui doit y aller, c'est toi, il faut que tu ailles chez lui ; même si elle savait que c'était justement ce qu'il ne fallait pas qu'elle fît, surtout à cause de l'éclat qui brillait dans les yeux de don Ramón chaque fois qu'ils se croisaient à la porte de l'église ou dans les rues du village. La dernière fois, poursuivit Puri, elle s'est couchée par terre, et j'ai dû l'entourer de bougies et les allumer. Elle a même voulu que j'aille chercher de l'eau bénite et que je l'asperge, mais ça, je n'ai pas voulu, parce qu'il m'a semblé que c'était un sacrilège. Et elle a pris l'habitude d'embrasser les descentes des gouttières. Un jour, en rentrant de l'église, l'idée de le faire lui est venue et, depuis, elle ne peut plus s'en passer. Elle s'arrête devant toutes les descentes qu'elle trouve sur son chemin, colle l'oreille contre le tuyau, écoute, puis les embrasse. Elle le fait si naturellement, avec une telle attention, qu'une fois, je m'en souviens, c'était le jour où je l'avais vue faire pour la première fois, en rentrant à la maison, je me suis arrêtée devant une descente et j'y ai collé mon oreille, bien sûr, je n'ai rien entendu, et mon geste m'a paru ensuite tellement ridicule qu'une fois couchée, je me suis tordue de rire. Et ces menottes, c'est vrai ? lui demanda Reme. Oui, c'est vrai, répondit Puri, parce qu'elle a des marques aux poignets. Celui qui était au courant, pour les menottes, c'était Ventura le Boiteux, mais, jusqu'à présent, il n'avait pas voulu lui en parler. Il savait parfaitement à quoi s'en tenir, pour ces menottes, parce qu'il était à son service dans cette maison depuis l'âge de quinze ans. Pour les seaux en argent, c'était vrai, il le lui avait dit. Que c'était comme ça qu'on tirait l'eau du puits du temps des parents de doña Gregoria, quand elle n'était encore qu'une gamine, et que lui, Ventura, les avait vus de ses yeux, ces seaux, ils brillaient quand on les tirait du puits, et, quand l'eau se répandait par leurs bords, on aurait dit qu'ils étaient faits du cristal le plus pur.

Esther, la mère de Puri, avait servi sous ce toit dans sa jeunesse, et était une des rares personnes qui, en toute circonstance et en toute compagnie, défendait doña Gregoria des médisances. Pourtant, elle en avait eu, de la peine, à supporter ses manies, et elle avait passé de bien mauvais quarts d'heure auprès d'elle, car elle était très jeune quand elle était entrée à son service, et à une époque qui avait été des pires pour doña Gregoria, la dernière année de vie de don Lorenzo et les trois années suivantes. En fait, elle travaillait pour elle quand donna Gregoria, qui ne voulait plus une seule femme dans la maison, avait renvoyé toutes les servantes pour ne garder à son service que Ventura le Boiteux. Don Lorenzo était très malade, et elle ne pensait plus qu'à ces jeunes femmes qui devaient entrer dans sa chambre, lui apporter les repas et des médicaments au lit. Elle avait fini par les chasser, parce qu'il lui semblait qu'elles couchaient en douce avec son mari, et parce qu'elle voulait être l'unique femme à veiller sur lui, d'ailleurs, après sa mort, elle les avait rappelées, le pauvre

Ventura ne pouvait s'occuper de tout. Mais la malheureuse n'entendait qu'un son de cloche. Parce que vous ne savez pas, continua Puri, ce que m'a raconté Ventura le Boiteux ? Que quatre dames de Valladolid sont venues un jour faire une visite à don Lorenzo, très bien mises, très sveltes, on voyait tout de suite qu'elles étaient de bonne famille, et comme doña Gregoria n'était pas là, elle était allée à l'église, c'est Ventura le Boiteux qui leur a ouvert la porte. Elles ont demandé don Lorenzo, il a bien essayé de les empêcher de passer, mais elles sont tout de même entrées et ont fureté partout jusqu'à ce qu'elles aient trouvé sa chambre. Il m'a dit qu'il n'avait jamais vu de sa vie une scène aussi étrange, don Lorenzo plaisantait avec elles, ils ont même allumé des cigarettes et bu du vin, puis, au moment où elles allaient prendre congé, elles lui ont demandé s'il ne désirait rien d'elles, et il a trouvé quelque chose à demander à chacune. À l'une, qu'elle lui morde une main, à l'autre, qu'elle le fasse boire à sa bouche, comme font les oiseaux pour nourrir leurs petits, à la troisième, qu'elle lui chante une chanson, et elle l'a fait si merveilleusement que quand elle s'est tue, ils étaient tous en larmes. Et à la quatrième, qui était la plus belle, et qui, en se tournant vers lui, n'a pu s'empêcher de verser quelques pleurs, l'a longuement regardé avant de lui demander : Et moi, que veux-tu que je fasse ?, il a répondu, toi, je veux que tu couches avec moi. Elle a enlevé sa jupe, son chemisier, elle s'est allongée à côté de lui sans hésiter, et elle l'a réchauffé, parce qu'elle était jeune et débordante de vie, et le pauvre don Lorenzo, lui, était aussi froid qu'une chandelle de glace, et hors de combat, malgré toutes les potions qu'il y avait sur la table de nuit. Cela, Ventura était le seul à le savoir, doña Gregoria ne l'a jamais appris, même si, en revenant de l'église, elle avait reniflé et dit : Ventura, quelqu'un est venu ici ; il s'est débrouillé pour l'emberlificoter, mais qu'allez-vous chercher, doña Gregoria ; et, tout incapable qu'il était d'ôter de devant ses yeux l'image de cette femme si belle couchée près de don Lorenzo, qui la regardait avec une expression d'abandon infini, il a réussi à empêcher sa voix de trembler et à cacher son émotion à doña Gregoria, parce que s'il avait appris quelque chose au cours de toutes ses années de service dans cette maison, c'était à dissimuler, à feindre de n'avoir rien vu ni entendu, d'être comme ces trois singes que Víctor a chez lui, dont l'un se bouche les yeux, l'autre les oreilles et le troisième la bouche, ce qui signifie que si tu veux vivre en paix, mieux vaut ne pas voir ce qui ne te plaît pas, ne pas entendre ce qui ne t'est pas destiné, et, bien sûr, ne pas aller raconter ensuite ce que tu as pu voir et entendre, encore que si l'on faisait tout ça, je me demande bien pourquoi on serait venu au monde, parce que ne pas voir, ne pas parler et ne pas entendre, c'est être un mort dans son tombeau. Et Puri, qui, incapable de tenir en place, s'était déjà levée plusieurs fois, la dernière pour aller chercher un pot de miel, en suça quelques cuillerées en revenant à son idée que Ventura le Boiteux était ces trois singes à lui tout seul, et que pour obtenir quelque chose de lui, c'était la croix et la bannière. Elle pouvait dire qu'elle était la seule qui réussissait à venir à bout de cette règle stricte et à faire de lui ce qu'elle voulait, ce n'était un secret pour personne au village. Pour quelle raison ? Dieu sait. Peut-être parce que Ventura avait connu sa mère dans sa jeunesse et qu'en la voyant, elle, sa fille, entrée au service de doña Gregoria au même âge que sa mère, dont elle était le portrait craché, en voyant ses envies de s'amuser, il se rappelait son jeune temps, même si Esther avait toujours été quelqu'un de sérieux, de responsable, alors qu'elle était fofolle, écervelée. L'une était de cire et l'autre de flamme. Parce que la vie de chacun de nous est comme une bougie allumée, une bougie cachée dans quelque coin et dont la flamme ne dépend pas de la quantité de cire, ni de la grosseur de la mèche, car il y a des bougies aussi épaisses que les cierges des veillées funèbres et dont la flamme est insignifiante et laborieuse alors que d'autres, qui ne sont presque rien, ont à peine un peu de substance à offrir, et produisent une flamme énorme, vive et resplendissante. C'était à cette seconde catégorie qu'appartenait Puri, dont on n'aurait vu, si l'on avait pu contempler la lumière qui eût résumé sa vie, qu'une flamme à même le sol, une flamme brûlant pratiquement seule et qui, apparemment condamnée à s'éteindre, n'aurait cessé de brûler contre vents et marées. C'était aussi comme si certains étaient nés pour être cire et servir d'aliment, et d'autres pour brûler et être flamme, comme Puri, qui brûlait, brûlait toujours sans que l'on pût savoir, le plus souvent, où elle prenait la substance dont elle avait besoin, ni même ce qu'était cette substance, la même cire dont tout le monde s'alimentait ou une autre, plus subtile, plus imperceptible, l'air même, peut-être, ou la lumière que le soleil, quelques instants auparavant, avait répandu sur toute chose. De toute évidence, si Ventura le Boiteux la voyait ainsi, semblable à une bougie qui ne cesse de brûler, c'était parce qu'il l'aimait à la folie, comme si elle était la fille qu'il n'avait jamais eue, puisqu'il était bien le seul qui mangeait ses desserts, convaincu qu'il n'y en avait pas de meilleurs au monde. Gabina, Andreona et Reme disaient que si l'on avait glissé parmi les beignets de Puri une crotte de cheval, Ventura l'aurait sans doute mangée sans sourciller, parce que ce qu'il mangeait, dans le fond, c'était elle ; il suffisait, pour s'en convaincre, de voir comment il la regardait en levant les yeux de son assiette. Puri les écoutait parler ainsi comme si elle tardait à comprendre ce qu'elles voulaient dire, et laissait ensuite tomber : Mais vous êtes des pestes. Toutefois, elle ne se fâchait pas, et c'était ce qui faisait s'écrier à madame Benilde qu'elle était un ange.

Elle ne se fâcha même pas contre don Arturo, après ce qu'il lui avait fait quand l'hirondelle était entrée dans la pharmacie. Quelques jours plus tard, elle revenait lui apporter du poisson, et ne voyait même aucun inconvénient à franchir la porte de son magasin s'il le lui demandait. Une fois, il la mena jusqu'à son officine, où il y avait une très belle peinture, en lui disant : Je t'ai emmenée ici pour que tu la voies. Il lui montra sur une partie du tableau quelque chose de doré que l'un des personnages tenait dans ses mains, et ajouta : Ce que tu vois ici, c'est la Toison d'or. L'homme, torse nu, était couché sur le pont d'un navire et pressait sur son visage une peau de mouton, ce qui lui procurait un vif plaisir. Don Arturo plaça une chaise en face du tableau, sur laquelle il l'invita à s'asseoir, et il lui raconta l'histoire de la Toison d'or, non sans regarder en même temps ses jambes avec insistance et profiter de la moindre distraction pour lui tripoter les genoux, et elle dut lui taper sur les doigts avec la cuiller en bois dont elle s'était emparée par précaution en traversant la cuisine : C'est l'histoire des amours d'un dieu très ancien, ces genoux, hum ! et d'une jeune mortelle, dont il tomba amoureux de telle façon, si follement, qu'il décida de l'enlever, et don Arturo interrompit son récit pour dire, en même temps qu'il remettait la main sur le genou de Puri et qu'elle lui donnait un coup de cuillère : Ce que j'aimerais bien faire, moi aussi, et, dans une île, il la changea en brebis, pour que nul ne puisse la retrouver, et de leur union naquit un agneau qui avait une toison d'or parce qu'il était né d'un dieu, hum ! et don Arturo s'interrompit de nouveau, pour dire : La tienne aussi est d'or, et Puri ne comprit pas à quoi il faisait allusion, mais elle finit tout de même par se douter qu'il devait s'agir d'une cochonnerie, parce que don Arturo y allait une fois encore de ses hum ! genou, petite toison, qu'il était devenu rouge comme une écrevisse, et elle lui rappela, fâchée : L'histoire ou je m'en vais ! vous m'avez promis que ça allait m'intéresser, et ne cherchez pas à en profiter, j'ai pris cette cuillère pour me défendre, la prochaine fois, je vous préviens, je tape de toutes mes forces, si vous continuez comme ça. Et don Arturo répondit : Non, non, tout de suite, hum ! ne t'en vas pas, je te jure que je ne le fais plus ; et il la convainquit, surtout parce que Puri voulait connaître la suite de l'histoire, alors même qu'il murmurait : Les genoux, hum ! la petite toison, il va falloir que tu me la montres si tu veux que je continue. La peau de cet agneau était en possession de gens qui vivaient tout au bout de la mer, et on commençait à en parler partout, même ici, chez nous, hum ! on en parlait, on ne parlait pas d'autre chose, personne ne voulait croire qu'une telle merveille existait vraiment, et moins encore comment était apparu, le genou, la toison, l'or qu'il y avait dans la grotte, si resplendissant que même la nuit il fallait mettre la main devant ses yeux pour ne pas être blessé par son éclat, c'est exactement ce qui m'arrive, tu sais, je dois m'approcher de toi les yeux fermés, pour que, hum, les genoux, la petite toison, pour que tu ne m'aveugles pas, et de tous les côtés, des navires prirent la mer, des expéditions partirent vers ce pays lointain plein d'hommes féroces, pour rapporter, si elle existait bien, la toison d'or, la dévorer de baisers, hum ! ce que je veux faire avec la tienne. Et sa renommée arriva jusqu'en Grèce, où l'on décida de partir à sa recherche ; et don Arturo s'interrompit une nouvelle fois, et se rapprocha tellement qu'il posa presque sa tête sur le giron de Puri, montre-la-moi seulement un tout petit peu, hum, tu vas voir ; et Puri lança : Tout doux ou je frappe ; ils s'embarquaient, reprit-il, et parcouraient les mers, jusqu'au jour où ils arrivèrent dans ce pays, où ils réussirent à tromper tout le monde et à emporter la peau adorée, et c'est cela, hum, l'agnelle, la toison, que représente ce tableau, le moment de leur retour en Grèce, où l'on voit un jeune Grec qui tient la peau dans ses mains, la caresse sur le pont du navire, en se penchant sur elle comme s'il voulait non seulement la toucher mais aussi la sentir, la sentir, être au plus près de cette douceur indescriptible, véritablement sans pareille, et don Arturo se penchait plus encore, et elle lui donnait des coups de cuillère, en lui disant : Si vous ne vous tenez pas tranquille, je vous jure que je m'en vais. Non, non, je t'en prie, gémissait don Arturo en poussant de la tête, hum les genoux, la petite toison, et, brusquement, jetant bas le masque, il s'agenouilla devant elle et murmura précipitamment, en essayant de soulever sa jupe : Les poils que tu as là, la petite toison d'or, ce sont ces poils, ces poils. Elle bondit comme un ressort, mais qu'est-ce qui vous prend ?, et, le repoussant de toutes ses forces, fila comme un bolide, tandis que don Arturo, perdant l'équilibre sous la poussée, roulait sur le sol et entraînait dans sa chute la table, qui lui retomba dessus. Voilà ce que leur raconta Puri, et quand Andreona éclata de rire, elles en firent toutes autant en répétant les paroles de don Arturo : Hum ! le genou, la petite toison ; et Reme disait que celui qui était risible c'était lui, ce petit profiteur, ce taré de première, et s'il n'y avait pas eu ces animaux naturalisés qu'il fourrait partout chez lui, même dans les escaliers, au point qu'on ne pouvait entrer dans la pharmacie sans sentir leurs regards qui vous suivaient partout, comme s'ils s'attendaient à Dieu sait quoi de votre part, on aurait pu y retourner et se venger en mettant le feu à la maison de don Arturo, avec tous les flacons de pharmacie qu'il y avait dedans. Le soir même, Reme, qui s'était couchée, se releva pour aller se regarder dans le miroir, tira petit à petit vers le haut le pan de la chemise de nuit, contempla ses cuisses dans la glace de l'armoire et sourit en disant tout bas : Les genoux, la petite toison, hum ! sans cesser de penser à ce tableau qu'elle n'avait pourtant jamais vu, et peut-être était-ce justement pour cela qu'elle ne pouvait se l'ôter de la tête, ou parce que le jeune Grec avait alors pour elle les traits de Javi, et que la toison resplendissante qu'il serrait contre sa poitrine était un don de sa main, à elle. Et elle songea aussi, mais alors son sourire s'effaça, à ce qui s'était passé ensuite, quand elle s'était rendue en compagnie de Puri et de Gabina à la boulangerie, qu'elle devait ouvrir, et qu'en arrivant sur la place, Felipón était venu leur demander si elles savaient où était passé Isma. Elles lui avaient répondu qu'elles ne savaient pas où il était, mais elle s'était aussitôt imaginé qu'il devait être collé à la porte, à guetter son retour. Il est sûrement en train de t'attendre, lui avait dit Puri, qui devait avoir eu la même idée. Et, bien entendu, il était là, assis sur le bord du trottoir, avec son pantalon trop grand pour lui attaché avec une ficelle, comme l'enfant pauvre des films de Charlot, et, en la voyant arriver, son regard s'était éclairé, mais il n'avait pas osé courir vers elle parce que, dans le fond, il la redoutait et ne la comprenait pas. Oh, mon Dieu ! pourquoi devait-il en être ainsi ?, pourquoi se conduisait-elle comme ça, surtout avec cet enfant qui ne vivait que pour l'adorer et se presser contre sa poitrine ? Peut-être parce qu'elle était une flamme, une flamme pure, et qu'il lui fallait à tout prix se servir des autres pour se sustenter ? Oui, elle était la flamme et Isma la cire, voilà pourquoi il ne devait pas être auprès d'elle, parce que, même sans le vouloir, elle profitait de lui, elle finirait par lui soustraire petit à petit toute sa substance, il deviendrait toujours plus chétif et maigre, toujours plus pâle, sa peau de plus en plus transparente, et, avec un peu d'attention, on pourrait même compter ses os, c'était d'ailleurs ce qu'elle lui avait dit : Tu es si maigre qu'on voit tous tes os, tandis que Puri et Gabina l'embrassaient à leur tour, des flammes, toutes les trois, des flammes qui brûlaient sans trêve, alimentées par ce pauvre enfant, si bien que plus elles lui donnaient de baisers, plus longtemps elles le tenaient dans leurs bras, plus maigre et léger il devenait, et quand il aurait disparu sans laisser de traces, elles se sauraient coupables et ne pourraient endurer leurs remords. Et Javi, qu'était-il ? Javi était semblable à elle, et c'était là leur problème. Oh, mon Dieu ! que se passait-il quand deux flammes se rencontraient et devaient s'alimenter, comment pouvaient-elles se nourrir l'une de l'autre ? Non, deux flammes réunies ne pouvaient durer, parce que toutes deux avaient besoin de cire pour brûler, et qu'aucune des deux n'en avait de reste pour en céder à l'autre. Était-ce cela qu'elle avait senti en repartant en courant vers la place ? Javi est venu te voir, lui avait dit Isma, et elle était partie, entraînant Puri et Gabina avec elle, parce qu'elle ne voulait pas entrer seule dans le bar. Toutefois, elles s'étaient arrêtées devant la porte, alors qu'elles venaient d'apercevoir Javi à l'intérieur, parce qu'il n'était pas seul, mais avec Víctor, et tous deux riaient et échangeaient des plaisanteries comme s'ils se connaissaient depuis toujours, comme s'ils étaient cul et chemise, ce que Reme trouva suspect, comprenant qu'il s'agissait d'un piège, sans pouvoir se l'expliquer,

240

sans deviner ce que cherchait Víctor, et elle fut même tentée d'entrer, de prendre Javi par la main et de le tirer de là le plus vite possible, comme si elle pouvait faire de lui ce qu'elle voulait parce que Javi lui appartenait. Mais elle n'avait pas osé : Víctor était avec lui et qu'elle avait peur de Víctor.

Tu aurais dû entrer, lui dit Puri. Elles étaient revenues à la boulangerie et s'étaient assises toutes les trois près du four. Gabina, très grave, jouait avec la palette à pétrir. C'est un fourbe, murmura-t-elle. Javi a intérêt à se méfier. Gabina aussi redoutait le pire, parce qu'il était évident que Víctor ne manifestait pas cet intérêt soudain sans une raison sérieuse, plus que probablement inavouable. Soudainement, en l'écoutant, Reme comprit tout. Je sais ce qu'il cherche ! s'écriat-elle. Malgré les insistances de Puri et de Gabina, elle refusa d'en dire davantage. Plus tard, une fois seule, elle réfléchit à ce qu'elle devait faire pour se défendre. Il ne s'en tirera pas comme ça, se dit-elle. Mais, au cours de la nuit, elle se réveilla en sursaut, le cœur battant follement dans sa poitrine, la chemise de nuit trempée de sueur, avec l'impression que Víctor était là, dans la chambre, qu'il la regardait dans l'obscurité, comme s'il s'était glissé dans la maison pendant que son père et elle dormaient – ou était-ce son père qui avait ouvert la porte ? – pour lui dire de ne pas s'opposer à lui, parce que jamais elle ne pourrait le vaincre. Et elle comprit que c'était certain, en se remémorant tout ce qui s'était produit au cours de la semaine précédente, pendant laquelle Víctor ne l'avait pas laissée un moment tranquille, allant jusqu'à entrer trois fois par jour dans la boulangerie, pour la regarder, de ce regard qui voulait dire : C'est à moi, ça m'appartient, tu vois cette louche, elle est à moi, comme le four, la table et les chaises, la boulangerie est à moi, et ce qui n'est pas à moi le sera quand j'en aurais décidé ainsi, parce qu'il suffit que je sorte les billets de ma poche et que je les aligne sur cette table. Ce n'était pas tout, c'était comme si Víctor se tournait soudain vers elle et lui disait sur un ton de défi : Il

241

va partir, je chasserai Javi de ce village et tu resteras seule, je vendrai cette boulangerie et je t'achèterai, toi, avec de l'argent, en posant des billets sur la table jusqu'à ce que ton père hoche la tête ; et il se mettait alors à imiter avec la langue le bruit des sabots d'un cheval, clo, clo, clo, clo, et restait là à la regarder avec un sourire de satisfaction, clo, clo, clo, clo, pour lui rappeler ce qui s'était passé avec l'étalon, façon de lui faire entendre qu'elle aurait beau dire et beau faire, elle ne pourrait lui échapper. Reme, qui venait de se pelotonner dans le lit, se souvenait de Bernardino, de la fête qu'on lui faisait au village quand il arrivait avec Recela, l'étalon, et le menait aux juments pour qu'il les couvrît. C'était un fameux cheval. Bernardino l'emmenait de temps à autre pour la saillie, et le cheval était toujours prêt et bien disposé, il filait vers les juments aussitôt qu'on l'avait fait entrer dans l'enclos, puis il s'ébrouait sur leurs croupes, la bouche crachant une écume pareille au lait qui monte dans les casseroles quand il est sur le point de bouillir. Il allait de l'une à l'autre, on le laissait se reposer un peu, et, au bout d'un moment, il était de nouveau prêt, Bernardino le regardait avec des yeux éblouis, comme si les prouesses de l'animal flattaient son orgueil et révélaient, surtout à celles qui n'avaient pas froid aux yeux, des secrets sur sa propre puissance sexuelle. S'il les trouvait devant la porte de l'enclos, il les encourageait à entrer. Allez-y, vous apprendrez peut-être quelque chose, leur disait-il, amusé. Elles entraient, regardaient la scène apothéotique le souffle presque coupé, et Bernardino, qui n'en perdait pas une, leur disait tout bas : Tout à l'heure, si vous voulez, on peut essayer, nous aussi, leur laissant entendre que le cheval et lui possédaient la même force et étaient tous deux aussi ardents et avantagés dans ce genre de combat ; et elles, au lieu de se fâcher, pouffaient de rire, parce que Bernardino était comme Topete, il possédait l'art de tout dire sans jamais offenser personne, avec autant de naturel que si, par un jour d'été, il leur avait déclaré qu'elles semblaient avoir rudement chaud ou parlé cuisine au moment où ils étaient tous affamés, ou parce que don Arturo voyait juste et que l'essentiel de la vie, c'était de penser à ça, et seulement à ça, les genoux, la petite toison, hum ! et à quoi bon le cacher, s'ils le reconnaissaient tous ? Mais un jour, qui sait comment ils en vinrent là, il y eut ce défi à la course, entre Víctor sur la moto du vétérinaire, une DKW, et Bernardino sur son cheval. L'arrivée était fixée à la cabane du garde, sur le bord du canal, et ils pouvaient passer par où ils voulaient. À heure dite, tout le monde se retrouva sur la place, le signal du départ fut donné, et, dès le commencement, tout se passa très curieusement : tandis que Víctor partait à toute allure, faisant rugir la moto comme s'il comptait prendre la voie des airs, Bernardino s'attarda quelques secondes, pour dire à Recela des finasseries et des sottises : Fais un petit salut ; et Recela inclinait la tête, et, d'un mouvement gracieux, tendait la patte comme une dame ; quelques pas de danse, maintenant ; et Recela se mettait à danser, jusqu'au moment où il lui dit : Allons-y, maintenant, et au galop ! Le départ fut curieux, et la fin aussi, parce que Víctor tomba et Bernardino arriva le premier. La moto était très puissante, et Jésus le vétérinaire conduisait comme un fou, à tombeau ouvert. Un de ces jours, il va perdre la cervelle en route, disait-on au village quand on le voyait passer. Víctor essaya de l'imiter et, en tournant pour s'engager sur le chemin du cimetière, il perdit l'équilibre et roula par terre. Il en sortit indemne et put même remettre la moto en marche quelques minutes après, elle n'avait que quelque éraflures. Mais sa chute lui coûta la victoire, parce que, quand il arriva au canal, Bernardino était déjà là. Il l'attendait sur son cheval, auquel il faisait faire une singerie après l'autre, si bien que l'on n'aurait pas dit qu'il s'agissait du même cheval, qu'il y avait d'un côté le Recela que l'on voyait faire avec les juments, dominateur et sauvage, et, de l'autre, ce précieux qui ressemblait à une petite dame de la haute dans un salon. Bernardino, comme il le dit ensuite au vétérinaire, était le premier surpris d'être vainqueur, il avait toujours cru ne pas avoir la moindre chance, et ne s'était risqué à relever le défi que pour le plaisir. Mais il avait gagné, et il allait le payer, quand, ensuite, ils allèrent tous au bar, où Víctor, qui ne pouvait lui pardonner de l'avoir ridiculisé devant tout le monde, revint à la charge. Ils burent quelques verres de vin et, de but en blanc, devant les autres, Víctor se tourna vers Bernardino et lui dit tout haut : Je t'achète ton cheval. Non, merci, lui répondit Bernardino, qui ne savait pas encore dans quel guêpier il s'était fourré, Recela n'est pas à vendre. Il vendrait plutôt sa femme ! lança quelqu'un, et tous se mirent à rire. Víctor était furieux, ils purent s'en rendre compte quand il reprit la parole, en voyant l'éclat sinistre de ses yeux et la rigidité de son visage. Tout dépend, dit-il doucement en détachant bien ses mots, comme si ses paroles étaient des billets qu'il aurait posés sous les yeux de tous sur le comptoir, tout dépend de ce que l'acheteur est prêt à payer. Bernardino s'enferra de plus belle en s'écriant, hilare : Pas pour tout l'or du monde ! Comme tous ceux qui ont remporté un succès facile, il croyait que rien de mal ne pouvait plus lui arriver, que ce serait toujours aux autres de supporter le fardeau de la vie. Alors, sans lever les yeux de son verre de vin, Víctor donna un chiffre énorme, et tous, dans le bar, en restèrent sans voix, parce que c'était dix fois le prix d'un cheval, un peu comme si quelqu'un sortait dans la rue avec un pain et qu'on lui en offrait le prix d'un cochon. Mais, même à ce moment-là, Bernardino, qui pourtant frémissait déjà, sachant qu'il était pris au piège et que, de minute en minute, il allait devenir plus difficile de s'en tirer, refusa encore. Pas pour tout l'or du monde, répéta-t-il, cette fois plus bas, et sans oser regarder Víctor dans les yeux. Et Víctor renchérit et doubla la somme. Personne, au village, n'avait jamais vu un cheval atteindre un pareil prix, et, cette fois, Bernardino ne pipa mot. Le silence était tel que l'on aurait pu entendre le bruit d'une goutte d'huile tomber sur le comptoir. Ce fut Víctor qui rompit le silence. Je ne bougerai pas de chez moi, dit-il, si tu veux conclure le marché, tu n'as qu'à venir et me faire appeler. Là-dessus, il sortit du bar, laissant Bernardino à ses réflexions. Pas une mouche ne volait, tous attendaient sa décision, mais Bernardino ne fit rien, ne dit rien pendant les minutes qui suivirent. Qui sait ce qui lui passa par la tête pendant ce temps-là, il était dans le besoin, comme tout le monde, et il devait se dire qu'avec une partie de cet argent il pourrait acheter un autre cheval, continuer d'exercer son métier, et qu'il lui resterait encore bien assez pour s'acheter une vache, ou quelques cochons, et qu'avec le gain qu'il obtiendrait de la vente de ces cochons... enfin, c'était *La Laitière et le Pot au lait*. Eh bien, vous avez un nouveau voisin, lança-t-il, faisant un dernier effort pour paraître drôle, Recela vient vivre à Villabrágima. Et, quittant le bar, il traversa la rue en direction de la maison de Víctor. Tous sortirent derrière lui, le virent arriver devant la porte et frapper. Une jeune servante vint lui ouvrir. Dites à don Víctor que j'accepte ses conditions. Il retourna à l'endroit où il avait laissé le cheval, lui caressa le dos et le cou, en évitant pourtant de le regarder dans les yeux, comme si Recela pouvait deviner d'un seul regard ce qu'il venait de faire. Ce fut tout. Víctor arriva avec l'argent et emmena le cheval, qu'il conduisit l'après-midi même à l'abattoir, parce qu'il ne l'avait pas acheté pour faire de lui un digne voisin du village, mais pour le faire tuer, comme il le faisait avec le bétail, qu'il se contentait d'engraisser avant d'envoyer la viande au marché. Bernardino ne reparut pas au village, on ne sait s'il s'est acheté un nouveau cheval et a repris son ancien métier, on ne le reverra sans doute jamais, même pour une simple visite, ni ici, ni dans les villages des environs, car il semblait bien qu'en vendant son cheval, Bernardino avait en même temps vendu son âme, que le diable avait condamnée à errer éternellement, et qu'il était inclus dans le pacte qu'il ne pourrait jamais la retrouver. Voilà à quoi pensait Reme quand elle entendit frapper au carreau. Viens m'ouvrir ! lui criait Gabina. Tandis qu'elle s'habillait pour descendre, Reme pensait encore à Víctor, à sa manière de tout regarder quand il venait à la boulangerie comme si tout était à vendre et qu'il pouvait toutes les acheter, Puri, Andreona, Gabina et elle, comme il avait acheté Recela, et ces idées étaient pareilles à des chauves-souris qui seraient restées enfermées à l'intérieur de la maison et auraient volé en tous sens, évitant de justesse les meubles et les murs, toujours plus affolées de ne pas trouver une porte ou une fenêtre pour pouvoir sortir. Mais ce fut aussi comme si en apercevant Gabina toutes les chauves-souris avaient à l'instant même trouvé une issue, laissé la maison tranquille et son esprit libre. Ma chérie, tu te couches avec les poules, lui dit celle-ci devant la porte. J'étais morte de froid, dit Reme – on avait beau être en août, les nuits devenaient frisquettes –, et elle l'embrassa, émue. Elles montèrent dans sa chambre, en se poussant dans l'escalier. Puis elles se déshabillèrent et se couchèrent. Gabina avait les pieds et les bras gelés, et une odeur de feu de bois, surtout dans les cheveux. Où es-tu allée te fourrer ? lui demanda Reme. Chez don César, dit Gabina, il avait des pigeons, je l'ai aidé à les flamber. Ils allumaient un petit feu, flambaient le reste des plumes et des duvets et, ainsi déplumés, les pigeons ressemblaient à des danseuses de cabaret. Tu te rappelles quand on en chipait pour les garçons ? lui demanda-t-elle en souriant. Elles venaient de plumer des pigeons chez Ursi, pour un repas qu'on leur avait demandé de préparer, et elles s'étaient soudain trouvées seules. La veille, dans l'après-midi, elles avaient dit aux garçons que c'était délicieux, Javi n'y avait jamais goûté, et Gabina lança qu'un jour, elles les inviteraient à en manger. Sans même avoir à se dire un mot, elle en prirent deux chacune, mais comme elles n'avaient rien dans quoi les mettre, elles les glissèrent sous leur robe, plaqués contre leur ventre par l'élastique de la culotte. Cet après-midi-là, comme promis, elles invitèrent Javi et Luismari, un autre ouvrier de la compagnie d'électricité. Ils se léchèrent les doigts, et quand Luismari s'exclama que c'était un régal, elles éclatèrent de rire en se souvenant de l'endroit où elles les avaient cachés, parce que, à voir la tête que faisait Luismari en leur adressant son compliment, on aurait dit qu'il savait à

quoi s'en tenir. Tu as vu Javi ? lui demanda Reme à l'impro-
viste. Gabina, qui s'était blottie contre elle, n'osa pas lui dire
la vérité et secoua la tête. Mais elle l'avait vu. Il conduisait
la voiture de Víctor, qui était assis à sa droite. Sur le siège
arrière, il y avait Jesu et Jandri, qui n'arrêtaient pas de rigoler.
La voiture était partie en direction de Rioseco. En passant
devant l'église, Gabina y était entrée, pour prier. Elle pensait
à Reme et à Javi, et aussi à Víctor, qui planait au-dessus
d'eux comme un aigle sur deux colombes. Que tout tourne
bien pour ces deux-là, avait-elle murmuré en se signant.

Elles entendirent un chien aboyer et quelques autres lui
répondre aussitôt, puis des éclats de voix sur la route ; quelqu'un se plaignait qu'un travail n'avait pas été fait. Putain de
Bon Dieu, tu ne vas pas me laisser comme ça le bec dans
l'eau ! Gabina changea de conversation. Je me demande si tu
la connais, celle-là, fit-elle, sans laisser à Reme le temps de
s'y retrouver. Imagine-toi que doña Gregoria aimait se rincer
l'œil. Reme se redressa brusquement. Quoi ? Oui, continua
Gabina, elle aimait voir don Lorenzo et la Portugaise au lit,
voir comment ils se caressaient, et tout le reste. Reme ne
pouvait en croire ses oreilles. Doña Gregoria ? Tu es folle !
Ah oui ? repartit Gabina, et les séminaristes, alors ? Mais ça,
c'est de la gnognotte, insista Reme, non sans se rendre aussitôt compte que les deux choses pouvaient bien être liées.
D'ailleurs, il n'y avait pas si longtemps, Rosarito n'avait-elle
pas dit quelque chose comme ça ? Je n'y vais plus, cette
femme est une dégénérée. Mais elle y était pourtant retournée, et elles aussi, quand au début de l'été elle les avait rappelées, peut-être aimaient-elles ça, après tout, et ne voulaient-
elles rien rater, aussi bizarre que ce pouvait être. Ça se passait
toujours de la même manière. Doña Gregoria prévenait Puri,
et celle-ci venait les trouver pour leur demander d'aller l'aider, dans l'après-midi, à servir le goûter aux séminaristes.
C'étaient des jeunes gens des villages avoisinants, que doña
Gregoria prenait sous sa protection quand ils entraient au
séminaire. Elle leur payait toutes leurs dépenses, de leurs sou-

tanes à leurs sous-vêtements, parce que leurs familles étaient
sans ressources, et ils avaient pour habitude de venir la remer-
cier personnellement deux fois par an, au début de l'été et
pour Noël. Doña Gregoria leur préparait un goûter et demandait à Puri et à ses amies de venir les servir à table. Elles
devaient se mettre en tenue de service et, tandis qu'ils mangeaient, attendre debout, alignées près du mur, avec ces
coiffes amidonnées qui tenaient rarement en place, surtout
celle de Puri. On ressemble à des huppes, avec ce machin sur
la tête, disait tout bas Gabina. Doña Gregoria présidait au
repas et les observait d'un regard scrutateur, et les séminaristes, plutôt intimidés, ils étaient en général trois ou quatre,
engloutissaient le chocolat, les beignets et les brioches sans
dire un mot. Une fois, l'un d'eux avait avalé de travers et, en
toussant, avait mis la nappe dans un triste état. Elles les servaient en ayant toutes les peines du monde à contenir leurs
rires, à la pensée que ces garçons, dont l'un était très beau,
étaient destinés à la prêtrise. Ils étaient en soutane, et leur
faux col semblait séparer leur tête de leur corps, donnant
l'impression que, d'un moment à l'autre, quand ils se pen-
chaient en avant pour prendre quelque chose, elle allait se
détacher du tronc et se mettre à rouler entre les assiettes et
les tasses. Alors, demandait doña Gregoria, et ces études ? Ils
se regardaient entre eux pour s'encourager mutuellement à
répondre, jusqu'à ce que celui qui n'avait pas la bouche
pleine eût pris la parole. On aurait dit qu'on ne leur donnait
pas à manger, au séminaire, et ils n'avaient pas terminé une
platée de brioches qu'elles couraient en chercher d'autres à
la cuisine, car pour rien au monde elles n'auraient voulu les
laisser sur leur faim. Elles avaient l'impression de nourrir un
groupe de jeunes taureaux, et, en fait, quand elles s'approchaient d'eux pour les servir, ils levaient les yeux de la nappe
et les regardaient comme le faisaient les taurillons dans le
champ de Molero, du même regard volontaire et sournois. De
toute évidence, il n'aurait pas fallu autant de jeunes filles
pour servir à cette table, Puri aurait largement suffi ; d'ail-

leurs, elles se cognaient souvent l'une contre l'autre, mais si doña Gregoria tenait à ce qu'elles fussent quatre, c'était pour tout autre chose. Parce que, quand les séminaristes avaient fini de goûter et que la table était desservie, doña Gregoria branchait le phonographe et, après avoir formé elle-même les couples et leur avoir recommandé d'oublier le monde, de s'en détacher, elle mettait un disque, toujours le même, *Les Soirées du Ritz*, et leur demandait de danser autour de la table. Elle restait près du phonographe, et, dès que la chanson se terminait, elle ramenait l'aiguille au commencement, mais seulement deux fois, après quoi elle leur disait avec brusquerie : Allez, vous pouvez partir. Elle donnait alors sa main à baiser aux séminaristes, ce qu'ils faisaient en toute hâte, parce qu'ils mouraient d'envie de sortir au plus vite, surtout pour échapper à son harcèlement, et, sans même se retourner pour regarder les filles, ils se bousculaient, dans leur désir de fuir tous à la fois, visiblement terrorisés par le moindre objet de cette maison, où l'on pouvait presque les voir trembler quand ils prenaient un verre d'eau, comme si le simple fait d'avaler cette substance pourtant si limpide pouvait causer leur mort. Voilà ce qui peinait les filles et les réjouissait en même temps, surtout quand ils devaient les enlacer pour danser. Alors, elles les sentaient trembler et même s'écarter d'elles si elles essayaient de resserrer leur étreinte, car ce n'était évidemment pas la même chose que quand elles dansaient avec les autres garçons et devaient se défendre de leurs insistances ; ici, les rôles étaient inversés, c'étaient eux qui fuyaient et elles qui les pourchassaient follement, les petits curés étaient les proies, et elles les chasseresses. C'est pourquoi, plus épouvantés ils étaient, plus grand était leur plaisir, car elles avaient l'impression de pouvoir faire d'eux ce qu'elles voulaient, les embrasser et voir ce qu'ils avaient sous la soutane, et même les croquer sur cette table, bien humectés de chocolat. Et, pour cela, même doña Gregoria semblait être d'accord, on aurait même dit qu'elle échangeait avec elles des regards de connivence et d'encouragement, et savait, en tant que femme, ce qu'elles éprouvaient. Elle paraissait alors les inciter à user de la force qu'elles venaient de découvrir en elles, cette force qu'il y avait en elles toutes, et qui faisait que les hommes les suivaient comme des agneaux, devaient s'agenouiller à leurs pieds aussitôt qu'ils en recevaient l'ordre ; plus encore, doña Gregoria semblait leur annoncer que, la prochaine fois, ce serait elles qui s'assiéraient à table, et les petits curés dans les plats, près des tasses de chocolat, à la place des brioches et des beignets. Mais peut-être ce dernier détail n'existait-il que dans leur imagination et n'était-il même pas venu à l'esprit de doña Gregoria, car qui aurait pu dire ce qui lui passait par la tête ? Personne, au village, n'en avait jamais rien su, même pas son propre mari, et peut-être était-il vrai que donna Gregoria était née pour mener une autre vie, ailleurs, non qu'elle fût une grande dame, ce dont elle s'efforçait de se donner l'air, mais parce qu'elle était véritablement différente de toutes celles qui vivaient dans son entourage, et c'était là son véritable problème : ne pas se contenter de ce qu'elle avait et toujours désirer autre chose, quelque chose qui n'était pas de ce monde, ou, du moins, du monde que tous connaissaient, ici, et dans lequel ils vivaient. Reme s'arrêta sur cette pensée. Allait-il lui arriver la même chose ? Finirait-elle par devenir une autre doña Gregoria ? Elle se vit âgée, recluse dans une maison pareille à celle-là, errant dans ses corridors sombres, l'esprit éternellement occupé de son amour pour Javi. Cet amour serait-il également un échec ? Tous les hommes étaient-ils les mêmes et Javi et don Lorenzo allaient-ils finir par se ressembler ? Gabina, entre-temps, s'était interrompue et la regardait avec tendresse. Elle lui caressa les cheveux. On aurait dit qu'elle la devinait. Ne pense pas à ça, lui dit-elle. Et elle se remit aussitôt à parler de doña Gregoria assise près du phonographe et d'elles, dansant avec les séminaristes autour de la table, comme si elles valsaient avec des manches à balai. Pourquoi agissait-elle ainsi ? Pourquoi leur demandait-elle de danser devant elle, qui pouvait ainsi tout contrôler, de la musique à leurs moindres mouvements dans la salle à manger ? Se souvenait-elle de son mari, de toutes les fois où il l'avait trompée avec des filles comme elles ? Essayait-elle de s'imaginer ce qu'ils éprouvaient quand ils s'enlaçaient, de ce que sentaient les hommes et les femmes quand ils étaient ensemble et se désiraient vraiment, ce qu'était cette force qui les poussait dans les bras l'un de l'autre et les faisait gémir de plaisir et de douleur ? Qui pouvait le savoir ? Désirait-elle être à leur place, bien qu'elles ne fussent que de pauvres villageoises, ou remonter à l'étage et surprendre, comme elle l'avait fait jadis, les rapports obscurs qui se nouaient chaque nuit entre son mari et cette fille ?

D'après ce que disait Ventura le Boiteux, ils avaient fini par conclure un arrangement qui permettait à doña Gregoria d'entrer dans la chambre quand elle le voulait. Don Lorenzo l'avait accepté sans en mesurer la portée. Elle avait commencé par le menacer de le dénoncer pour adultère, d'aller au commissariat et de rendre publique son infamie, et quand don Lorenzo, qui avait toujours redouté le scandale, s'était rendu compte qu'elle était réellement prête à le faire, il avait demandé une trêve, et elle avait posé ses conditions. La petite devrait partir dans un délai qui ne pourrait excéder un mois, délai qu'elle considérait comme amplement suffisant pour qu'il finisse de mettre ses papiers en règle, et entre-temps, elle n'accepterait sous aucun prétexte la moindre entrave ; c'étaient là, selon Ventura le Boiteux, alors présent par volonté expresse de doña Gregoria, ses propres termes : que rien ne fît obstacle à ses mouvements dans la maison et qu'entre-temps aucune porte, même celle de la chambre où ils dormaient, ne fût fermée à clef. Don Lorenzo accepta, et elle lui fit signer la preuve écrite, qu'elle demanda à Ventura de contresigner, lequel, ne sachant même pas écrire son nom, mit une croix, selon les indications de doña Gregoria. Don Lorenzo devait connaître le soir même toute la portée du pacte. Il était au lit avec la Portugaise quand doña Gregoria entra d'un air décidé dans la chambre. Je viens chercher quelques draps, dit-elle en se dirigeant vers l'armoire, et, comme ils la regardaient, éberlués, elle ajouta : Ne vous occupez pas de moi, ne vous gênez pas, continuez. Le lendemain, elle alla encore plus loin. Elle revint dans la chambre, mais cette fois avec une tasse de café au lait à la main. Je vais le boire ici, leur dit-elle, et elle s'assit à la table, leur tournant le dos, mais il y avait devant elle un miroir dans lequel elle pouvait parfaitement surveiller tout ce qui se passait dans le lit, et elle resta là, sans bouger, jusqu'à ce qu'elle eût bu la dernière goutte, ce qui ne prit pas moins de trois ou quatre heures. Le soir même, don Lorenzo voulut lui parler. Il commença par protester, mais doña Gregoria lui répondit qu'elle ne faisait rien qui n'était pas stipulé dans le contrat. Don Lorenzo sortit alors de ses gonds, se mit à crier et à taper du poing sur la table. Vas-tu m'expliquer, nom de Dieu, où tu veux en venir ? Doña Gregoria le regarda avec insistance, jusqu'à ce qu'il eût baissé les yeux, et parla : D'accord, je vais te le dire. Elle fit une pause, pour boire une gorgée d'eau, et, retardant autant qu'elle le pouvait le moment qu'elle considérait sans doute comme celui de sa victoire, elle ajouta : Je veux être dans la chambre pendant que vous forniquerez, je veux vous voir vous accoupler comme des bêtes. Don Lorenzo mit un moment à réagir. Il porta plusieurs fois les mains à sa tête, s'arracha les cheveux comme s'il pensait qu'il ne s'agissait que d'un rêve et qu'il allait vite se réveiller. Tu es folle, complètement folle, dit-il à voix basse tout en marchant de long en large dans la pièce. Tout à coup, il éclata de rire, d'un rire terrible, chargé de colère et de démence, qui semblait annoncer la fin de cette maison et de tous ceux qui y logeaient. La fin d'une lignée dérisoire et depuis longtemps éteinte. Doña Gregoria se leva et se dirigea vers le buffet, sortit de l'un des tiroirs le document qu'ils avaient signé. Je considère, lui dit-elle, que le pacte est rompu. Et, déchirant le papier en menus morceaux, elle ajouta : Maintenant, c'est à moi de jouer. Elle quitta la pièce, et, quelques instants plus tard, y revint, avec son manteau et son chapeau. Où vas-tu ? lui demanda don Lorenzo. Te dénoncer, lui répondit-elle sur un ton qui n'avait rien de dramatique, comme si elle s'apprêtait à faire ce qu'elle faisait tous les après-midi, depuis le début de la neuvaine, aller prier à l'église. Elle s'était placée devant le miroir et coiffait coquettement son chapeau, avec dans ses yeux un éclat de malice et de détermination. Elle était arrivée à la porte de la rue quand don Lorenzo l'appela. D'accord, l'entendit-elle dire derrière son dos, je ferai ce que tu veux, à une condition. Tu peux rester dans la chambre, mais attachée avec les menottes. Et il ajouta : Je ne me fie pas à toi. Doña Gregoria lui répondit sans même se retourner : J'accepte. Et elle suivit son chemin, non pas en direction de la gendarmerie, mais dans celle de l'église, dont les cloches sonnaient à ce moment-là. Le soir venu, doña Gregoria fit appeler Ventura le Boiteux et lui demanda de la suivre dans la chambre de son mari. Elle lui ordonna de placer une chaise près de la commode et lui enjoignit de l'attacher à l'un des pieds avec les menottes. Ventura le Boiteux n'osait pas le faire, mais elle lui en donna l'ordre une nouvelle fois, avec plus de fermeté, et il lui obéit. Maintenant, tu peux t'en aller, lui dit-elle encore. Nul ne sait ce qui se passa cette nuit-là. Le lendemain, elle appela de nouveau Ventura le Boiteux et lui demanda encore une fois de l'attacher, mais il y avait cette fois sur son visage une expression de douloureuse stupeur. La troisième nuit, Ventura le Boiteux lui fit remarquer qu'il fallait changer de poignet, parce qu'elle s'était blessée avec les menottes. En fait, il alla chercher des bandes, de l'eau oxygénée, et il la pansa. Le lendemain soir, il dut faire la même chose avec l'autre poignet, et, au fil des soirs qui suivirent, il lui fallut refaire régulièrement les bandages, qu'il trouvait toujours imprégnés de sang, parce que doña Gregoria essayait de se détacher et se blessait toujours plus profondément sans le vouloir, jusqu'au jour où ses poignets ne furent plus que de la chair à vif. Une nuit, ce fut don Lorenzo qui le fit appeler. Doña Gregoria gémissait, versait des larmes de désespoir, et don Lorenzo ne voulait rien entendre. Je ne veux plus, je n'en peux plus ! se lamentait-elle. Mais don Lorenzo insistait : Tu l'as voulu, maintenant, tu peux toujours te plaindre. Apercevant Ventura le Boiteux devant la porte, il lui dit, en lui tendant les menottes : Attache madame. Ventura le Boiteux se dirigea vers la commode, mais don Lorenzo prévint son mouvement : Non, pas là. Après avoir regardé tout autour de lui, pour trouver le meilleur endroit, il ajouta : Au pied du lit. Ce fut la dernière fois, parce que, le lendemain, doña Gregoria avait la fièvre et délirait dans sa chambre. C'est sans doute à ce moment-là, poursuivit Gabina, qu'elle a dû le dénoncer. Don Lorenzo s'en est tiré par miracle, il a dû faire sortir la Portugaise en cachette, pour que les phalangistes le laissent en paix, et, dès lors, ils ne se sont plus adressé la parole. Don Lorenzo passait à côté d'elle comme si elle n'existait pas, et toutes les tentatives qu'a pu faire doña Gregoria, qui en est arrivée à le suivre à genoux dans le couloir en lui demandant pardon, ont été vaines. Ils en sont restés là non pas pendant une, ni deux, ni trois semaines, mais pendant trois années entières, jour et nuit. Jusqu'à ce que don Lorenzo, sur son lit de mort, lui adresse la parole et lui demande pardon, ce qui a encore ravivé l'amour de doña Gregoria, l'a entraînée dans la folie la plus complète, au point que quand il est mort, elle a refusé de le faire enterrer, l'a gardé plusieurs jours chez elle, dans une tunique violette de pénitent, jusqu'à ce que son corps commence à sentir, et qu'après, obsédée par l'idée qu'il pût se réveiller dans sa tombe et se voir seul sous terre, elle est allée deux fois au cimetière avec Ventura le Boiteux et lui a demandé de le déterrer et d'ouvrir son cercueil, pour s'assurer qu'il était bien mort. C'est pendant ces trois ans au cours desquels ils ne se sont pas adressé la parole qu'elle a renvoyé toutes les servantes, parce que don Lorenzo, devenu lui aussi un peu toqué, ne voulait plus sortir de la maison, avait également l'air d'être écœuré de vivre, de devoir vivre dans ce village où tout le monde l'avait trahi, même ceux qui étaient proches de lui, et passait des jours, des semaines entières sans bouger, sans mettre le nez dehors, ou errait de chambre en chambre, mais en prenant toujours soin d'éviter les endroits où elle pouvait se trouver et, quand ils se rencontraient dans une pièce, il en sortait aussitôt sans dire un mot. Doña Gregoria renvoya donc toutes les femmes et resta seule avec Ventura le Boiteux. Elle ne voulait pas voir se reproduire l'histoire de la Portugaise, ni aucune autre de ses infidélités, et, de peur que son mari, tôt ou tard, même enfermé comme il l'était, finisse par jeter les yeux sur l'une d'elles, elle les mit toutes dehors sans explication, sans leur payer ce qu'elle leur devait, ce qui montrait bien qu'elle ne savait plus ce qu'elle faisait : l'argent était dans une boîte, elle refusait d'y prélever des sommes insignifiantes, même ce qu'il fallait pour acheter l'indispensable, et Ventura le Boiteux dut plusieurs fois payer de sa poche de quoi les nourrir. D'ailleurs, depuis que sans explication, sans préavis, elle avait un beau matin rabattu les servantes en direction de la porte ouverte comme on chasse les mouches avec un tablier, pour ne garder que lui, il avait dû se mettre en quatre et, en plus des travaux de jardinage et des soins à donner aux chevaux, s'occuper de la maison, nettoyer et aérer les chambres, porter le linge à laver, ce dont se chargeait une de ses parentes, acheter la nourriture, servir à table, laver la vaisselle, si bien qu'il devait travailler sans arrêt tout au long du jour, et quand il arrivait enfin à se coucher pour dormir, il lui fallait bientôt se lever parce que le matin était déjà là, et tout était à recommencer. Mais ce train d'enfer ne dura que quelques mois, car don Lorenzo mourut rapidement, sans lutte et sans bruit, comme une porte qui s'ouvre et laisse sortir la fumée accumulée dans la pièce, parce que c'est ça, la vie, une fumée qui monte et peu à peu se dissipe jusqu'à ce qu'il n'en reste rien et que nul ne se souvienne plus de ce qui l'a produite. Il est mort, et les femmes ont refranchi le seuil de la demeure, où doña Gregoria a encore déraisonné pendant plusieurs mois, et où elles sont revenues la servir pour presque rien, parce que c'était le rôle qui leur était échu et qu'elles n'avaient le droit ni de protester ni de s'attendre à un autre traitement. Le temps a passé, et doña Gregoria est renée de ses cendres, bien qu'elle n'ait jamais plus été celle que l'on avait connue ; même à l'église, elle était comme absente, comme si elle ne savait ni ce qu'elle faisait là, ni quel était ce dieu auquel elle adressait ses prières, elle ne s'agenouillait plus sur son prie-Dieu, mais n'importe où, mêlée aux autres femmes, sans plus chercher à se distinguer d'elles, ni des autres petites gens du village, ni des animaux, on l'apercevait d'ailleurs souvent dans les troupeaux, au milieu des brebis, marchant à leurs côtés comme pour chercher une compagnie impossible, puisqu'elles appartenaient à des règnes différents, même s'il semblait, par moments, que doña Gregoria allait elle aussi se mettre à quatre pattes et brouter l'herbe. Elle adressait maintenant la parole à tous, était devenue généreuse et aimable, bien qu'elle n'inspirât toujours pas confiance, surtout aux enfants et aux femmes, qui croyaient percevoir dans ses yeux un éclat étrange, d'incompréhension suprême, eût-on dit, et qui s'attendaient à tout de sa part, aux réactions les plus insensées et les plus redoutables. À la période de Noël, quand elle allait à l'école de l'Ave María, dont elle assurait l'entretien, tandis que les enfants faisaient la queue pour recevoir leur étrenne et se poussaient du coude en disant : Je la vois, elle arrive, et que les douceurs étaient posées devant elle, elle les regardait avec l'air d'ignorer ce qu'elle faisait là, et c'était Ventura le Boiteux qui devait le lui souffler et même lui mettre dans les mains les gâteaux, les pralines et les nougats qu'elle leur distribuait, alors même que de nombreux enfants avaient tellement peur d'elle qu'ils ne s'approchaient qu'en larmes, mais sans oser broncher, d'autant moins que Ventura le Boiteux n'oubliait jamais un visage et leur donnait une correction quand il les rencontrait, souvent des semaines plus tard, qu'il leur tirait les oreilles ou les battait avec ce qui lui tombait sous la main, une corde, une ceinture, ou même le manche d'une faucille, et celui qu'il attrapait aux alentours de la maison, quand ils se faufilaient dans la cour ou dans le jardin pour mettre en cachette le nez à la fenêtre et épier doña Gregoria, celui-là, il le poussait dans l'étable, et, après l'avoir attaché, comme il l'avait fait avec Tasio, il se mettait à aiguiser la lame de la faucille en s'interrompant à tout moment pour le regarder dans les yeux, et il le gardait là une bonne heure, ou il jetait de la luzerne dans le râtelier et le forçait à la manger en disant qu'ils étaient pires que des bêtes et qu'ils ne méritaient pas d'être mieux traités. C'est bien malheureux ! disait-on au village, où l'on ne comprenait pas que l'on pût aimer quelqu'un à ce point, et les gens pensaient que Ventura le Boiteux perdait son temps à essayer d'aider doña Gregoria, parce que, depuis la disparition de son mari, elle semblait attendre que la mort vienne et la ramène à lui. Je ne fais qu'attendre la mort, disait doña Gregoria à Ventura le Boiteux, et lui, quand il allait à l'étable soigner les bêtes après l'avoir quittée, se mettait à pleurer, le visage enfoui dans la mangeoire, et léchait la pierre de sel, sans s'inquiéter que les bœufs l'eussent fait avant lui. S'il y eût jamais homme fidèle dans ce village, ce fut Ventura le Boiteux, quoique personne ne pût comprendre ce qui l'unissait à doña Gregoria au point de lui vouer sa vie entière, car il ne s'était pas marié, n'avait d'autres intérêts que ceux de sa patronne, passait toutes ses journées chez elle, à la servir et à veiller sur elle, et, devant les autres villageois, prenait toujours sa défense, même quand elle se livrait aux pires folies, qui ne manquèrent pas, et dont certaines étaient si choquantes qu'en vérité elles faisaient rire.

En pleine nuit, plusieurs heures après que Gabina l'eut quittée, Reme pensait encore à une scène qu'elle n'oublierait jamais, à Ventura le Boiteux entrant dans l'étable le visage baigné de larmes. Gabina et elle étaient venues voir Puri et l'avaient trouvé ainsi en descendant dans la cour. Il donnait à manger aux bêtes tout en pleurant sans bruit, sans s'apercevoir que sa chemise était trempée, même quand il les vit apparaître ; il se borna à les saluer et à continuer sa tâche sans cesser de pleurer, comme s'il n'était pas conscient de ce qui lui arrivait, parce qu'il n'avait rien à cacher, en définitive, ni aucune raison d'avoir honte. C'est justement ce qui faisait dire à madame Benilde que c'était un prince. Personne ne s'en rend compte, disait-elle, mais Ventura le Boiteux est le seul prince qu'il y ait au village, et, un de ces jours, une caravane chargée de richesses va s'arrêter devant sa porte et nous l'enlever. Reme se dit : Le seul, non ; parce qu'il y avait Javi, et que Javi aussi lui semblait être un prince. Elle pensait à cette caravane et à la tête qu'ils feraient tous, surtout Víctor, quand ils la verraient arriver sur la place et qu'on le demanderait. Javi sortirait du bar, ses sujets s'agenouilleraient, inclinant la tête en signe de respect, et le vêtiraient de la tunique et du turban des princes. Puis ils l'enverraient chercher, elle, et la feraient monter dans une chaise couverte, que porteraient sur leurs épaules, sans le moindre effort, deux esclaves aussi noirs que la nuit la plus noire. Et Reme, souriant à cette idée, s'attarda à se regarder dans la glace de l'armoire, qui, sous la lumière irréelle de la lune, frémissait comme les eaux d'un lac. Il lui semblait qu'elle était sous la tente, en train de se mirer dans une psyché, apportant les dernières retouches à sa coiffure, parce que Javi devait arriver d'un moment à l'autre. On l'aurait vêtue d'une tunique précieuse, tissée de fils d'or, aux couleurs merveilleuses, et Javi en serait ébloui en entrant. Aussitôt agenouillé à ses côtés, ivre d'amour, il lui dirait : Les genoux, la petite toison, hum !, comme tous les amants. Et elle donnerait à tout son agrément, ce que font toujours les femmes quand elles sont consentantes.

# 12

Isma et Felipón s'étaient couchés à la même heure que d'habitude, et aucun des deux ne pouvait s'endormir. Felipón n'arrêtait pas de gigoter et ses mouvements empêchaient Isma de trouver le sommeil. Reste tranquille, lui dit-il, mais Felipón ne l'écouta pas, parce que le lit semblait envahi de fourmis. Pilar et Rojo venaient de sortir se promener. Rojo n'était pas décidé et prétendait qu'un orage menaçait ; alors, Pilar avait mis ses vêtements du dimanche en lui disant que s'il ne voulait pas l'accompagner, elle irait seule. Elle était habillée de noir, mais sur son visage, pour la première fois depuis la mort de la petite, il y avait une expression sereine, presque joyeuse, et, en la voyant ainsi, Rojo s'était laissé convaincre. Voilà pourquoi Felipón était aussi nerveux : on les avait laissés seuls avec don Bernardo. Des bruits se firent entendre dans l'escalier. C'était le père qui descendait pisser dans la cour. Ils l'entendirent rôder dans la cuisine. Il cherche le chocolat, souffla Felipón à l'oreille d'Isma, et ils sourirent tous les deux, en silence. Puis ils l'entendirent remonter l'escalier, et, peu après, fureter derrière la porte. Il essayait de l'ouvrir, mais Jose Fausto l'avait bloquée de l'intérieur. Ces derniers temps, il le faisait toutes les nuits ; ils venaient justement d'en parler dans la cuisine, pendant le dîner. Je ne veux pas qu'il entre dans notre chambre, avait dit Jose Fausto. Je ne vois pas en quoi ça te dérange, avait rétorqué Pilar qui faisait chauffer la soupe, il ne fait de mal à personne. Jose Fausto lui avait alors dit qu'il sentait la peau de vache mal tannée. Il est malade, avait-elle fait remarquer. Tu as vu comment sont ses jambes ? C'est étonnant qu'il soit encore en vie. Et Pilar avait ajouté : Il entre parce qu'il aime vous regarder pendant que vous dormez.

Mais don Bernardo n'entrait dans la chambre que pour voir Jose Fausto. Il s'approchait du lit sur la pointe des pieds et passait un moment à le contempler, parfois de si près qu'il frôlait presque son visage. Tu es un salopard, murmurait-il, tu me fais beaucoup de mal avec un peu de bien. Quand il parlait ainsi, il n'y avait pas la moindre trace de haine sur son visage, mais une infinie tendresse. Bien des nuits, en se retournant au moment où il arrivait devant la porte pour jeter un dernier regard dans la chambre, ses yeux avaient brillé au clair de lune comme s'ils étaient pleins de larmes. Depuis que Jose Fausto fermait la porte, il errait dans la maison comme une âme en peine. Parle-lui, toi, disait-il à Isma, ce n'est pas juste qu'il ferme la porte, je veux juste entrer pour vous dire bonsoir, en fin de compte. Isma ne le faisait pas, parce qu'il suffisait qu'il prononçat le nom du père Bernardo pour que Jose Fausto l'accablât d'injures. C'est un taré, lançait-il, s'il pouvait crever dans un caniveau... Mais cela n'avait pas l'air de devoir se produire de sitôt, et Pilar se trompait quand elle parlait de la gravité de ses maux. Elle avait raison en ce qui concernait ses jambes, elles inspiraient un tel dégoût qu'on ne pouvait même pas les regarder, mais il conservait pourtant une agilité surprenante pour un homme de son âge. Une nuit, Felipón réveilla son cousin en le secouant par l'épaule. Il le mena à la fenêtre et lui montra don Bernardo dans la cour. Le père avait appuyé l'échelle contre le mur et s'apprêtait à monter. Il le fit avec une grande facilité, et ils le virent disparaître sur le toit. Où va-t-il ? demanda Felipón, et Isma haussa les épaules, parce qu'il ne le savait pas. Ils le guettèrent à plusieurs reprises, mais ne purent le surprendre dans ses escapades. Il ne manquait pas, en revanche, d'essayer chaque nuit d'entrer dans leur chambre. Il n'y manqua pas non plus pendant la tempête. Jose Fausto avait barricadé la porte, ils avaient entendu le père gratter le bois et s'éloigner sans insister. Peu après, l'orage avait éclaté. Les premiers coups de tonnerre grondaient comme des explosions de barils de poudre, et, aussitôt après, une pluie drue, violente, frappa les tuiles de telle manière qu'elle parut charrier des tonnes de sable. Les coups de tonnerre étaient si forts que même Jose Fausto se réveilla, mais il se rendormit presque aussitôt, parce qu'il n'avait pas peur. Isma et Felipón, assis dans le lit, regardaient fixement les carreaux de la fenêtre contre lesquels la pluie tumultueuse frappait comme si on la jetait à pleins seaux. Ils entendirent des bruits à la porte de la rue, se levèrent et y coururent. C'étaient Pilar et Rojo qui, surpris dans la rue par la pluie, étaient rentrés en courant et revenaient trempés. Pilar pénétra dans la maison en riant comme le faisaient Reme et ses amies, pour un rien. On ne l'avait plus entendue rire depuis la mort de la petite. Isma et Felipón se montrèrent dans la cage d'escalier. Que faites-vous là ? leur demanda Pilar en les apercevant, son visage toujours transfiguré par le rire. Maman, don Bernardo a encore voulu entrer dans la chambre, dit Felipón. Pilar monta jusqu'à leur hauteur et s'assit sur une marche. Felipón se réfugia dans son giron. Bon, demain, je lui parlerai. Et elle le berça. Viens, toi aussi, dit-elle à Isma. Isma s'approcha, mais Pilar se borna à lui caresser distraitement le visage. Vous savez, leur dit-elle, vous êtes de drôles de boulets, les enfants. Je ne sais pas pourquoi, vous n'apportez jamais que la peine. Son visage s'était de nouveau crispé, et elle regardait en direction de la porte d'un air absent, halluciné. Allez, montez ! Si Rojo vous voit ici, il va se fâcher. Ils lui obéirent sans rechigner, sachant pourtant que ce n'était pas vrai, Rojo ne se fâchait jamais ni quand ils se couchaient tard, ni quand la maison était en désordre.

Tu veux savoir un truc ? dit Felipón à Isma quand ils se furent recouchés, Conchita, l'étrangère, est une pute. Il faut lui donner de l'argent. Isma haussa les épaules et se souvint de ce qu'elle lui avait dit au bal, qu'à lui, s'il voulait, elle ne lui demanderait rien. Il l'avait ensuite accompagnée à la fontaine, mais elle avait à peine pu boire, de peur de mouiller sa robe. Il s'était rappelé le verre pliable de Víctor. S'il l'avait eu, il aurait pu ouvrir la petite boîte en argent, le déplier, le mettre sous le jet, et lui donner à boire. À quoi penses-tu ? lui demanda-t-elle, mais Isma, comme toujours en semblable situation, ne sut que lui répondre ; c'était pareil qu'au moment où il voyait passer une bande de perdreaux, le temps de se tourner vers ceux qui étaient avec lui pour les leur montrer, ils avaient disparu. Les pensées filaient aussi vite.

Sottises, lui dit don Arturo, le pharmacien, ce qu'il y a, avec le père Bernardo, c'est qu'il est timbré. Isma lui avait demandé s'il était vrai que l'ail, comme l'affirmait don Bernardo, clarifiait le sang et soulageait le cœur. Tout ce que fait l'ail, conclut don Arturo, c'est qu'il pue, et ce que don Bernardo aurait de mieux à faire, ce serait de le jeter par la fenêtre. Il s'était passé quelque chose entre eux. Pendant des années, ils s'étaient fréquentés presque quotidiennement, et, un beau jour, ils ne s'étaient plus adressé la parole. Poldo, le berger, affirmait avoir vu don Arturo attraper le père par la soutane et le coller contre un arbre, rouge d'excitation, mais nul ne savait pourquoi ils s'étaient disputés ; ce devait être grave, sans doute, puisqu'ils ne se parlaient plus. Isma se rendait certains matins à la pharmacie, parce que don Arturo lui faisait porter à domicile les remèdes qui exigeaient une préparation attentive et ne pouvaient être délivrés sur-le-champ. Sans même frapper à la porte, il passait par l'arrière-boutique, poussait les battants et trouvait généralement don Arturo occupé à préparer les recettes à l'aide d'une petite balance. C'est un travail de précision, disait le pharmacien en cabotinant, un peu plus de ceci et un peu moins de cela, et ce qui aurait pu te guérir t'achève. Ce matin-là, il le surprit comme d'habitude absorbé dans ses préparations. Ah, c'est toi ! fit-il en l'apercevant. Tu entres comme les chats. En attendant que don Arturo eût fini, Isma lut les étiquettes des boîtes. Il cherchait toujours la même chose, celle de ces piqûres que se faisait Benigna. Selon Puri, ce n'était pas un remède, mais une drogue très puissante qui faisait disparaître les douleurs et vivre dans un monde où tout semblait n'avoir ni réalité ni poids. Elle faisait croire, par exemple, ajoutait Puri quand elle en parlait à ses amies, parce qu'elle avait assisté madame Benilde pendant ses derniers jours, que l'on peut passer la main à travers les murs. Les petites boîtes se trouvaient dans le coin le plus discret, et Isma lut une fois encore le nom mystérieux, acétate de morphine. Il avait entendu dire à don Arturo que l'on prescrivait ces piqûres dans les cas extrêmes, parce que si elles effaçaient complètement la sensation et l'idée de douleur, elles pouvaient conduire à la folie. C'était ce qu'il avait dit : la sensation et l'idée de douleur, comme si la vie humaine et la raison qui devait la soutenir n'étaient pas possibles sans elles.

Don Arturo lui demanda d'apporter aux sœurs Goya un sirop contre la toux qu'elles lui avaient commandé. En arrivant sur la place, Isma vit Gabina qui faisait la queue devant le marchand de légumes, et ils se saluèrent en agitant la main. Je viens de la part de don Arturo, dit-il aux sœurs Goya en entrant dans leur magasin. Elles avaient accroché quelques clochettes à la porte, qui se mettaient à sonner toutes à la fois quand on entrait. C'était une idée de la cadette qui, chaque fois que quelqu'un poussait la porte, se tournait vers l'arrivant avec un visage transfiguré par la satisfaction, comme pour lui dire : N'est-ce pas merveilleux ?, ce que l'aînée, en revanche, n'appréciait guère, mais qu'elle tolérait. Ce magasin, aimait-elle à dire d'un air railleur, ressemble de plus en plus au séjour des justes. Et elle se souvenait que l'un des noms qu'elles avaient envisagé de donner à leur magasin, avant de l'ouvrir, était Ninive, Épicerie Ninive, mais elles n'avaient pas osé, pour finir, de peur de ce que pourrait dire le curé, parce que, bien entendu, elles pensaient à la ville de Ninive telle qu'elle était avant la venue de Jonas. Les sœurs Goya prenaient leur goûter dans le magasin, sur une table placée près de la fenêtre. Elles l'invitèrent à s'asseoir, lui donnèrent des galettes et un morceau de chocolat, qu'il glissa dans sa poche à un moment où elles ne le regardaient pas. Elles essayèrent évidemment de lui tirer les vers du nez comme elles le faisaient toujours avec tout le monde, mais sans grand succès, parce qu'Isma était peu causant.

Il courut aussitôt trouver le père Bernardo. Je vous ai apporté du chocolat, lui dit-il. Don Bernardo était assis devant sa table, il lisait sa bible, et ne leva même pas les yeux quand Isma s'approcha pour laisser le morceau de tablette à portée de sa main. Isma se sentait coupable de ce qui se passait pendant la nuit, quand Jose Fausto empêchait le père d'entrer dans la chambre, même si ce n'était pas sans raison, surtout depuis qu'il les pinçait, et c'était pour cela que, chaque fois qu'il le pouvait, il lui apportait du chocolat et des gâteaux, sachant qu'il aimait les douceurs. Don Bernardo arrêta de lire, et levant les yeux au-dessus des pages, le regarda d'un air déçu et somnolent. Ah ! c'est toi, murmura-t-il, l'enfant-cerf ! Isma se contenta de sourire de toutes ses dents, tandis que le père Bernardo prenait le chocolat et n'en faisait qu'une bouchée. Il l'avait encore dans la bouche quand il commença à se plaindre. Il revenait sur son thème de prédilection, Jose Fausto le dédaignait, il y avait au moins quinze jours qu'il n'était pas monté le voir. Mais vous le pincez, allégua Isma. À d'autres, ne me raconte pas de conneries, répondit le père en lui faisant signe de s'en aller, tout ce qu'il cherche, c'est à m'emmerder. En de pareils moments, quand il se fâchait, don Bernardo se laissait aller à dire des grossièretés qu'il alignait en chapelets interminables, comme les tresses d'aulx qui pendaient de tous les côtés dans sa chambre. Sous ce toit, lui avait dit Puri quand, au début de l'été, ils avaient vu *Le Comte Dracula* dans la grange de Pilatos, vous ne courrez aucun danger. Néanmoins, cette nuit-là, ni Felipón ni lui n'avaient bien dormi, parce qu'il leur semblait que les aulx de don Bernardo, vieux comme ils étaient, avaient perdu leur pouvoir, comme tout ce qu'il avait dans sa chambre, et n'auraient pas du tout impressionné le comte Dracula, s'il avait décidé de faire un petit tour dans le village.

Isma descendit l'escalier en silence et s'esquiva comme une ombre par la porte de la cuisine. Il ne voulait pas que Pilar sût qu'il n'était pas allé à l'école. En arrivant dans la rue, il se mit à courir, les bras en croix. Il avait l'impression d'être le petit avion qui s'était posé en catastrophe près du moulin, mais lui ne tombait pas, parce qu'il était le meilleur pilote du monde. Il imaginait aussi que Reme volait à côté de lui. Ses yeux brillaient et, aussi vite qu'ils allaient, ce n'était jamais assez, parce que rien ne lui plaisait davantage que la vitesse. Il s'arrêta en arrivant sur l'aire de Poldo. Il était si fatigué qu'il se coucha par terre. Le sang battait à ses tempes, encore entraîné par l'élan du moteur et des hélices. Il entendit chanter un grillon, tout près de lui, et chercha son trou, mais, quand il le trouva, il s'aperçut qu'il était trop profond, et il eut beau le fouiller avec un brin de paille, il n'arriva pas à le faire sortir. Il voulait l'attraper pour l'apporter à Reme, qui aimait les mettre dans la cour, en disant que, comme ça, elle ne lui semblait plus aussi sale. Il pensa aller la voir, mais se ravisa aussitôt, en se disant qu'elle le gronderait sûrement d'avoir manqué l'école. Sur ce point, elle était comme Pilar, obsédée par l'idée que les enfants doivent aller à l'école, même si lui ne voyait pas pourquoi. Il se souvint tout à coup qu'il y avait des jours qu'il n'était pas passé chez Víctor, et il prit le chemin de sa maison. En arrivant à la fontaine, il rencontra une nouvelle fois Gabina, qui portait encore le panier de provisions. Tu sais, lui dit-elle, je sers chez monsieur le curé. Le matin même, elle était allée lui dire qu'elle était disposée à s'occuper de son ménage, et, au moment où elle lui avait demandé quand il désirait qu'elle commençât, don Ramón lui avait répondu : Immédiatement. Ce n'était pas étonnant, la maison était dégoûtante et avait besoin d'urgence d'un bon nettoyage. Isma entra avec elle dans le vestibule, qui était très obscur et sentait l'humidité.

Viens, lui dit Gabina en lui tendant la main. Elle l'emmena jusqu'au bureau de don Ramón, qui était alors à l'église. Derrière la table, à demi cachée par de lourds rideaux, il y avait une porte, si basse qu'un adulte devait se courber pour la franchir. Tu vois cette porte ? lui demanda Gabina. Eh bien, c'est celle d'une chambre secrète. Seul don Ramón en a la clef, et il m'a dit qu'il ne fallait pas que j'y entre. Ils restèrent un moment à regarder la porte en silence, main dans la main. Je n'ai pas la moindre idée de ce qu'il garde là-dedans, dit ensuite Gabina. Et elle ajouta aussitôt, tout bas : Peut-être les corps coupés en morceaux de ses anciennes servantes. Isma lui sourit, sachant bien qu'elle blaguait, sans pour autant pouvoir s'empêcher de frissonner, parce que cette maison lui faisait vaguement peur. Bon, je m'en vais, fit-il en lui lâchant la main. Gabina le raccompagna à la porte et lui donna quelques sous. Isma partit en courant, mais, en tournant le coin, il se sentit un peu coupable de l'avoir laissée seule ; après tout, quelque chose pouvait vraiment lui arriver.

Il alla chez Víctor et frappa à la porte. Ce fut Víctor lui-même qui vint lui ouvrir. Tiens, quelle surprise ! s'exclamat-il, j'ai pensé que tu ne vivais plus au village. Il le mena à la salle à manger, et la première chose qu'il fit, ce fut d'aller chercher dans le buffet la bouteille de quinquina et un verre pour le faire boire. Puis il posa sur la table le bocal de pièces. Voyons un peu ce que vaut ce que tu sais, aujourd'hui. Isma lui raconta que, ce matin-là, Javi était venu apporter des cigarettes à Reme à la boulangerie, deux paquets de blondes américaines. Il était arrivé en fourgonnette mais n'avait pu rester parce qu'il était très pressé. Víctor tira quelques pièces de sa poche et les fit tomber dans le flacon. C'est mieux que rien, fit-il, mais je ne peux t'en donner plus. L'information est, comment dirais-je ?, un peu insuffisante ; dans le monde de l'espionnage, elle serait considérée comme de peu de valeur. Il entassa beaucoup de pièces sur la table en ajoutant : J'espère que tu vas m'apprendre quelque chose de plus intéressant. Des cris retentirent, à ce moment-là. Ils venaient de la cour et étaient poussés par les servantes, mais on ne comprenait pas ce qu'elles disaient. Víctor quitta aussitôt la pièce et Isma le suivit jusqu'à la cuisine. La fille qui avait crié se cachait le visage dans son tablier, et une autre fille et une femme plus âgée tâchaient de la calmer. Isma les connaissait à peine, il savait que l'une des deux filles était une cousine de Jandri. Que se passe-t-il ? demanda Víctor. La fille au tablier levé se mit à sangloter plus violemment, pendant que la cousine de Javi s'agenouillait à côté d'elle et lui donnait de petites tapes dans le dos. Du calme, ma chérie, c'est fini. La femme fit signe à Víctor. Venez, lui dit-elle tout bas. Ils sortirent dans la cour et virent une brebis au pied du mur en pisé. Elle était pleine de terre, et, à son aspect comme à son odeur, elle semblait morte depuis plusieurs jours. On aurait dit qu'on venait de la déterrer et de la jeter par-dessus la clôture. Isma s'enfuit sans même dire au revoir. Il savait que Quico était derrière tout ça. C'était lui qui l'avait jetée et qui reviendrait la chercher, parce qu'il aimait les bêtes mortes, les porter ici et là sur ses épaules. Elles sentent la merde et la nourriture, comme les bébés, lui avait-il dit, la dernière fois, quand Isma lui avait demandé pourquoi il faisait ça.

Il était tellement effrayé qu'il retourna chez les sœurs Goya. Les clochettes tintinnabulèrent, et, de l'arrière-boutique, la plus jeune des sœurs demanda qui était là. Mais Isma, sans répondre, s'attarda à regarder les clochettes. Elles étaient dorées et pendaient sur plusieurs rangs d'une armature circulaire. C'est moi, lança-t-il enfin. Quand la porte les heurtait, elles sonnaient comme des folles, et on aurait dit qu'elles allaient toutes voler dans une direction différente. La cadette apparut, s'essuyant les mains à son tablier. Si vous voulez, dit Isma qui tremblait encore à cause de la brebis, je peux vous aider à ranger les caisses. Les livreurs laissaient les commandes dans l'arrière-boutique et il fallait ranger les caisses à leur place, sinon, les deux sœurs ne savaient plus, ensuite, ce qu'elles avaient en magasin. D'accord, lui dit la petite Goya. Puis elle ajouta : Quand tu auras fini, nous mangerons un petit morceau. Isma passa à l'arrière-boutique et rangea les livraisons. Il n'y en avait pas beaucoup, il eut vite fini. Les deux sœurs ne vendaient que l'indispensable. C'est une affaire ruineuse, disait l'aînée, qui se chargeait des comptes, elle ne rapporte même pas de quoi passer le linge au bleu. Mais, au lieu de retourner au magasin, il s'accroupit dans un coin, où personne ne pouvait le voir. Il pensait encore à la brebis. Il savait que Quico reviendrait la chercher et il ne voulait pas qu'il le voie. Il pensait aussi à la chance qu'avait Andreona, de ne plus vivre au village, parce que Quico serait sans doute allé la chercher, avec cette bête morte sur son dos, et elle aurait dû prendre sa défense. Et pourquoi est-ce mal ? aurait-elle dit à ceux qui seraient venus lui chercher dispute, pourquoi ne peut-il pas faire ce qui lui fait plaisir ? Il s'avisa alors qu'il était parti de chez Víctor sans dire au revoir et que celui-ci serait sans doute fâché. Il revit le bocal de pièces, se dit qu'il n'arriverait pas à le remplir. De plus, il ne savait jamais ce qu'il fallait raconter ou ne pas raconter, il avait souvent été sur le point de dire quelque chose, mais il lui avait semblé que Reme se montrait un instant à la fenêtre et lui faisait signe de se taire. Il se souvint que quand Reme et Javi l'emmenaient en fourgonnette, au bout d'un moment, ils lui bandaient les yeux. Bon, c'était Reme qui le faisait, Javi s'en moquait, à cet égard, ils ressemblaient un peu à Andreona et Quico : tout ce qu'elle pouvait faire lui semblait bon. Et il avait l'impression que Reme était là, levant la tête derrière une caisse, pour lui dire de ne surtout pas parler de ça.

C'était arrivé pour la première fois la semaine précédente. Ils étaient assis devant l'entrée de la boulangerie et Javi était arrivé en fourgonnette. Venez, leur avait-il dit, on va faire un tour. Sa tête sortait de la portière comme si elle allait se détacher et rouler dans la rue. Reme s'était levée d'un bond, et, montrant Isma, elle avait un fait un geste, pour demander ce qu'ils faisaient de lui. Il vient avec nous, avait dit Javi sans hésiter. Reme lui avait tendu la main en souriant, et ils s'étaient tous les deux assis sur le siège avant. Ils avaient pris le chemin de la montagne. Les maisons glissaient, disparaissaient comme des éléments d'un décor et, quand ils voyaient quelqu'un de connaissance, ils lui adressaient des signes de la main. C'est fantastique ! s'écria Reme, nous ne reviendrons jamais plus. Isma s'était glissé entre les sièges et regardait Javi conduire ; il quittait rapidement la route des yeux et lançait de longs regards extasiés à Reme qui, de son côté, tournait à tout moment la tête pour lui sourire. Les vitres étaient baissées et le vent agitait ses cheveux sur ses épaules, leurs mèches brillaient comme le tableau de l'école quand on y passait une éponge mouillée. Isma regarda l'aiguille de l'indicateur de vitesse. Ils n'étaient pas encore sortis du village et dépassaient déjà les soixante à l'heure. Où voulez-vous aller ? leur demanda Javi. Reme n'hésita pas un instant : au bar de la grand-route. Pendant qu'ils franchissaient la montagne, ils aperçurent plusieurs moutons. Ils broutaient entre les bosquets d'yeuses et, quand ils entendaient le bruit du moteur, ils fuyaient dans l'épaisseur du taillis en faisant des bonds décidés et fous ; on aurait dit qu'ils ne savaient plus où ils allaient. Reme était heureuse et les leur montrait avec enthousiasme. Regarde ! Un autre, là ! Ils virent aussi un sanglier. Il était sorti du couvert des arbres pour aller vers un puits, et sa couleur sombre se détacha d'une manière violente, étrange, sur la blancheur de la pierre badigeonnée de lait de chaux. Il semblait s'en approcher non pas pour boire, mais pour contempler cette blancheur sans pareille.

En arrivant au bar, Reme lissa sa robe. Je suis une vraie souillon, se plaignit-elle. Mais Javi les défia à la course et ils s'élancèrent. Il arriva le premier, Isma après lui, et Reme la dernière, mais on voyait bien qu'elle n'y avait guère mis du sien, parce qu'elle était très préoccupée par sa robe et ses cheveux. Viens, dit Javi à Isma, et il l'entraîna vers l'appareil à disques. Isma n'en avait jamais vu de semblable, et Javi lui expliqua comment s'y prendre pour le faire fonctionner. Ils mirent les pièces, Isma vit le disque descendre, et l'aiguille aller aussitôt se placer au-dessus des sillons où la chanson était gravée. C'était l'air à la mode, *En frappant aux portes du ciel*, et, quand il se terminait, Javi lui donnait d'autres pièces, il le refaisait jouer, tandis qu'ils ne cessaient de se dévorer des yeux. Ils se mirent même à danser, car le bar était vide. Ils étaient si près l'un de l'autre, si absorbés l'un par l'autre que, quand la musique s'arrêtait, ils ne s'en rendaient même pas compte, et il devait aller le leur dire. Hé ! lançait-il tout bas à Javi en le tirant par la manche de la chemise, hé, la chanson est terminée. Et Javi sortait quelques pièces de monnaie de sa poche et les lui donnait machinalement, presque sans savoir ce qu'il faisait. Je remets la même ? Ils hochaient la tête. Bientôt, ils s'aperçurent qu'il se faisait tard et qu'ils devaient filer immédiatement, parce que la nuit était presque tombée. Au moment où ils sortaient en courant, on alluma les enseignes au néon. Ils virent le nom écrit sur la façade et la lumière verte se répandit en tremblotant tout autour d'eux, et ce fut comme si le bar, la route et la fourgonnette étaient dans la mer et qu'ils pouvaient respirer sous l'eau. Il allait monter sur le siège avant quand Reme l'en empêcha. Toi, va derrière, lui dit-elle à l'oreille et, pour ne lui laisser aucun doute, elle lui pinça le bras. En reprenant le chemin de la montagne, Javi alluma les phares. Ils éclairaient la route en ayant l'air de dire : Écartez-vous, ombres, écartez-vous, sangliers, nous venons du bar de la grand-route ! Ils parlèrent à peine, mais Javi prit la main de Reme et la posa sur le volant, et ils conduisirent ainsi, à trois mains, comme s'ils craignaient que l'un des deux pût subitement perdre la tête. Ils s'arrêtèrent en apercevant au loin les premières lumières du village. La nuit était tombée et Javi tendit la main et caressa les cheveux de Reme. Alors, il y eut deux nuits, la nuit de la montagne et la nuit des yeux et des cheveux noirs de Reme, quand Javi les touchait. Brusquement, ils se souvinrent qu'il était là. Attends, dit Reme, et, dénouant le foulard qu'elle portait au cou, elle lui banda les yeux. Comme ça, tu ne peux pas regarder, dit-elle avec une expression joyeuse. Isma se renversa sur le siège et les entendit chuchoter, rire doucement. Puis ils se turent. Si longtemps qu'il lui sembla qu'ils n'étaient plus là. Alors Javi se remit à parler. Allez, faisait-il, et Reme riait, disait non. Il lui demandait la chanson qu'il les avait entendues chanter sur les aires, ses amies et elle, et Reme refusait, disant qu'elle avait mal à la gorge. Mais elle se lança soudain :

*Quel plaisir de pleurer*
*en cette soirée grise...*

Je ne peux pas, tu le vois bien, dit-elle en s'arrêtant, se raclant la gorge, faisant l'incapable et la malade, afin que Javi la consolât. Et, pendant un moment interminable, le silence régna de nouveau dans la voiture, mais Isma entendait maintenant leurs respirations et devinait une activité cachée, profonde, dont le sens était pour lui hors d'atteinte, lui donnait la même impression qu'il avait quand il se penchait au-dessus de la margelle d'un puits et que l'éclat de l'eau lointaine éveillait en lui le pressentiment d'un royaume différent à l'intérieur de la terre. Un peu plus tard, Reme se remit à chanter, mais si bas, cette fois, que c'était à peine s'il entendait les paroles.

*... mes yeux en se fermant*
*te voient tel que tu étais hier...*

De nouveau, il écouta leurs respirations, qui étaient maintenant plus profondes, plus lourdes, les murmures reprirent aussitôt, les rires, les mots à peine compréhensibles, et il s'endormit. Réveille-toi, on est arrivés. Reme le secouait. Le pauvre, dit-elle, et elle lui ôta le bandeau des yeux. Attends, dit Javi, qui le prit dans ses bras. Ils entrèrent tous les trois dans la boulangerie. Nino, le père de Reme, les attendait à la porte. Il était déjà au travail et ses mains et ses vêtements

271

étaient tachés de farine. Où es-tu allée ? demanda-t-il à Reme, comme si les deux autres n'étaient pas là. Reme haussa les épaules. Me promener, lui répondit-elle sur un ton de défi. Isma était maintenant complètement réveillé, et Javi se tenait tout près de lui. Il lui sembla qu'il cherchait sa protection, comme si, en dépit de leur différence de taille, il avait voulu se cacher derrière lui. Bon, réussit à dire Javi, très nerveux, nous, on s'en va. En arrivant à la porte, ils se donnèrent la main. Un, deux, trois, partez ! souffla Javi, et tous deux se mirent à courir vers la fourgonnette. Monte, lui dit-il, je t'emmène. Isma monta à côté de lui et Javi le conduisit jusque devant la porte de la maison. On l'a échappé belle, lui dit Javi avec une expression inquiète. Jose Fausto et Felipón sortirent en entendant le bruit du moteur. Emmène-nous faire un tour, à nous, maintenant, lui dirent-ils. La prochaine fois, leur répondit Javi, et, après avoir lancé un clin d'œil à Isma, il partit à toute vitesse. Il avait peur de Nino, parce qu'il savait qu'il n'aimait pas le voir sortir avec Reme. Tu sais ce que je crois ? dit-il à Reme un après-midi, que Víctor a piégé ton père, et que tu fais partie du marché. Reme n'essaya même pas de prendre la défense de son père. Elle savait qu'il devait de l'argent à Víctor, et qu'elle seule pourrait l'empêcher de le traîner devant les tribunaux, parce que Víctor la désirait. Il ne fallait pas être bien malin pour s'en rendre compte, il suffisait de voir comment il la regardait quand ils se croisaient dans le village, et d'observer son comportement quand il entrait à la boulangerie, il ne lui manquait plus que de lever sa chemise, de déployer sa queue de paon et de faire la roue entre les sacs de farine. Il ne fallait pas l'être davantage pour savoir que son père consentait à ces visites, et, dès que Víctor arrivait, prenait la première excuse venue pour sortir et les laisser seuls. Le pire, c'est que pendant longtemps, jusqu'à ce que Javi apparaisse, ces visites ne l'avaient pas gênée ; au contraire, l'attitude de Víctor lui donnait un sentiment de puissance. Il s'asseyait à la table pendant qu'elle travaillait, lui parlait des voyages, de tout ce qu'il lui offrirait si elle venait vivre avec lui. Parce qu'il ne lui proposait pas le mariage et une vie commune dans la maison répugnante où il vivait alors, mais seulement de partir avec lui pour Madrid, Saint-Sébastien, d'autres villes avec des casinos, de grands restaurants, des hôtels aux baignoires tellement étincelantes qu'il valait mieux y entrer les yeux fermés pour ne pas être aveuglé par l'éclat de l'émail. Nous deux, lui disait-il, nous sommes nés pour être libres, il nous faut les grands espaces, les horizons sans bornes qui embrassent le monde dans toute son ampleur et sa diversité ; ils passeraient leur vie à voyager, et, aussitôt qu'ils seraient fatigués d'un pays, ils feraient leurs valises et s'en iraient ailleurs, ils vivraient pour ainsi dire dans les cabines des transatlantiques ou les compartiments des wagons-lits et seraient heureux ainsi, parce qu'ils étaient nés pour ne s'installer nulle part à demeure, mais, au contraire, changer de gîte à chaque saison nouvelle, comme les cigognes et les martinets. Voilà ce que disait Víctor, et elle, quand elle se couchait, songeait à ces hôtels, à ces théâtres où se produisaient les meilleurs acteurs et les meilleures actrices du monde, à ces salons que l'on eût dit surgis du fond des mers, et elle avait l'impression que Víctor avait raison, qu'elle n'était pas née pour rester dans ce village dégoûtant, mais pour voler d'un endroit à l'autre, et profiter de toutes ces choses, une chaise longue où prendre un bain de soleil sur le pont d'un transatlantique, un tapis rouge pour la conduire à sa loge d'opéra, tandis que les ouvreuses s'inclinaient à son passage comme si elle était une dame. Mais, ensuite, elle s'en repentait, il lui suffisait de voir les sacs de farine pour se mettre à pleurer. Ne t'en va pas, lui disait cette blancheur, et elle y plongeait les mains, en sentait l'indescriptible douceur, la légèreté, et il lui semblait bien que si la vie avait des secrets, ils ne se trouvaient pas dans les grands casinos, ni dans les hôtels étincelants, mais dans ces sacs, cachés dans cette farine si blanche tel l'un de ces anneaux magiques que les personnages des contes trouvent en brisant une simple miche de pain. Et aussi, bien sûr, dans les yeux d'Isma, quand elle se retournait brusquement et le voyait assis, les bras tendus sur la table, si blancs, si propres qu'ils lui donnaient envie de les saupoudrer de sucre et de les croquer. Parce qu'elle avait aussi l'impression qu'il était fait de farine, que c'était pour cela qu'il pesait si peu, elle-même aurait pu le prendre sur ses épaules et le porter en haut de l'escalier sans peine ni douleur ; et il avait ces yeux immenses, insondables, qui pouvaient rester posés sur elle aussi longtemps qu'il le voulait sans provoquer le moindre ennui, la moindre angoisse, au contraire de ceux de Víctor, dans lesquels semblaient se condenser toute l'amertume et toute la méchanceté du monde, et dont elle ne pouvait supporter le regard plus d'un instant si elle ne voulait pas être brûlée. C'était pour cette raison qu'en voyant son père reculer, hocher la tête et quitter la boulangerie sur un seul regard de Víctor, elle sentait la rage la gagner et jurait de se venger ; qu'à table, au moment des repas, elle jetait des poignées de sel dans les haricots ou dans les pois chiches, du sucre dans la soupe ou des piments dans les boulettes. Son père mangeait sans se plaindre, alors qu'il avait un ulcère et que dans l'après-midi il souffrirait d'aigreurs d'estomac, mais il mangeait sans lever les yeux de son assiette, sans dire un seul mot, reconnaissant qu'elle avait raison et faisait bien de le traiter de cette manière. Cependant, quand il croisait ensuite Javi, il redevenait lui-même, non plus l'homme honteux, le serviteur de Víctor, mais l'homme sans scrupules, qui n'hésitait pas à vendre sa fille pour sauver son négoce. Il l'arrêta même une fois dans la rue pour lui dire : Prends garde à ce que tu fais ; et il le lui dit de telle manière que Javi eut vraiment peur, alors que Reme l'incitait à s'en moquer. C'est un hâbleur, il n'osera pas lever la main sur toi. Et puis, ils étaient libres de faire ce que bon leur semblait et n'avaient de comptes à rendre à personne. La dernière semaine se passa donc ainsi, ils firent ce qu'ils voulurent, et arrivèrent à sortir ensemble tous les jours. Ils emmenaient Isma avec eux, pour donner le change. Ils allaient au bar de la grand-route, et, sur le chemin du retour, Javi s'engageait

dans la forêt et arrêtait quelques mètres plus loin la fourgonnette sous les yeuses. Puis Reme bandait les yeux d'Isma, qui
finissait par s'endormir, bercé par mes murmures et les rires,
et par une très jolie chanson.

*Remords, petite vie...*

murmura Isma, qui, toujours caché entre les caisses, vit la
plus jeune des sœurs Goya entrer dans l'arrière-boutique. Hé,
petit, tu es encore là ? l'entendit-il dire. Elle s'était arrêté à
deux pas de la porte et la lumière du soleil l'éclairait par-
derrière, comme au théâtre. Dans le fond, on voyait un mur
chaulé, au bas duquel étaient alignés des pots de fleurs. Isma
sortit de sa cachette et s'approcha d'elle, qui lui caressa la
tête. Pendant un moment, ils se regardèrent. Tu es un garçon
bien étrange, lui dit-elle. Tu devrais partir d'ici, ils te rendront
la vie impossible. Isma sourit de toutes ses dents, parce que
Reme lui disait la même chose, mais elle ajoutait qu'ils parti-
raient ensemble. Viens, lui dit la petite Goya, allons prendre
quelque chose. En passant près du mur chaulé, Isma regarda
les pots de fleurs. C'étaient des géraniums, mais ils ne ressemblaient pas à ceux que Reme avait chez elle. Elle les mettait sur le trottoir, alignés devant la façade, et n'avait qu'à se
pencher, pour les voir, à la fenêtre de la boulangerie, qui était
juste en face. Elle le faisait souvent, surtout quand le soleil
du matin les éclairait ; les géraniums n'étaient qu'une fleur,
et l'endroit, alors, ne lui paraissait plus aussi misérable,
comme si ces fleurs lui disaient que même ici, entre la paille
et les bouses de vache, il pouvait y avoir quelque beauté. La
petite Goya lui donna un verre de lait et des galettes, ils
burent et mangèrent en silence, car elle n'était pas aussi
bavarde que sa sœur, elle répugnait même à prendre la parole.
Un après-midi où Puri servait au comptoir, elle les avait
entendues discuter. L'aînée reprochait à la cadette de n'être
pas assez communicative et de passer des heures entières sans
dire un mot. Parler, parler, avait répondu la petite, pourquoi

faut-il toujours parler ? Nous devrions être muets comme les animaux. Bon, fit Isma, je m'en vais. Bon, reprit-elle en écho sans même faire un mouvement pour lui dire au revoir. Isma se retourna quand il arriva devant la porte. Elle demeurait dans la même attitude absorbée, comme si le fait qu'il fût là ou pas ne faisait pour elle aucune différence. Une fois dans la rue, il comprit aussitôt qu'il était arrivé quelque chose. Il vit Pasca traverser la place en courant comme un dératé et se diriger vers la maison de don César. Un instant plus tard, les deux hommes ressortirent ensemble, don César avec sa mallette. Il vit aussi deux femmes courir ; une troisième les rejoignit près de l'Arc, et elles se mirent à parler rapidement à voix basse. Le Basque arriva à bicyclette, et Isma courut à sa rencontre. Qu'est-ce qu'il arrive ? lui demanda-t-il, mais le Basque ne voulut pas s'arrêter et l'évita sans même tourner la tête, comme s'il redoutait de le regarder dans les yeux. Il s'approcha du bar. Il y avait un rassemblement devant la porte, il prêta l'oreille. Les hommes ne savaient pas grand-chose, ils étaient comme lui dans l'expectative, mais tout donnait à penser qu'il s'agissait de quelque chose de grave. Ils virent venir Antonino, qui était allé chez don César, et, à son expression, ils comprirent qu'il était au courant. En effet, arrivé à mi-chemin, il se mit à courir. Il arriva hors d'haleine. Le tracteur de don Andrés a versé, jeta-t-il. C'était le premier tracteur du village, et tous se souvenaient encore du jour où ils l'avaient vu arriver sur la place, avec ses roues immenses, dentées, dans lesquelles semblaient s'être accumulées toute la force et toute la mélancolie des animaux préhistoriques. Mais ils ne tardèrent pas à se rendre compte qu'en dépit de son aspect il était plus fragile que les bœufs, surtout dans les côtes, où il était facilement déséquilibré. Il vit encore madame Maura. Elle était au milieu de la rue et parlait à une voisine. Il courut vers elle, pour lui annoncer la nouvelle. C'est le tracteur de don Andrés, il s'est renversé. Elle lui adressa un regard sidéré, comme si elle ne savait à quel saint se vouer, et se contenta de lui dire : Rentre chez toi. Mais

Isma alla chercher Reme. La boulangerie était fermée, et il eut beau taper à la porte de chez elle, elle ne répondit pas. Reme, cria-t-il de la rue, le tracteur de don Andrés a versé ! Son regard tomba sur les géraniums. Leurs fleurs tremblaient dans la lumière de l'après-midi, semblables à des oiseaux vivants. Cours vite, lui dirent-elles. Va-t'en d'ici, ne rentre pas chez toi. Il sut qu'un malheur était arrivé et courut à la maison. À quelques mètres de la porte, un groupe d'hommes s'entretenaient à voix basse. Isma s'arrêta ; ils tournèrent tous la tête. Alors, il entendit les cris, semblables à des plaintes de bête sauvage. C'était Pilar. Il entra dans la maison en courant. La cuisine était pleine de gens et Pilar s'arrachait les cheveux et criait, tandis que les femmes essayaient de la maîtriser. Les yeux d'Isma croisèrent ceux de Puri, debout sur le seuil. Elle tenait dans ses mains un sévereau, qu'elle caressait, l'esprit ailleurs, et semblait lui dire : N'entre pas, c'est partout pareil dans la cuisine. Et, en effet, quand il voulut entrer, elle lui barra le passage. Jose Fausto, lui souffla-t-elle à l'oreille. Le tracteur s'est renversé sur lui et l'a tué sur le coup. Pilar criait toujours. Ce n'est pas juste, mon Dieu, tu veux tout pour toi, disait-elle. Puri essaya de l'embrasser, mais l'odeur du poisson écœura Isma et il s'écarta d'elle. Il ne pensait qu'au père Bernardo et à ce qui allait se passer quand il apprendrait que Jose Fausto était mort. Felipón était en haut, il écoutait les cris qui venaient de la cuisine comme on entend des propos avec lesquels on n'a rien à voir. Où est le père ? lui demanda Isma. Felipón haussa les épaules. Isma monta à la chambre de don Bernardo. Le père était au lit, où il passait des journées entières sans presque bouger, enfoui sous les couvertures jusqu'aux oreilles. Que se passe-t-il ? s'enquit-il, somnolent. Rien, lui dit Isma, qui alla fermer complètement les volets, si bien que l'obscurité régna dans la chambre. Dormez. Il attendit un moment, jusqu'à ce qu'il l'entende ronfler. Il songeait à ses promenades nocturnes ; maintenant, quand il irait se poster au-dessus du lit de José Fausto, il le trouverait toujours vide. Toujours ? Et s'il lui arrivait ce que était arrivé à Quico, s'il prenait goût à venir au village, à épier les hommes et à chercher les animaux morts pour les porter sur son dos ? Il se précipita dans l'escalier en souhaitant que cela n'arrive jamais, parce qu'il aurait alors trop peur, et il ne voulait pas avoir peur de lui, c'était son cousin. Mieux vaut que tu ne reviennes pas, murmura-t-il, et, se rappelant ce qu'il avait tant de fois entendu dire à Reme, sans jamais bien le comprendre, il ajouta : Ce village est à vomir. Pilar s'était un peu calmée, mais, même ainsi, quand il s'approcha d'elle, elle parut ne pas le reconnaître, ou, pis encore, lui adresser un regard haineux, comme si elle aurait préféré le voir mort à la place de Jose Fausto, parce qu'il n'était pas son fils, en définitive. Il vit les sévereaux sur l'évier, et il lui sembla qu'eux aussi désiraient sa mort. Ils ne l'effrayèrent pas, mais lui firent peine. Furieux d'avoir été arrachés à la mer, ils voulaient la mort de tout le monde. Il ressortit de la cuisine pour aller chercher Felipón. Il n'était pas dans l'escalier, ni plus haut, quand il monta jusqu'à la chambre du père Bernardo, qui était fermée comme il l'avait laissée. Il se souvint d'une histoire que leur racontait Pilar, celle d'une mère tellement pauvre qu'elle ne pouvait donner à manger à ses enfants, parce qu'elle n'avait pas d'argent. Elle leur faisait croire, en tenant les volets clos, que l'heure de se lever n'était pas encore venue. Mère, criaient les enfants, nous avons faim. Et elle, en larmes, leur répondait d'en bas : Dormez, mes petits, dormez, il fait encore nuit. Et il en allait ainsi jour après jour, cette nuit n'en finissait jamais, parce qu'elle veillait à laisser la chambre dans l'obscurité pour qu'ils ne pussent savoir que le jour s'était levé. Isma s'approcha davantage de la porte et colla son oreille contre le bois. Le père Bernardo devait encore dormir, car aucun bruit ne se faisait entendre. Dormez, dormez, murmura-t-il, il fait encore nuit. Et il redescendit l'escalier en direction de sa chambre. Felipón, appela-t-il, tu es là ? Mais la chambre était vide. Il regarda le lit de Jose Fausto. Pilar venait de changer les draps, et c'était comme si cette nuit Jose Fausto allait dormir dans

278

son lit, comme s'il était encore vivant. Il y eut de nouveau du vacarme, et Isma alla jeter un regard dans la cage d'escalier. Quelques hommes portaient Jose Fausto. Il vit d'en haut le relief de son corps sous les draps ensanglantés et tachés de terre, pendant que les hommes se cognaient contre les murs et les meubles, parce qu'ils ne pouvaient passer tous à la fois. Pilar se remit à crier, à se plaindre, mais ses cris étaient moins forts, elle semblait n'avoir plus la force de pleurer. Il retourna à la cuisine. On avait étendu Jose Fausto sur un drap, par terre, et l'on faisait chauffer de l'eau pour le laver, mais il ne put voir son visage, parce que les femmes, qui ne cessaient de se déplacer autour de lui, l'en empêchaient. Pilar le contemplait avec des yeux égarés. Mon Dieu, mon Dieu, si c'est pour ne jamais rien nous donner, gémissait-elle en montrant bras tendus la vieille cuisine, la vaisselle ébréchée, les murs décrépis et sales, pourquoi nous fais-tu vivre ? Allez, va-t'en, dirent-ils à Isma. Ils allaient laver le corps de Jose Fausto et ne voulaient pas que les enfants fussent présents. Il rencontra Rojo à la porte, et ils s'embrassèrent. Ils ne pouvaient parler, articuler un mot. Rojo parvint enfin à dire : Le malheur s'acharne sur nous. Son visage crispé par la douleur était aussi congestionné que s'il venait de le plonger dans un seau d'eau glacée, et Pilar, en le voyant, se remit à crier. Tu me l'as tué, Rojo, tu me l'as tué ! Elle l'estimait coupable parce qu'il avait fait monter le petit sur le tracteur. Rojo recula, cherchant la protection des autres hommes, qu'il embrassa. Eux ne pleuraient pas, ne poussaient pas de cris. Leurs corps se frottaient les uns contre les autres et arrivaient à émettre un craquement sourd semblable à celui des troncs emportés par le courant qui se cognent entre eux. Isma se trouva de nouveau seul. Il arrivait sans arrêt des gens, et il allait d'une pièce à l'autre sans savoir que faire. Presque personne ne faisait attention à lui, mais certains d'entre eux, surtout les femmes, venaient l'embrasser aussitôt qu'ils l'avaient reconnu. Madame Benilde, par exemple, le serra très fort contre sa poitrine et, après lui avoir donné un bonbon, lui dit de ne pas s'inquiéter, que Jose Fausto était au ciel. En glissant le bonbon dans la poche de son pantalon, il sentit le bouton. Il était à Reme et il l'avait sur lui depuis la veille au soir. Il pensa qu'il devait le lui rendre et partit en courant en direction de la boulangerie. Ce bouton, il l'avait trouvé dans la fourgonnette. Ils s'étaient de nouveau arrêtés dans la forêt, et Reme lui avait bandé les yeux avec son foulard. Juste pour un petit moment, lui avait-elle soufflé à l'oreille. Mais le temps s'était fait long et il avait eu l'impression que Javi et Reme, qu'il sentait bouger et respirer sur les sièges avant, l'avaient oublié. Enfin, Reme lui avait ôté le bandeau. Voilà ! s'était-elle exclamée, et, lui faisant une place à côté d'elle, elle lui avait demandé de passer à l'avant. Viens là entre nous deux, avait-elle ajouté. Javi avait cet après-midi-là une barbe rasée de moins près que d'habitude, et Isma s'était avisé que les joues de Reme étaient irritées. Alors, comme ça, vous vous êtes embrassés pendant tout ce temps-là ? leur avait-il demandé. Javi s'était mis à rire et Reme, jouant la fâchée, lui avait donné une tape, mais tout doucement, parce qu'elle était visiblement très contente. Quel petit curieux, avait-elle lancé, et ses yeux avaient cherché ceux de Javi, qui brillaient comme des flambeaux. Isma s'était aperçu qu'il manquait un bouton à sa robe, juste à la hauteur de la taille. C'est alors qu'il l'avait vu à ses pieds et s'était penché pour le ramasser. Mais, au lieu de le lui rendre, il l'avait mis dans sa poche. Puis son regard s'était de nouveau porté sur sa robe. Reme avait bougé, les pans du tissu s'étaient écartés, laissant à découvert son nombril et l'élastique de sa culotte. Mais il ne le lui avait pas dit. Il était au milieu de la rue et l'appelait en se tournant tour à tour du côté de la boulangerie et de celui de la maison, bien que toutes les lumières fussent éteintes et qu'il fût évident que Reme n'était ni dans l'une ni dans l'autre. Avant de s'en aller, pour ne pas perdre de bouton, il l'enterra dans l'un des pots de géraniums. Ensuite, il ferma les yeux et essaya de retourner chez lui à l'aveuglette, en s'orientant dans l'obscurité complète. Il se rappelait la fourgonnette, ce monde qui s'ouvrait quand Reme lui bandait les yeux, le monde des serpents et des bêtes de la campagne, des tanières dans lesquelles elles se réfugiaient pour manger et dormir, et il désira être comme elles, demeurer là pour toujours, parce que Reme et Javi y étaient cachés avec lui. Quelqu'un l'appela. C'était Gabina. Que fais-tu là ? lui demanda-t-elle. Elle le prit pas la main et ils rentrèrent ensemble. De nouveaux proches étaient arrivés, et les femmes avaient recommencé à crier et à sangloter. Elles le faisaient par intermittence, restaient un moment silencieuses et, soudain, parce que l'une d'entre elles se remettait à gémir ou parce qu'il en arrivait une nouvelle qui, en voyant le cadavre, ne pouvait contenir sa douleur, criaient toutes à la fois, jusqu'à ce que, épuisées ou lassées, elles finissent par se taire de nouveau. Dans l'escalier, il rencontra Felipón, qui lui dit : Le père est descendu. Où est-il ? demanda Isma. Felipón lui montra la cour. Jamais il n'avait vu sur aucun visage une telle expression de terreur. Avec les cochons, précisa-t-il. Isma alla à l'étable. Père, cria-t-il, où êtes-vous ? Alors, il l'entendit sangloter. Don Bernardo était entré dans la porcherie et s'était lové sur lui-même dans l'un des coins. Père, lui dit-il, sortez d'ici. Mais le père Bernardo secouait la tête sans faire d'autre mouvement. Isma remarqua qu'il était taché de merde de haut en bas, il avait dû se vautrer dans le fumier comme le font les porcs. Il sortit en courant et alla trouver Rojo pour le lui dire. Celui-ci, et trois autres hommes, allèrent le chercher à l'étable et le tirèrent dans la cour. Ils durent le déshabiller là, et lui jeter des seaux d'eau pour enlever le fumier. Ils l'enveloppèrent ensuite dans une couverture. Le père se laissa faire sans protester, sans dire un seul mot, comme dans une scène de martyre. Ils le firent entrer dans la maison. Je veux le voir, murmura-t-il dans l'escalier. Il s'agrippa à la rampe avec une force telle qu'en dépit de tous leurs efforts, les hommes ne parvinrent pas à la lui faire lâcher. Ils eurent peur, s'ils forçaient davantage, de lui rompre les os. D'accord, allons-y, dit Rojo, et ils le firent descendre à la cuisine. On avait déjà lavé le corps de Jose Fausto, qui reposait sur un drap, en attendant que Santos, le charpentier, finisse de préparer le cercueil. On avait posé des cierges autour de lui et les oscillations des flammes couvraient le drap de sortes de battements d'ailes de papillons. Pilar se remit à crier. Regardez-le, père Bernardo, vous ne le verrez plus, c'était votre enfant bien-aimé. Le père Bernardo leva la tête et, consterné, regarda autour de lui. Il semblait enfin se rendre compte de ce qui venait d'arriver, et que c'était absolument irrémédiable ; de la blessure profonde qu'était la vie, et qu'il n'y avait pas de rédemption possible. Ensuite, sans faire d'esclandre, il sortit de la cuisine. Isma monta avec lui dans sa chambre. Il l'aida à mettre un caleçon. Père, lui dit-il, Jose Fausto ne va pas revenir, n'est-ce pas ? Mais le père s'était déjà couché et avait fermé les yeux. Isma allait redescendre à la cuisine quand une nouvelle onde de cris et de sanglots l'arrêta dans l'escalier. Laissez-le-moi, ne me l'enlevez pas... Isma serra très fort les paupières. Je vous en prie, murmura-t-il, taisez-vous, ne criez plus. Et il courut en direction de la cour. Il sentit le fourmillement dans sa jambe, et le silence soudain qui précédait les crises. Il réussit à atteindre le mur et à peine l'avait-il touché qu'il s'écroulait, face contre terre. Sa bouche était pleine de bave, et il sentait les secousses qui avaient gagné la moitié droite de son corps. Il avait peur, parce qu'il lui semblait que les poules venaient de son côté et qu'elles pouvaient l'attaquer. Elles se mettraient à lui donner des coups de bec et lui, qui ne pouvait plus bouger, serait incapable de se défendre. Il entendit la voix d'une femme qui parlait de pain de glace. Puis, aussitôt après, celles d'autres femmes, nombreuses. Elles criaient parce que quelqu'un avait emporté le pain de glace et que le poisson allait s'abîmer. Ce n'est pas moi, murmura-t-il, sans pouvoir cependant cesser de penser au soulagement que cela aurait été pour lui, de sentir sur son front la fraîcheur de la glace. Alors, les tremblements s'arrêtèrent et, peu à peu, il reprit le contrôle de ses mouvements et de ses membres. Il se releva et regarda la

lumière de la cuisine. On veille Jose Fausto, se dit-il en reprenant conscience de ce qui l'entourait. Il se dirigea vers la
maison et allait entrer quand il entendit qu'on l'appelait :
Ismaelillo, je suis là. C'était Reme. Elle était devant la porte
de la salle à manger et lui faisait signe de s'approcher. Il
remarqua qu'elle avait remis la robe qu'elle portait la veille
et que le bouton manquait toujours. Regarde, lui dit-elle en
l'entraînant dans un coin de la pièce. Elle souleva sa veste et
lui montra les menottes, qui brillaient de l'éclat pâle de l'argent. Je suis allée à la rivière et je n'ai pas arrêté jusqu'à ce
que je les trouve, ce sont les menottes de doña Gregoria, lui
dit-elle en le regardant avec une étrange douceur. Les
menottes pendaient à l'un de ses poignets, et elle glissa à
celui d'Isma le bracelet libre. Elle plaça ensuite sa veste sur
leurs mains, de façon à ce que personne ne pût les voir, et ils
parcoururent ainsi toute la maison. Quand quelqu'un s'approchait pour leur dire quelque chose, ils se souriaient en
cachette. Tous les quelques pas, ils se rendaient dans un coin,
soulevaient la veste pour voir les menottes et leurs deux
mains enlacées, ce qui leur donnait le plus grand des bon-
heurs.

# 13

Il essaya de calculer combien de temps avait passé depuis la mort de Jose Fausto. À peine étaient-ils sortis de l'église que les jours s'étaient confondus, tous semblables les uns aux autres. Il se rappelait les messes, les sorties dans l'après-midi pour aller dire le rosaire et prier pour le salut de son âme, les femmes qui tournaient la tête et chuchotaient quand, Pilar devant et eux groupés derrière elle comme une poule et ses poussins, ils entraient à l'église. Ils s'asseyaient dans les premiers rangs, et don Ramón, de l'autel, les regardait furtivement et semblait les compter, pour voir s'ils étaient bien tous là, et plus tard, au moment de la bénédiction, il semblait aussi la donner en pensant particulièrement à eux, il se tournait même vers leur banc et les cherchait du regard, comme pour leur dire qu'il fallait être courageux et que Dieu l'avait voulu ainsi. Un après-midi, doña Gregoria vint les voir. Ventura le Boiteux l'amena dans une chaise roulante jusqu'à la porte, elle se leva comme elle put et entra en claudiquant dans la maison. Je partage ta douleur, dit-elle à Pilar, et, s'adressant à eux, leur demanda de lui apporter une chaise. Ils allèrent tous à la cuisine, où Pilar se mit à pleurer en prenant les mains de doña Gregoria, aussi rugueuses que des râpes. S'il nous donne des enfants sans que nous les demandions, lui dit Pilar en levant son visage vers elle pour la regarder comme si doña Gregoria, qui avait tant souffert, était la seule femme

285

du village capable de comprendre les desseins de Dieu, pourquoi nous les reprend-il ensuite ? Doña Gregoria demeura un instant silencieuse, pour la laisser s'épancher, et ordonna ensuite à Felipón d'aller prévenir Ventura le Boiteux. Quand elle fut dans la rue, elle s'arrêta un instant, se tourna vers Pilar et lui dit qu'il fallait accepter les choses telles qu'elles étaient, sans protester, que c'était tout ce que l'on pouvait faire. Nous sommes venus au monde pour vivre ce que Dieu veut, ajouta-t-elle avec un rictus d'amertume. Et lui, sur le pas de la porte, avait baissé la tête à son passage, parce qu'il craignait qu'en le regardant dans les yeux, elle pût deviner que Reme était allée à la rivière chercher les menottes et qu'ils les avaient cachées, ou même ce que Reme lui avait dit à l'oreille quand ils les portaient ensemble, qu'ils étaient comme don Lorenzo et la mulâtresse.

Cependant, depuis ce soir-là, il ne les avait pas revues. Reme n'en parlait pas, il pensait qu'elle donnait le change. En fait, elle tendait souvent ses poignets nus sur la table et fermait les yeux, comme si elle espérait en les rouvrant y voir les menottes. Il se souvenait de ce soir-là. Ils parcouraient tous les deux la maison sans se séparer, même pas pour passer les portes, car ils devaient le faire ensemble, souvent en bousculant ceux qui venaient dans l'autre sens. Toutes les quelques minutes, Reme s'inclinait de son côté et lui disait à l'oreille : Ça te plaît, n'est-ce pas ? Il eut sommeil. Il ne voulait pas dormir, pour prolonger le plus possible ce moment de bonheur, mais quand ils s'assirent enfin dans l'escalier, il s'endormit sur son giron. À son réveil, Reme était partie. Il était couché dans son lit, près de Felipón, et il entendait un murmure lointain. Il descendit l'escalier, guidé par ce murmure semblable à un ruisseau qui aurait couru dans l'obscurité, et arriva à la cuisine. Les femmes étaient là, elles veillaient le cadavre de Jose Fausto, et cette rumeur était celle de leurs pleurs. Il alla chercher refuge dans la pièce voisine. C'était à peine s'il pouvait respirer, il aurait voulu appeler Reme, mais n'arrivait pas à prononcer son nom. Au plus fort de son angoisse, il se souvint des menottes, et ce fut seulement en les gardant présentes à son esprit qu'il put rassembler les forces dont il avait besoin pour regagner sa chambre et se recoucher auprès de Felipón. Il se souvenait encore que, roulé en boule dans le lit, il avait promené le bout de son doigt sur la marque des menottes à son poignet, et qu'en passant le doigt sur cette marque, il avait pu s'endormir. Pendant tout ce temps qui venait de passer, deux mois, peut-être ?, il avait souvent fait ce même geste, pour se rassurer. Quand il sentait grandir l'angoisse, le poids écrasant du chagrin, il fermait les yeux et pensait à cette soirée. À Reme et lui marchant dans la maison avec ce sentiment que rien ni personne ne pourrait jamais les séparer, parce qu'ils étaient allés à la rivière chercher les menottes de don Lorenzo et qu'elles n'étaient plus qu'à eux. Il lui arrivait même d'aller à la boulangerie fort de la conviction que Reme les avait cachées dans l'un des tiroirs ou entre les sacs de farine et qu'elle ne se décidait pas à les sortir parce qu'elle attendait une occasion particulière. C'était ce qu'il lisait dans son regard : Je ne puis les sortir que si ce que j'attends arrive. Même s'il mourait d'envie de lui demander où elle les avait mises et pourquoi elle ne voulait pas les lui montrer, il n'osait le faire, de peur de la contrarier, parce que Reme se fâchait toujours quand les choses n'allaient pas comme elle le voulait. Il se souvint aussi de l'après-midi où il avait mangé des gâteaux à s'en rendre malade et avait tout vomi dans la cour, parce qu'il n'avait pas osé lui dire qu'il avait déjà été gavé par madame Benilde. Reme, qui s'en était doutée d'emblée et l'avait tarabusté jusqu'à ce qu'il lui eût dit la vérité, était devenue une véritable bête fauve, parce que ce goûter entre eux était prévu depuis la semaine précédente et qu'elle ne comprenait pas qu'il eût pu aller ailleurs se bourrer de gâteaux. On avait frappé à la porte, et quand elle était revenue après avoir servi son client, elle lui avait dit brusquement : Tu sais, ce n'est plus la peine de venir me voir, puisque tu

287

as un avenir assuré comme garçon de courses de toutes ces sorcières. Alors, il était allé se rasseoir à table et, pour lui faire plaisir, s'était mis à manger les gâteaux qui restaient dans les assiettes, sans presque pouvoir les mâcher, tant ils l'écœuraient, ce qui n'avait fait qu'empirer les choses, parce que, le voyant faire, elle s'était mise encore plus en colère et lui avait dit d'arrêter de jouer les imbéciles, qu'elle en avait par-dessus la tête, de ses petits numéros. C'était pour cela qu'il ne lui demandait pas ce qu'elle avait fait des menottes, même s'il était sûr qu'elle les avait dissimulées quelque part et qu'elle changeait souvent de cachette pour que personne ne pût les découvrir. Il en était tellement sûr qu'il se levait souvent pour aller regarder aux endroits où elle s'était attardée à fourrager ceci ou cela, mais il ne trouvait rien, ce qui renforçait son impression que Reme vivait dans un monde à elle où il ne pouvait entrer. Voilà pourquoi il l'imitait. Si elle levait un bras, il faisait comme elle ; quand elle se penchait au-dessus de la table, il se penchait lui aussi, et il aimait même qu'elle l'habillât en fille, parce qu'il croyait pouvoir ainsi entrer dans cet endroit où elle, mais aussi Puri, Gabina, Rosarito et Andreona faisaient ce que bon leur semblait et vivaient sans soucis, cet endroit qui était celui où le serpent avait voulu conduire le berger. Je t'en prie, lui disait-il quand il les voyait réunies dans la cour, laisse-moi rester avec vous. Impossible, lui répondait Reme, on va se laver les cheveux. Alors, il ne la lâchait plus d'une semelle. Allez, laisse-moi rester. Il la suivait partout dans la maison, lui répétant sans cesse : Laisse-moi rester avec vous, je te promets que je ne vous embêterai pas. Seules les femmes peuvent rester, lui répondait Reme en faisant l'intéressante. Quand elle montait dans sa chambre, il montait derrière elle. Je sais ce que nous allons faire, disait-elle, et elle ouvrait l'armoire et fouillait dans ses vêtements. Je vais te mettre une robe, et nous allons faire croire à Andreona et aux autres que tu es une fille. Elle cherchait parmi les robes qu'elle avait portées quand elle était petite, et lui en donnait une pour qu'il la mît. Comme ça, elles te laisseront regarder, ajoutait-elle. Lui, enchanté, se mettait la robe, mais il devait auparavant enlever tous ses vêtements, même le caleçon, car les filles n'en portent pas et on ne sait jamais, disait Reme, s'il se baissait, Puri ou Gabina pouvait le voir et tout comprendre. Quand ils descendaient l'escalier main dans la main, il sentait le corps de Reme plus proche du sien, il lui suffisait de fixer son attention sur une partie de son corps, l'un de ses seins, son ventre, ses lèvres, pour avoir aussitôt l'impression qu'elle lui appartenait, et que, du simple fait d'être ainsi vêtu, ils devenaient égaux en tout et éprouvaient les mêmes sensations. Ils arrivaient dans la cour, et Puri, Andreona, Rosarito et Gabina se tournaient vers eux, les yeux pleins de lumière. Cet après-midi, leur disait Reme, il y a une fille de plus. Toutes se figeaient pour le regarder. Oh, qu'elle est belle ! s'exclamaient-elles, et elles s'approchaient pour le caresser, lui donner des baisers, sans cesser de lui lancer des compliments et des questions coquines. Elles faisaient comme si elles ne le reconnaissaient pas, ne s'apercevaient pas qu'il n'était pas une vraie fille et croyaient toutes ce que Reme venait de leur dire, si bien que lui aussi finissait par croire qu'il les leurrait, mais le regard de Reme, joyeux et moqueur, lui rappelait aussitôt qu'il ne s'agissait que d'un jeu, et que chacune d'elle connaissait par cœur le rôle qu'elle devait jouer. Mais ça lui était égal, parce que, ainsi vêtu, il pouvait rester dans la cour pendant qu'elles se lavaient les cheveux. Il se souvenait alors du père Bernardo, et s'imaginait qu'ils étaient dans une forêt et que lui était un cerf, un cerf qui marchait dans les sous-bois en laissant derrière lui un filet de sang. Il entendait leurs rires et allait dans leur direction, un peu inquiet, se demandant qui elles pouvaient bien être, et, enfin, il apercevait Reme, Andreona et les autres au bord d'un ruisseau ; Reme la première, avec les cheveux qui tombaient sur son dos nu, pareils à une coulure de goudron. Il s'approchait pour les regarder, et elles, en l'apercevant, l'appelaient, émerveillées, essayant de l'attirer, parce que les cerfs appartiennent au même monde que les serpents, les lièvres et les canards, et que, se fiant à leurs accointances avec ce monde, elles n'avaient pas honte de se montrer presque nues devant eux. Il se souvenait encore du père Bernardo quand, après l'avoir fait asseoir sur le bord du lit, il lui caressait la tête, cherchait sur son front l'endroit où le bois commençait à pointer et disait soudain : Ça y est ; avant d'ajouter, les yeux fermés :

*Un cerf qui perd son sang parmi les noisetiers...*

et il pensait à ce cerf blessé en se disant qu'il aurait aimé être comme lui – car un garçon, ce n'était rien – et pouvoir rester là pendant que les filles se lavaient les cheveux, à demi nues, pour ne pas éclabousser leurs vêtements. Certaines ne gardaient que leur jupe, elles enlevaient même leur soutien-gorge, de peur de ne plus pouvoir le remettre, si elles le mouillaient. Il restait assis là à les regarder, tandis qu'elles s'activaient sans cesser de parler et de rire, et elles n'y voyaient aucun mal, puisqu'il était un cerf, en tout pareil à elles, elles n'avaient pas à le chasser, et pouvaient même lui demander parfois certaines choses : de les aider à se verser du jaune d'œuf sur les cheveux, ou à les rincer au vinaigre pour les rendre plus brillants, ou encore d'intervenir dans leur conversation, comme la fois où Andreona et Rosarito, discutant pour savoir laquelle des deux avait les plus beaux seins et n'arrivant pas à se mettre d'accord, avaient décidé, en riant, de le prendre pour arbitre. Elles s'étaient plantées devant lui et lui avaient demandé de leur donner son avis : Allez, Ismaelillo, dis-nous lesquels tu préfères. Il avait regardé leurs seins, ceux de Puri, plus pleins que ceux de Rosarito, qui étaient retroussés, et dont les mamelons pointaient vers le haut, puis cherché Reme des yeux, pour qu'elle lui indiquât ce qu'il convenait de faire. Mais comme Reme se contentait de rire avec les autres, il avait dit : Ceux de Puri, parce qu'ils étaient plus gros et pareils à des coussins de soie qui donnaient envie d'y appuyer la tête. Rosarito avait fait mine de se fâcher, mais aussitôt après, elle l'embrassait et lui disait qu'elle lui pardonnait cette trahison ; ils s'étaient assis au soleil, il passait des mains de l'une à celles d'une autre, toutes lui donnaient des baisers, le pinçaient, et il redevenait pareil à ce cerf sorti du bois avec lequel toutes désiraient être, bien qu'il fût blessé et que rien ne pût le guérir. C'était justement là, selon le père Bernardo, le problème des cerfs : toute blessure qu'ils se faisaient ne se refermait jamais ; on la croyait guérie, mais, au moindre frôlement, elle se rouvrait et se remettait à saigner. Il n'est pas facile d'être cerf, disait le père chaque fois qu'Isma allait le voir, d'une voix toujours plus faible, qui finit par devenir presque inaudible. Et, chaque fois, Isma le trouvait plus épuisé, plus égaré et plus triste. Depuis la mort de Jose Fausto, don Bernardo ne quittait presque plus le lit, il ne se levait guère que pour faire d'étranges et très rapides incursions dans le monde extérieur, à la cuisine, par exemple, où il allait dévorer tout ce qui lui tombait sous la main, au point que Pilar dut cacher certaines choses ; ou dans l'étable, pour voir les bêtes, où Felipón le surprit un jour parmi les cochons, qu'il était allé regarder, comme il le dit à Felipón quand celui-ci lui demanda ce qu'il faisait là, en ajoutant : J'avais oublié comment ils étaient. C'était ainsi qu'il décrivait ce qui lui arrivait : il oubliait soudainement comment étaient les choses, et il voulait aussitôt les revoir, peut-être pour leur dire adieu, parce qu'il était convaincu qu'il allait bientôt mourir. Mais qu'est-ce que je fais ici ? se demandait-il brusquement à haute voix, et il se levait à toute vitesse, sortait de la chambre, et, s'il le fallait, quittait la maison. Les enfants de chœur le trouvèrent un jour dans le clocher de Santa María, absorbé dans la contemplation des cloches. Elles sont belles, les garces, murmurait-il, contenant à grand-peine son émotion, car il savait qu'elles étaient condamnées à disparaître, comme tout ce qu'il y avait dans le village, et la seule vue d'une fourmis courant sur le sol pouvait le faire éclater en sanglots. Qui aurait pu le comprendre ? Aucun des habitants du village ne s'y essayait, mais, ensuite, quand ils étaient seuls et regardaient les arbres, la nuit noire, les êtres et les objets qui les environnaient, certaines de ses paroles leur revenaient en mémoire, parce qu'ils se rendaient compte qu'ils ne pouvaient éviter l'anéantissement complet de toute chose. Mais, pour aussi destructrices que fussent ces pensées, ce n'était pas ce qui lui arrivait de pire. Le pire, c'était qu'il se pissait et se chiait dessus n'importe où, quand l'envie lui en prenait, sur le palier de l'escalier, par exemple, et, s'il n'avait pas le temps, sans même baisser ses pantalons, si bien que Pilar devait le faire sortir dans la cour et le laver, nu comme un ver, en lui lançant des seaux d'eau, pour chasser l'odeur. Je vais vous mettre un tampon dans le cul, lui disait-elle. Mais, hormis ces escapades, il ne voulait ni sortir, ni bouger, ni rien faire, tout ce qu'il demandait de temps à autre à Isma, quand celui-ci montait le voir, c'était de lui lire la Bible, qu'il ouvrait au hasard, et, comme il la connaissait par cœur, il remuait les lèvres tandis qu'Isma lisait. Ça suffit ! lançait-il brusquement, et il refermait les yeux et ne bougeait plus. Il pouvait rester ainsi, sans rien prendre, jusqu'à trois jours de suite, puis il se relevait soit pour descendre dévorer ce qu'il trouvait à la cuisine, soit pour se lancer dans un de ses étranges périples, qui le conduisait parfois aux endroits les plus imprévus, où il ne savait même plus, ensuite, ce qu'il était venu y faire, ou y regarder. Je ne veux plus vivre, disait-il. Isma montait sur son lit pour essayer de l'habiller, et quand le père ouvrait les yeux et le voyait entre les draps, il murmurait : Ah, c'est toi, l'enfant-cerf. Et il lui disait de fuir, d'aller dans la montagne et de n'en jamais redescendre, parce qu'ici, un de ces jours, on allait l'abattre et le boucaner. Mais Isma revenait, s'approchait de son lit, le secouait par l'épaule et lui demandait s'il voulait quelque chose. Comme le père ne répondait pas, il prenait la Bible, cherchait les Psaumes de David, et lisait :

*Bénis le Seigneur, ô mon âme !*
*Seigneur mon Dieu, tu es si grand !*
*Vêtu de splendeur et d'éclat,*

*drapé de lumière comme d'un manteau,*
*tu déploies les cieux comme une tenture*[1].

Quand il arrivait à ce vers, le père Bernardo, redressé et assis dans le lit, remuait les lèvres ; il avait tant de fois écouté ce passage qu'il le connaissait par cœur et se le récitait en même temps qu'Isma lisait.

*Les arbres du Seigneurs se rassasient,*
*et les cèdres du Liban qu'il a plantés.*
*C'est là que nichent les oiseaux,*
*la cigogne a son logis dans les cyprès.*
*Les hautes montagnes sont pour les bouquetins,*
*les rochers sont le refuge des damans.*

*Il a fait la lune pour fixer les fêtes,*
*et le soleil qui sait l'heure de son coucher.*
*Tu poses les ténèbres, et c'est la nuit*
*où remuent toutes les bêtes des bois.*
*Les lions rugissent après leur proie*
*et réclament à Dieu leur nourriture.*

*Au lever du soleil ils se retirent,*
*se couchent dans leurs tanières,*
*et l'homme s'en va à son travail,*
*à ses cultures jusqu'au soir*
*[...]*
*Tous comptent sur toi*
*pour leur donner aux heures propices la nourriture*[2]...

---

1. Pour la traduction de tous les extraits : *Société biblique française* et *éditions du Cerf*, Paris, 1975. *(N.d.T.)*
2. Il nous a fallu modifier le dernier vers et remplacer *en temps voulu* par *aux heures propices*, afin de pouvoir suivre l'auteur, qui a choisi une version rimée des Psaumes, caractérisée par une très grande licence poétique. *(N.d.T.)*

Le père Bernardo levait alors la main et lui demandait de se taire. Les heures propices, disait-il pour lui-même, elles sont si peu nombreuses, si rares... Il lui semblait voir Jose Fausto tel qu'il était, des années auparavant, quand il savait à peine parler, qu'il entrait comme une tornade dans sa chambre et montait d'un bond sur son lit pour le réveiller. Pilar venait de lui donner un bain, il s'était enfui de la cuisine à demi vêtu, le derrière à l'air, sans qu'elle ait eu le temps de le rattraper. Il sentait la lavande et le romarin. Pilar entrait aussitôt après. Cet enfant est un vrai tourbillon, disait-elle sans pouvoir cacher sa joie, et elle finissait de l'habiller, pendant qu'il les regardait, et que tout, dans la chambre, semblait pousser et être rassasié comme le disaient les paroles de ce psaume merveilleux. Les yeux fermés en un effort de concentration, sa pensée encore tout entière à cet enfant lointain, le père continuait de réciter le psaume, car c'était lui maintenant qui le disait à haute voix, et Isma qui se contentait de suivre en silence, remuant les lèvres tandis qu'il lisait dans le Livre :

*Tu donnes, ils ramassent ;*
*tu ouvres ta main, ils se rassasient.*

*Tu caches ta face, ils sont épouvantés ;*
*tu leur reprends le souffle, ils expirent*
*et retournent à leur poussière.*
*Tu envoies ton souffle, ils sont créés,*
*et tu renouvelles la surface du sol.*
*Que la gloire du Seigneur dure toujours,*
*que le Seigneur se réjouisse...*

Et Isma, le voyant hésiter, volait à son secours, se bornant maintenant, comme les souffleurs au théâtre, à combler les vides qui s'ouvraient dans sa mémoire.

*se réjouisse de ses œuvres...*

294

Mais le père ne voulait pas continuer. Ses joues étaient inondées de larmes et la récitation du psaume lui avait coûté un effort épuisant. De plus, il ne voulait pas dire les paroles suivantes, parce qu'elles lui semblaient mensongères. Pourquoi survivons-nous à ceux que nous aimons ? soupirait-il bientôt en se mettant à sangloter tel un enfant. Isma attendait quelques secondes, et comme le père n'arrêtait pas de pousser des gémissements, parfois si exagérés qu'ils couvraient le son de sa voix, il lisait encore, mais machinalement :

*... de ses œuvres !*
*Il regarde la terre, et elle tremble ;*
*il touche les montagnes, et elles fument.*

*Toute ma vie je chanterai le Seigneur,*
*le reste de mes jours je jouerai pour mon Dieu !*
*Que mon poème lui soit agréable !*
*Et que le Seigneur fasse ma joie !*

*Que les pécheurs disparaissent de la terre,*
*et que les infidèles n'existent plus !*
*Bénis le Seigneur, ô mon âme !*
*Alléluia !*

Cependant, le père Bernardo ne suivait plus, ne voulait plus entendre ce psaume ; comme si ses paroles avaient perdu leur pouvoir et ne l'émouvaient plus, il ne sentait plus en elles le souffle de vie. Pis encore, tous les mots du Livre semblaient maintenant soumis à pareille enseigne et il ne percevait plus en eux, au lieu de ce souffle, que désolation et mort. Alors, il se tournait vers le monde qui l'environnait, et il ne lui paraissait pas différent, parce qu'en lui aussi se perpétraient des crimes sans retentissements dans la conscience humaine, se faisaient entendre des rires muets, des pleurs sans larmes, s'offraient aux regards des beautés sans amour, des amours sans enfants, poussaient des arbres qui ne portaient pas de fruits et des fleurs qui ne répandaient aucun parfum ; il lui semblait silencieux, froid, dévasté, lunatique, stérile, maudit, et donnait l'impression, quand on le regardait, que tout y était imprégné d'intolérable remords. Voilà pourquoi il lui demandait de fermer le Livre et de le laisser seul. Isma posait donc le Livre sur la table et quittait la pièce avec soulagement, le plus vite possible, de peur qu'avant qu'il eût passé la porte, le père repentant ne le rappelât pour lui demander de continuer la lecture, ce qu'il ne voulait plus faire, à présent. Toutefois, le plus difficile restait encore à venir, parce que, arrivé sur le palier, en voyant le couloir du premier étage plongé dans la pénombre, et les portes des chambres, il pensait à Jose Fausto, qui pouvait être là à rôder de pièce en pièce, peut-être même dans leur chambre, debout devant son lit, car les morts aiment revenir aux endroits où ils ont vécu, pour fixer inlassablement les objets qui leur ont appartenu de ce terrible regard que l'on pose sur ce dont on est à jamais privé. Il descendait chaque marche en tâchant de faire le moins de bruit possible, maintenant certain que Jose Fausto était dans la maison et que n'importe quel bruit, une toux, un grincement du plancher sous son poids, son souffle toujours plus rapide et profond, pouvait l'alerter et le décider à se lancer à sa poursuite, et, incapable de se maîtriser plus longtemps, oubliant toute prudence, il se mettait à courir et dévalait la dernière volée de marches sans oser tourner la tête, de peur de découvrir Jose Fausto penché sur la rampe et de devoir affronter le vide épouvantable de son regard. Mais ensuite, dans la cuisine, rasséréné, il se disait que si Jose Fausto errait vraiment aux alentours, il devrait en profiter pour lui parler, le convaincre qu'il ne devait pas revenir. Il retournait au pied de l'escalier, regardait vers le haut et disait : Je t'en prie, Jose Fausto, ne reviens pas ; parce qu'il avait peur qu'il ait le même sort que Quico, qu'il se mette à faire des choses étranges et que, tôt ou tard, les gens du village finissent par le soupçonner, aillent au cimetière déterrer son cercueil et le trouvent vide.

Il courait ensuite au moulin, sachant que Reme allait tous les après-midi y attendre Javi, bien que Javi eût quitté le village sans la prévenir et que Nino, son père, lui eût dit qu'elle ferait mieux de s'y habituer, parce qu'il ne reviendrait plus. C'était un enfant de pute, un petit merdeux, lui disait-il en tapant sur le mur du bout de la pelle avec laquelle il sortait le pain du four, il courait sans doute encore, ce sale froussard. Mais Reme ne le croyait pas et se souvenait de ce que Javi lui avait dit un soir dans la fourgonnette, que si elle avait besoin de quelque chose, elle n'avait qu'à aller au moulin, et à l'appeler en fin de journée, et que lui, où qu'il soit, viendrait aussitôt à son aide. C'était ainsi que maintenant, tous les soirs, elle fermait la boulangerie et allait seule au moulin, sans laisser Isma l'accompagner ; elle lui avait même, une fois, lancé des pierres pour l'empêcher de la suivre. Elle s'arrêtait devant le chemin de terre et l'appelait en secret : Javi, où es-tu ? Pourquoi m'as-tu laissée seule ? Elle ne pouvait comprendre ce qui s'était passé, pourquoi il était parti sans rien lui dire et au moment où ils avaient plus de plaisir que jamais à être ensemble, alors qu'ils en étaient même venus à parler de mariage, ni pourquoi tous ceux auprès desquels elle se renseignait, mêmes ses amies intimes, détournaient la tête, honteux et gênés, comme s'ils savaient quelque chose qu'ils ne voulaient pas lui dire. Isma allait au moulin et regardait Reme de loin. Il la voyait fumer, assise, levant de temps en temps la tête, jusqu'au moment où la nuit tombait et où elle prenait le chemin du retour, parfois avec les mains devant son visage, comme si elle était inconsolable de devoir rentrer bredouille. Il allait ensuite la voir à la boulangerie, où elle l'acceptait, sans lui dire un mot de toute la soirée, presque sans le regarder, quand elle ne le chassait pas : Va-t'en, je ne me sens pas bien ; ou, au contraire, l'appelait en lui tendant les bras : Pauvre petit, ne fais pas attention, murmurait-elle en le couvrant de baisers et en se retenant à grand-peine d'éclater en sanglots, parce qu'elle ne comprenait pas pourquoi on ne pouvait vivre sans faire souffrir, ni pourquoi, aussi malheureuse qu'elle pouvait l'être, il y avait toujours quelqu'un de plus malheureux qu'elle, quelqu'un qui dépendait d'elle et devait souffrir à cause d'elle. Un jour, Víctor se présenta à la boulangerie, lui demanda pourquoi, au lieu de s'isoler comme ça, elle n'allait pas au bal, ne sortait pas avec des garçons, et si elle avait l'intention de se faire sœur. Reme, pleine de rage, lui répondit qu'elle allait se marier avec Javi. Víctor pouffa de rire et, comme elle insistait : Nous allons nous marier, et nous irons vivre à Madrid, Víctor, brusquement sérieux, lui redit de ne pas attendre l'impossible, parce que Javi ne reviendrait pas. Et il ajouta, sur un ton très ferme : Il ne peut pas.

Pendant la nuit qui suivit, incapable de dormir, retournant en tous sens cette information, elle soupçonna pour la première fois qu'il s'était passé quelque chose, que Javi n'avait pas agi de sa propre volonté, et, bien entendu, que Víctor était derrière tout ça, il lui suffisait de se souvenir de cette petite phrase, il ne peut pas, et de son regard, quand il l'avait lancée, pour être sûre qu'elle ne se trompait pas. Le lendemain, elle sortit du village, se dirigea vers l'endroit où travaillaient les compagnons de Javi, et chercha Luisma, pour lui demander s'il savait où Javi était passé. Nous, on ne sait rien, lui dirent-ils, mais elle sentit qu'ils lui cachaient quelque chose, quelque chose qu'ils connaissaient parfaitement mais dont ils ne voulaient pas parler, Luisma encore moins que les autres, parce que tout le temps qu'elle demeura là, il détourna les yeux chaque fois qu'elle essaya de croiser son regard. Le soir même, pendant qu'elle préparait le four, elle entendit des bruits à la porte, mais quand elle alla voir, il n'y avait personne. Toutefois, elle remarqua sur le comptoir une feuille de papier pliée. Je t'attends au cimetière à huit heures, lut-elle. Il n'y avait pas de signature. Elle sortit aussitôt pour voir qui l'avait apportée, mais trop tard, la rue était déserte. Elle pensa immédiatement à Luisma. Il devait regretter son silence du matin et vouloir la rencontrer en secret pour tout lui raconter. De quoi pouvait-il s'agir ? Pourquoi Javi n'avait-il pas voulu lui parler, et, s'il avait des ennuis, pourquoi ne lui en avait-il pas fait part ? Pourquoi s'était-il éclipsé comme un voleur, comme un homme adultère, comme tous ceux qui ont honte de ce que les autres pourraient deviner de leurs véritables désirs ? Leur amour le faisait-il se sentir coupable ? Non, non, ce n'était pas possible, tous deux étaient libres et rien ne les empêchait de chercher leur bonheur. Ils étaient comme ces deux canards qu'elle avait aperçus l'autre soir à la rivière et qui, en la voyant approcher, s'étaient envolés pour aller se cacher parmi les joncs. Pourquoi devraient-ils avoir honte de ce qu'ils désiraient, être seuls, alors que les canards et tous les autres animaux faisaient de même sans que nul ne s'en scandalisât et ne cherchât à les en empêcher, pourquoi devait-il en aller autrement pour les hommes ? Était-ce là ce que signifiait l'histoire du serpent, que les hommes et les animaux devaient être obligatoirement séparés et que les uns ne devaient pas désirer ce qui appartenait au monde des autres ? Mais si eux n'acceptaient pas cette loi, s'ils voulaient malgré tout se comporter comme ces deux canards qui s'étaient vite envolés pour aller se cacher ? Pourquoi ces deux mondes ne pourraient-ils pas se mêler ? Elle se rendit au cimetière à l'heure indiquée, mais Luisma ne se montra point. Avant de s'en aller, elle s'approcha du Hoyo del Reblo. La lune était pleine, les grenouilles coassaient toutes à la fois, comme si aucune d'elles ne se souciait d'écouter ce que disaient ses compagnes. Dans la fosse, l'eau brillait, empestée et obscure. Reme savait qu'elle était pleine de sangsues qui, en ce moment même, rampaient dans la vase, avides de pourriture et de sang. Au village, pour faire peur aux enfants, on leur disait de ne pas s'approcher de là la nuit parce que les morts descendaient boire dans la fosse. Ils avaient toujours soif, une soif terrible qu'ils ne pouvaient jamais étancher, mais ils descendaient pourtant dans le gouffre, et buvaient et buvaient comme les bêtes, accroupis, en plongeant la tête dans l'eau, et si l'endroit sentait si mauvais, c'est qu'il était imprégné de l'odeur des morts. Reme se dit que s'ils descendaient boire à ce moment-là, elle n'aurait pas peur d'eux. Elle aurait même pu se mêler à eux sans que l'on pût la distinguer des autres, parce qu'elle aussi était morte. Javi, murmura-t-elle, reviens, sors-moi de cet endroit horrible.

Cette nuit-là, elle se réveilla trempée de sueur. Elle avait fait un rêve épouvantable. Elle était sur la place en compagnie d'Andreona quand quelqu'un était venu leur annoncer à grands cris que Javi venait de mourir. Ç'a été épouvantable, leur disait-on en leur laissant entendre qu'il ne s'agissait pas d'un simple accident mais d'un assassinat. Le bruit courait soudain dans le village que son corps était à la morgue et que le médecin légiste était arrivé, puis elles partaient en courant au cimetière. En chemin, elles rencontraient Antonino, qui leur disait qu'il avait assisté à l'autopsie. N'y va pas, ajoutait-il en regardant Reme, il est en morceaux. Puis il se tournait vers Andreona et, les joues empourprées par l'excitation, il lui disait à l'oreille : Qu'est-ce qu'il avait comme lard ! Elle s'était donc réveillée toute en sueur, avec la certitude que Javi était mort, que Víctor s'était chargé de faire disparaître son corps et que personne ne voulait parler de l'affaire pour ne pas avoir d'ennuis.

Elle se leva et alla voir Gabina en pleine nuit. La chambre de son amie donnait sur la rue, elle gratta à la fenêtre, que Gabina l'aida à escalader. Reme lui raconta tout précipitamment, la remise du message, le rendez-vous au cimetière, le rêve. Je crois que Víctor l'a tué. Gabina attendit qu'elle eût achevé son récit, et lui annonça qu'elle avait quelque chose d'important à lui raconter. Mais, avant de commencer, elle lui demanda de lui pardonner de ne pas le lui avoir dit plus tôt, parce qu'elle n'avait agi ainsi que pour ne pas la faire souffrir. Ton Javi, fit-elle en évitant de la regarder dans les yeux, on l'a vu à Valladolid. Qui ? demanda Reme. Une amie de Puri, lui répondit-elle en lui prenant la main, qui était glacée. Elle l'avait vu sortir d'un hôtel chic, habillé comme un fils à papa, une semaine après son départ du village. Gabina fit une longue pause, avant d'ajouter : Il n'est pas mort, il est parti parce qu'il l'a bien voulu. Elles venaient de se mettre au lit et chuchotaient, joue contre joue, si bien que Reme pouvait sentir sur son visage l'haleine de Gabina. Par moments, quand elle fermait les yeux, il lui semblait que cette haleine était le souffle chaud qui monte du pain quand on vient de le sortir du four. Il ne reviendra sans doute jamais, lui dit Gabina. Reme se lova contre son dos et se mit à pleurer. Il faut qu'il revienne, il me l'a promis. Et elle plongea plus profondément son visage dans l'oreiller, comme si elle eût voulu l'enfoncer dans le duvet.

Tu sais, dit alors Gabina, je ne crois pas que les hommes soient si importants que ça. Quand on est petites, il nous semble qu'ils ont tout ce qui nous manque, et c'est pour ça qu'on les recherche, en grandissant : on croit qu'ils vont nous la donner, cette chose. Mais eux non plus ne l'ont pas, ce qui nous met tout d'abord en rage, parce qu'on a l'impression d'avoir été trompées, mais on découvre ensuite que ce n'est pas plus mal, après tout, et on apprend à les aimer autrement. En comprenant que nous non plus on n'a pas grand-chose à leur donner et que l'amour sert seulement à nous montrer que nous sommes également pauvres. Et Gabina, après avoir poussé un profond soupir, poursuivit : J'ai aussi compris autre chose, que l'amour est une pièce vide. Reme leva la tête et la regarda, stupéfaite. Gabina se mit à rire. Quelle phrase ! pas vrai ?, mais je vais t'expliquer pourquoi je te dis ça. Avant de se remettre à parler, elle repoussa les mèches de cheveux qui s'étaient collées à son front. Tu sais ce que j'ai découvert, la semaine passée ? lui dit-elle en se rapprochant plus encore de Reme, prête à lui révéler quelque chose de très intime, que personne d'autre ne devait entendre : le secret de la chambre de don Ramón. Gabina avait parlé à ses amies de cette pièce que don Ramón lui avait demandé de ne pas nettoyer, où il n'y avait pas moyen d'entrer, si bien que la première chose qu'elle faisait, quand don Ramón allait à l'église, c'était de vérifier s'il l'avait fermée ou pas, et elle la trouvait toujours fermée et bien fermée. Il emportait la clef, dans la poche de sa soutane. Les premiers temps, elle n'avait pas tellement pensé à cette chambre, mais peu à peu, en le voyant y entrer et en sortir si souvent, prendre de telles précautions qu'il n'oubliait jamais de la fermer à double tour, même s'il ne s'absentait que pour une minute, sa curiosité s'était éveillée et elle passait sa journée à épier ses allées et venues, auxquelles elle ne comprenait rien. Don Ramón s'enfermait de plus en plus souvent dans cette pièce. Il disparaissait brusquement, et elle savait qu'il s'y était retiré en fermant la porte à clef derrière lui ; il y passait tous ses moments libres, sans qu'elle pût deviner ce qui l'y retenait, ni ce qu'il y faisait, et elle ne l'avait jamais vu y apporter ou en sortir quoi que ce soit, pas même des livres ou un missel. Souvent, l'heure venait où elle devait partir, et il y était toujours enfermé ; alors, elle allait lui dire au revoir en collant presque sa bouche contre la porte. Don Ramón, je m'en vais. Désirez-vous quelque chose ? Ce à quoi don Ramón, de l'autre côté, lui répondait que non, qu'elle pouvait partir tranquille. Et elle s'en allait, mais sans cesser de penser à lui, enfermé dans cette pièce, et aux raisons qui le poussaient à y passer des après-midi entiers, aux incommodités auxquelles il s'exposait, parce qu'il en sortait avec la soutane tachée de plâtre, ou tremblant comme s'il avait été exposé au serein, il en était même sorti une fois complètement trempé, et elle s'était demandé si cette pièce avait un toit, et si, en passant cette porte, on ne se trouvait pas à ciel ouvert, tout simplement. Parce qu'il n'y avait aucun doute qu'il ne bougeait pas de là ; maintes fois, pensant qu'elle conduisait peut-être à un passage secret, une sortie dérobée, elle s'était approchée de la porte, l'avait appelé, et il lui avait toujours aussitôt répondu.

Mais, la semaine passée, poursuivit Gabina, j'ai pu entrer dans cette pièce. Don Ramón avait changé de soutane et oublié la clef dans la poche de celle qu'il venait d'enlever ; elle l'avait trouvée en s'apprêtant à la laver. Elle était aussitôt allée jeter un coup d'œil sur cette pièce. Sa surprise avait été très grande, parce que la pièce était vide. Plus exactement, c'était une chambre sans meubles ni rien, pleine de saletés, et dont une partie du toit s'était effondrée, pour couronner le tout, de sorte qu'entre les poutres on pouvait voir le ciel bleu. C'était là son grand secret, une pièce à demi ruinée et vide. Bien entendu, au premier moment, elle n'y avait rien compris. Elle se souvenait de tout le cinéma qu'il lui faisait afin de la convaincre qu'il s'enfermait là-dedans pour se livrer à on ne savait quelles activités mystérieuses, et ne pouvait tout simplement pas admettre qu'un homme tel que lui, aussi sérieux et responsable, pût se livrer à de pareils enfantillages ; elle avait beau considérer le fait sur toutes les coutures, elle n'arrivait pas à le comprendre. Le même jour, elle se souvint qu'elle avait oublié chez lui un paquet avec quelques courses que lui avait confiées sa mère, et elle alla le chercher à une heure où elle ne passait jamais chez don Ramón et où il ne pouvait s'attendre à la voir arriver. Elle entra dans la maison et entendit des bruits étranges. Des sanglots, des paroles précipitées, incompréhensibles, qui venaient du fond de la maison, et elle reconnut bientôt la voix de don Ramón. Elle s'approcha à pas de velours, le découvrit dans sa chambre, face au mur, dans lequel il donnait des coups de poing tout en se frottant la tête sur le plâtre et en pleurant désespérément. Quand je l'ai appelé pour lui demander ce qui se passait, il a réagi d'une manière très étrange. Il était à la fois déconcerté et soulagé, comme si dans le fond il se réjouissait de se voir découvert, parce que, de cette manière, il pouvait enfin trouver le repos. C'est alors qu'il m'a regardée comme le font les hommes lorsqu'ils ne savent que décider, ni dire ce qu'ils pensent, de ce regard qui ressemble tant à celui des bœufs quand ils te rencontrent dans la rue et s'arrêtent, intimidés, en paraissant se demander ce qu'ils vont bien pouvoir faire de leur force, cette force terrible qui pourrait t'aplatir contre un mur, s'ils le voulaient, mais qu'ils s'écartent pour te laisser passer, et j'ai compris que j'étais la cause de toutes ses peines. Avec un tout petit filet de voix, il pouvait à peine parler, tant il était troublé, don Ramón m'a dit : Ne t'inquiète pas, je vais bien. Je l'ai quitté en marchant à reculons, sans le lâcher du regard, parce que je pensais encore aux yeux des bœufs, et les siens me regardaient de la même manière, avec la même expression de tristesse, de chagrin infini et d'envie, envie d'être à notre place, d'être une femme, de pouvoir marcher sur deux jambes, d'avoir des mains pour saisir les choses, et notre esprit agile et prompt, alors qu'eux sont maladroits et lents, ne savent pas ce qu'ils sont venus faire au monde, parce qu'être bœuf, ce n'est rien. En entrant à la maison, j'ai réfléchi, et tout m'a paru clair : ce qui arrivait à don Ramón, c'était bien simple, il était fou de moi, il ne réagissait pas autrement que les autres hommes quand ils s'amourachent d'une femme, mais, comme il était prêtre, il ne voulait pas le reconnaître et avait besoin de quelque chose, d'un secret pour se défendre, voilà pourquoi il m'avait dit que je ne pouvais pas entrer dans cette pièce. Parce que cette pièce était comme son propre cœur, et la tenir fermée signifiait qu'il voulait le garder loin de moi, mais aussi me l'offrir, me le donner et me le reprendre à la fois, comme on fait avec les chiots, quand on leur tend de la nourriture et qu'on la retire au moment où ils vont la mordre. Ce que signifiait cette porte fermée, c'était qu'il voulait à la fois me tenir à l'écart et me garder près de lui, me faire comprendre que même s'il n'allait rien m'offrir, il n'aurait pas manqué de le faire s'il l'avait pu, et j'en aurais eu la preuve s'il avait laissé la porte ouverte. Mais avait-il vraiment quelque chose à m'offrir ? Non, cette chambre était vide, et ses seuls biens étaient deux soutanes râpées, trois missels et quelques caleçons, de ceux que portent les vieux, qui arrivent jusqu'aux pieds et dont la seule vue a de quoi faire rire. Et Gabina rit. Sais-tu ce que j'ai fait ? Elle s'interrompit, se demandant sans doute si elle allait en parler ou pas. Bon, je vais te le dire, lui glissa-t-elle à l'oreille, mais à une condition. Allez, dit Reme, l'encourageant à continuer. Promets-moi que tu ne le diras à personne. Et, sans pouvoir cacher une ébauche de sourire, elle ajouta :

Je mourrais de honte. Reme jura avec résolution. Eh bien, le lendemain, reprit Puri, j'étais en train de m'habiller quand je me suis souvenue de ce qui s'était passé la veille, de cette chambre qu'il fermait, de l'état dans lequel il en sortait, grelottant comme du flan, parce qu'il gelait, là-dedans, et qu'il faisait tout ça pour moi ; alors, il m'a semblé que moi aussi je devais faire quelque chose pour lui, qui serait une façon de lui rendre ce qu'il me donnait. Puisque j'étais en train de m'habiller, comme je te l'ai dit, presque sans savoir ce que je faisais, j'ai enlevé la culotte que je venais de mettre et j'ai décidé d'aller comme ça chez lui, sans rien dessous. Reme l'interrompit. Tu es complètement folle ! C'est vrai ? Tu as fait ça ? Oui, je suis allée chez lui sans culotte. Je suis entrée, j'ai fait le ménage, préparé le déjeuner, don Ramón est revenu de l'église et s'est assis à table, en attendant que je lui serve le repas. Je l'ai fait, tout d'abord sans oser lever les yeux des plats, de peur qu'il puisse tout deviner rien qu'en me regardant dans les yeux, mais, peu à peu, je me suis sentie plus à mon aise, comme si cette chose qu'il ne savait pas me donnait une sorte de pouvoir sur lui, et je disais même tout bas, en détachant bien chaque mot de façon à les entendre : Je n'ai pas mis de culotte ; et il me regardait, étonné, parce qu'il me voyait remuer les lèvres mais n'entendait rien et ne pouvait savoir ce que j'avais en tête. Enfin, il n'y a plus tenu : Que manigances-tu ? m'a-t-il demandé. Alors, tout à coup, je ne sais ce qui m'a pris, j'étais comme enragée qu'il pût être aussi bouché et ne se rendre compte de rien, je lui ai répondu, pleine de malice : Vous voyez bien, je récite mes litanies pour ne pas m'endormir, parce que, dans cette maison, on se croirait dans un cimetière. Mais, en me rendant compte de ce que je venais de dire, j'ai mis mes mains devant ma bouche, effrayée. Cependant, j'ai vite compris que je n'avais rien à craindre, parce que don Ramón était d'une pâleur de cire et que celui qui n'osait plus lever les yeux de la nappe, maintenant, c'était lui. Je me suis dit : Désormais, quoi que tu fasses, il faudra bien qu'il l'accepte. J'ai fini de débarrasser la table,

305

et je lui ai annoncé de mon air le plus résolu que je m'en allais, que j'avais assez travaillé pour aujourd'hui, et il n'a pas osé me réprimander, alors qu'il restait encore trois heures avant la fin de ma journée. Le lendemain, pendant que je m'habillais pour aller chez lui, je me suis à nouveau souvenue de tout, et j'ai refait la même chose, comme tous les jours qui ont suivi : je suis allée chez lui sans rien mettre sous ma robe. Lui ne pipait mot, ne s'opposait à aucun de mes caprices, alors que je prenais toujours plus de libertés. Je me suis même assise à table pour le regarder finir de manger ce que je lui avais servi. Au cours d'une de ces journées, tandis que je lui servais son repas, je lui ai demandé ce qu'il pensait de l'amour. L'amour est passager, m'a-t-il dit, seul l'amour filial est durable. D'accord, ai-je répliqué, mais je ne parle pas de cet amour-là, je parle de l'autre, celui entre hommes et femmes. Il s'est mis à toussoter et n'a pas voulu me répondre tout de suite. Un moment plus tard, écoute bien ce qu'il m'a dit : Tu es trop jeune pour penser à ces choses-là. Je l'ai regardé fixement, et il est devenu tellement nerveux qu'il n'a pu continuer de manger, les lentilles tombaient de la cuillère quand il la portait à sa bouche, et il a dû se lever et filer. Tout droit dans la chambre vide, bien entendu, où il s'est enfermé, et je ne l'ai plus vu. Tu ne perds rien pour attendre, me suis-je dit en moi-même ; je me suis assise à sa place et j'ai mangé les lentilles qu'il avaient laissées, avec sa cuillère, qui, quand je l'ai prise, m'a parue brûlante, tellement il l'avait serrée ; ma foi, c'étaient peut-être les lentilles qui lui avaient transmis leur chaleur, mais je croyais ce qui me convenais. Et cela me faisait plaisir, à moi, de croire que la cuillère brûlait, parce que ça voulait dire que sous sa soutane il était comme les autres hommes et qu'il avait beau se contenir autant qu'il voulait, il était devenu pareil aux fers que le Français, à la forge, plongeait dans les charbons ardents, et ce que je lui servais, ce n'étaient pas des lentilles, ni de la morue aux pommes de terre, ni des tranches de filet, ce que je lui servais, c'était du charbon, des plats entiers de charbon qu'il mangeait sans un mot, et qui brûlaient ensuite à l'intérieur de son corps, jusqu'à ce que le feu devienne si vif qu'un beau jour, en prenant du pain, ses mains ne seraient qu'une flamme. Je l'imaginais ainsi, les mains flambant sur la table, et lui ne le remarquant même pas ; il fallait que ce soit moi qui lui dise : Vos mains brûlent ; mais il ne bougeait pas, ne faisait aucun geste pour les éteindre, parce qu'il était las de dissimuler. Ce dimanche-là, pour le sermon, il a choisi le passage de l'évangile où l'on parle de Marthe et Marie, et il a dit que nous devions toutes être comme Marthe et accomplir nos devoirs au lieu d'aller le nez levé en écervelées que nous étions, et je me suis mise en colère parce qu'il m'a semblé qu'il parlait de moi, et que Marie, c'était moi. Le lendemain, je me suis plantée devant lui et je lui ai dit, les mains sur les hanches : Si vous voulez le savoir, moi, je préfère Marie. Alors, je me suis assise à table, en face de lui. Que fais-tu ? m'a-t-il demandé, et j'ai remarqué que sa voix tremblotait. J'en ai assez d'être Marthe, et je vais me contenter de vous regarder. Nous sommes restés un bon moment comme ça, à nous observer, moi sans ciller, avec insolence, parce qui si don Ramón était Jésus, je ne pouvais faire autre chose que contempler son visage, et j'imaginais que je ne vivais que pour ça, pour le suivre partout où il allait et passer tout mon temps à me soucier uniquement de ce qu'il faisait. Alors, il s'est passé une chose que tu ne vas pas croire. Don Ramón s'est levé, il est allé à la cuisine et il en est revenu avec l'assiette à soupe, puis il a apporté les couverts, le verre, la serviette et le pain, et il a tout posé devant moi. Ensuite, il est allé chercher la soupe et me l'a servie, et quand je l'ai finie, il a emporté l'assiette sale, et a apporté les pieds de mouton, et n'a pas bougé de là pendant que je les mangeais ; j'ai remarqué qu'il n'arrêtait pas de regarder les petits os qui s'amoncelaient sur le rebord de l'assiette, et que j'avais tellement bien sucés qu'ils brillaient comme de l'ivoire, puis il a tout enlevé avec soin et desservi la table. Je l'ai entendu s'affairer dans la cuisine, puis se diriger vers son bureau, ouvrir

307

la porte de la chambre vide et s'y enfermer. Je suis allée à la cuisine, j'ai vu les assiettes sur l'évier, et, tout d'abord, je n'ai pas fait attention, mais un peu plus tard, alors que j'allais les laver, je me suis rendu compte que les os avaient disparu. Je les ai cherchés, j'ai fouillé dans la poubelle, regardé dans les autres assiettes, mais ils n'y étaient pas, et je me suis brusquement rappelé comment il les regardait, à table, pendant que je mangeais ; je ne pouvais pas y croire, mais c'était vrai. Il les a emportés, il les a emportés, me répétais-je, ivre de joie. Mais, presque au même moment, j'ai compris qu'il fallait que je déguerpisse, et vite, parce que si je le revoyais, alors, je devrais faire tout ce qu'il me demanderait. À ce moment-là, je l'ai entendu sortir de la chambre et quitter la maison en courant. Je me suis dit, soulagée : C'est bien, moi aussi je m'en vais. Après avoir rangé les assiettes et nettoyé la cuisine, je me suis préparée et je suis partie. Et imagine-toi qu'en descendant la rue, un peu plus bas, j'ai rencontré Jandri et Jesu, qui déchargeaient une charrette de luzerne, je suis allée les rejoindre et nous avons échangé quelques mots. Jesu était beau à croquer, avec ses bras si musclés qui dépassaient des manches de sa chemise. Tout à coup, il s'est mis à rire. Comme il fait, tu sais, en montrant toutes ses dents, si blanches qu'on a envie de les lui sortir de la bouche et de jouer aux osselets avec. Je me suis dit qu'elles ressemblaient aux os de mouton et que si je l'avais pu, je les lui aurais volées. J'ai dû faire une drôle de tête, parce que Jandri m'a demandé : Il t'arrive quelque chose, ma belle ? Rien, ai-je dit en poussant un soupir, je meurs d'envie de manger des pieds de mouton aux pommes de terre. Tous les deux m'ont regardée, un peu déconcertés, mais tu connais Jandri, il n'en rate pas une, il m'a tout de suite offert les siens en faisant bêêê, bêêê, comme si le mouton c'était lui et qu'il me donnait ses pieds à manger. Je ne peux pas, lui ai-je dit en lui faisant bien sentir le sous-entendu, parce qu'après, Rosarito ne voudra même plus te voir. Ils se sont mis à rire et, en m'éloignant, je me suis retournée, et j'ai vu qu'ils riaient encore en se disant je ne sais quoi à l'oreille, comme s'ils avaient de grands secrets à partager, encore que je n'en sois pas sûre, ils parlaient sans doute de mon cul ou de la forme de mes seins. Et ils ne m'ont pas paru si différents de don Ramón, ni d'aucun des hommes que nous connaissons, parce que, tout bien considéré, aucun d'eux ne vaut grand-chose, et ce qui est incompréhensible, c'est que malgré tout, ils arrivent à nous plaire autant. Peut-être est-ce parce que nous ne sommes pas tellement différents, en fin de compte ? Seulement en partie, puisque, c'est vrai, nous non plus nous n'avons rien de si particulier, mais nous nous en rendons compte, et c'est ce qui nous différencie d'eux. Nous savons que nous n'avons rien, et peu nous importe. Les petits os qu'ils ont sucés, et une chambre où les contempler dans l'intimité, voilà ce que sont pour nous les promesses de l'amour. Et, tu sais, à ce moment-là, cela ne m'a pas semblé peu de chose. Il me suffisait d'imaginer don Ramón portant l'assiette dans la cuisine et incapable, à l'instant où il la posait sur l'évier, de résister à la tentation de prendre les os et de les glisser dans la poche de sa soutane pour avoir envie de pleurer. Je le voyais courir dans la chambre et, après s'y être enfermé, sortir les os que j'avais sucés et les poser un par un dans un trou de mur, et j'avais l'impression que c'était la plus belle chose qui m'était arrivée de ma vie. Mais, un après-midi, je l'ai rencontré, et figure-toi, si ce n'est pas malheureux, qu'il ne s'est même pas arrêté, n'a même pas levé les yeux pour chercher mon regard, qu'il s'est contenté de me saluer d'un léger mouvement de tête, comme s'il se souvenait à peine de moi. Ç'a été l'écœurement de ma vie, même si après, en y repensant, j'ai compris que c'était beaucoup mieux comme ça, de ne plus nous revoir, de ne plus nous adresser la parole, et qu'agir autrement ne nous aurait apporté que du malheur. Tu veux que je te dise ? Je te conseille d'en faire autant avec Javi, parce que c'est un peu comme si lui aussi avait pris quelques petits os dans ton assiette et ensuite les avait jetés, il a été comme tous les hommes : une fois qu'ils se sont approprié quelque chose, ils ne savent plus qu'en faire et ne pensent plus qu'à ce qu'ils pourraient bien voler d'autre.

Que veux-tu dire ? lui demanda Reme. Gabina s'éclaircit la gorge, et lui raconta ce qu'elle avait entendu, un jour où elle était allée avec Puri apporter le poisson au bar. Quand elles étaient entrées, Antonino disait à un autre client : Oui, mon vieux, c'était le soir de la partie, quand il a forcé le gosse à jouer sa petite amie. Elles s'étaient aussitôt douté que le gosse, c'était Javi, et que Víctor s'était débrouillé pour le piéger, ce en quoi il était passé maître. Bien sûr, elles avaient pensé aller la trouver pour le lui dire, mais, ensuite, elles n'avaient pas osé, parce qu'elles ne savaient pas ce qui s'était passé, ni si le gosse auquel Antonino avait fait allusion était bien Javi. Sans aucune certitude, et pour ne pas l'écœurer sans raison, elles avaient préféré ne rien dire. Si je te comprends bien, fit Reme, il m'a jouée aux cartes. Gabina eut peur. Non, ma chérie. On n'en sait rien, ce n'est qu'une supposition. Mais Reme avait pris le mors aux dents. Je ne peux pas le croire. Quelle honte, qu'il ait pu faire une chose pareille. Elle s'était levée du lit et serrait avec force ses poings sur sa poitrine. Dès demain, je te le jure, poursuivit-elle, je saurai à quoi m'en tenir. Le lendemain, elle alla tout droit au bar, à l'heure de la partie de cartes, entra, chercha Luisma des yeux, et se dirigea vers lui. Il faut que je te parle, lui dit-elle. Elle le fit sortir du bar de force, en l'empoignant par la chemise, et lui demanda ce que c'était que ce message qu'il avait laissé à la boulangerie comme un voleur. Ce n'est pas moi, lui répondit-il, je n'ai pas écris ce billet. D'accord, mais tu sais très bien ce qui s'est passé ce soir-là. Je ne sais rien, fit-il en reculant. Il y a eu une partie, jeta-t-elle, et Javi a été capable de me jouer comme... Elle hésita un instant, et cracha : Comme si j'étais une vache. Je n'ai jamais dit ça, répliqua Luisma, toujours plus mal à l'aise. Tu es un poltron, lui dit-elle, je ne t'adresse plus la parole. Elle s'en allait quand Luisma l'appela. Il tremblait comme une feuille et il y avait sur son visage une expression d'abattement infini.

D'accord, lui dit-il presque à l'oreille, mais je ne veux pas qu'on nous voie. Ils se donnèrent rendez-vous à la rivière, et, d'entrée de jeu, Luisma essaya de prendre la défense de Javi. Il ne voulait pas le faire, dit-il aussitôt, sans oser la regarder dans les yeux, mais Víctor l'a piégé. Il a misé très gros, et Javi a cru qu'il s'agissait d'un coup de bluff ; comme il n'avait pas d'argent pour suivre, Víctor lui a dit de jouer autre chose. Quoi ? lui demanda Reme. De te jouer, toi, dit Luisma en baissant les yeux, n'osant plus la regarder. Nous nous sommes tous tus, continua-t-il d'une voix chevrotante. Víctor s'était éloigné de la table et regardait par la fenêtre, les cartes étaient sur le tapis, en petits tas irréguliers. Si tu perds, elle est à moi, a-t-il ajouté sans même se retourner. Ne déconne pas, lui a lancé Javi, ça, ce n'est pas à moi d'en décider. Très bien, a fait Víctor, alors, tu quittes le village et tu n'y remets plus les pieds. Javi s'est levé brusquement. Il suait comme un bœuf. Je vais pisser, a-t-il dit, je reviens tout de suite. Il est sorti et je l'ai suivi. Dans la cour, je lui ai parlé, j'ai essayé de le convaincre de se retirer. Laisse-le, lui ai-je dit, partons d'ici. Mais il n'arrivait pas à s'ôter de la tête que c'était un coup de bluff. Attends un peu, mec, je suis sûr qu'il n'a rien, ce type, je vais l'avoir dans la minute qui suit. J'ai encore insisté, dans l'escalier, même si je savais que c'était trop tard, qu'il n'allait pas m'écouter. J'accepte, a-t-il déclaré dès qu'il a franchi la porte. Víctor a sorti un papier de sa poche et lui a demandé de signer. C'est quoi, ça ? a fait Javi entre ses dents. Je veux avoir la certitude que tu tiendras parole, lui a répondu Víctor. Javi a hésité un instant, il a même fait le geste de se lever de table et de s'en aller, mais ses yeux ont brillé, et je crois qu'il s'est dit que toute cette mise en scène ne pouvait signifier qu'une chose : que Víctor, son rival, voulait l'avoir à l'esbroufe et lui faire abandonner la partie coûte que coûte. Alors, il a pris le papier et l'a signé devant tout le monde. Puis il a montré ses cartes, et Víctor a gagné. Ce n'est pas tout. Il a sorti un chèque et l'a rempli, en écrivant une somme exorbitante. Ça, a-t-il dit en le lui ten-

311

dant, c'est pour tes frais de voyage. Et il a ajouté : Mais si tu reviens par ici, je te coupe les couilles. Javi était blanc comme un linge et, en fait, aussitôt arrivé dans la rue, il a vomi. J'ai merdé, répétait-il, j'ai merdé. Le soir même, sans dire au revoir à personne, il a quitté le village, depuis, on n'a plus entendu parler de lui.

Tous deux restèrent silencieux. On entendait le vent souffler dans le feuillage des peupliers et, de temps en temps, le cri des canards qui, dans le crépuscule du soir, devenait menaçant et sinistre. Il ne doit pas faire bon vivre là, dit Luisma en regardant la rivière. Meilleur qu'ici, sans doute, lui rétorqua Reme, qui se demandait encore comment Javi avait pu faire ça. Luisma lui posa la main sur l'épaule. Javi est fou de toi, il se débrouillera sûrement pour venir te chercher. Reme se dégagea comme une bête sauvage. Lâche-moi, lui dit-elle, je ne veux plus que tu me reparles de lui. Et elle s'éloigna en direction du village. Que vais-je faire, maintenant ? se disait-elle, mon Dieu, que vais-je devenir ? Elle se rappelait les sorties en fourgonnette, le bar de la grand-route, et ne comprenait pas comment Javi pouvait avoir joué tout ce qu'ils avaient dans une partie de cartes. Il reviendra, se disait-elle, il faut qu'il revienne, mais aussitôt après, elle se révoltait contre cette idée, parce que, s'il revenait, pourrait-elle seulement lui pardonner ? Elle pensait à cette partie, à son indignité profonde, et se demandait comment la seule mention de son nom n'avait pas suffi à l'écarter de ce jeu insensé. Ne lui suffisait-il pas, à elle, d'entendre le sien pour que tout le reste perdît ses couleurs, jusqu'aux flammes du four, qui n'étaient plus pour elle que des jouets en papier ? Se pouvait-il qu'elle-même et tout ce qu'ils avaient fait ensemble ne fût pas plus vrai que ce stupide défi ? Et si rien de tout cela n'était vrai ? Un chat la regardait. Il tenait entre ses pattes un oiseau qu'il venait de chasser et lui mangeait la tête. Tu devrais venir vivre avec nous, semblaient dire ses yeux. Ça, c'est divin. Ici, celui qui ne se tient pas sur ses gardes le paie cher.

À la boulangerie, elle dut rattraper tout le travail en retard et n'en vint à bout, sans s'arrêter, qu'au milieu de l'après-midi. Alors, Víctor arriva. Il était impeccablement vêtu et Reme vit Nino, son père, feindre une occupation urgente pour sortir du magasin, le laisser libre d'occuper le terrain. Bon, lui dit-il en évitant son regard, il faut que j'aille voir Santos. Ils demeurèrent seuls. Víctor s'assit sur la table et sortit son étui à cigarettes. Tu en veux une ? lui demanda-t-il en lui présentant l'étui ouvert, Isma m'a dit que tu fumais. Reme secoua la tête. Elle avait saisi le couteau et était prête à frapper s'il tentait de l'approcher. Je t'ai apporté quelque chose, lui dit Víctor, et il sortit de la poche intérieure de sa veste un paquet aussi plat qu'une enveloppe. Elle pensa s'en aller, mais, au dernier moment, elle changea d'idée. Elle prit le paquet et l'ouvrit. C'étaient des bas. Ils sont français, dit Víctor, en pure soie. Reme hésita un instant, puis, se tournant pour la première fois vers lui, lui demanda : Tu veux que je les essaie ? J'en ai le plus vif désir, lui répondit Víctor, qui respirait maintenant avec peine. Elle s'assit à un bout du banc et mit les bas. Tu n'as pas à te plaindre, murmura-t-elle, s'adressant en elle-même à Javi. Et ce fut comme si Javi était là, caché derrière les sacs de farine, et la regardait tandis qu'elle essayait les bas devant Víctor. Tu n'as pas le droit, insista-t-elle, tu m'as perdue aux cartes. Deux larmes coururent sur ses joues, elle pensait que rien ne pouvait commencer à nouveau, il fallait partir de ce qui existait déjà, comme les arbres qui poussent tordus.

# 14

Qu'est-ce que tu as là ? Isma recula de quelques pas. Il avait les mains dans les poches de son pantalon et, quand il les vit approcher, il les enfonça tout au fond. Le Rat, Chuchi, Juan Pototo et Tomasín l'avaient encerclé, lui barrant le passage. Rien, répondit-il. Alors, si c'est rien, montre tes mains, dit le Rat. C'était lui qui prenait l'initiative. Isma baissa la tête et tenta de passer son chemin, mais Tomasín se plaça devant lui. Tu n'as pas entendu ? lui jeta-t-il. Si tu ne nous montres pas ce que tu as là, on te fout la rouste. Il l'attrapa par l'oreille, qu'il tordit. Chuchi se mit à rigoler, tout excité. Arrache-la-lui, dit-il. Laissez-moi, murmura Isma, au bord des larmes, je n'ai rien fait. Tomasín lui faisait très mal, et deux larmes coulèrent sur ses joues, lentes, aussi lourdes que des gouttes de cire. Il ne pouvait sortir les mains de ses poches pour se défendre, parce qu'il y avait mis les petites boîtes d'ampoules. Une dans chaque poche, pour qu'elles ressortent moins et que don Arturo ne s'aperçoive de rien. Il entrait dans la pharmacie, se rendait dans la petite pièce du fond et prenait deux boîtes, toujours celles de derrière, pour qu'on ne remarque pas qu'il en manquait. Il y en avait deux sortes, les unes de dix ampoules, les autres d'une seule, pour une piqûre. Puis, il les apportait à Reme. Il y avait trois mois qu'elle se faisait ces piqûres, et elle ne pouvait plus s'en passer. Je suis une petite droguée, disait-elle à Isma tandis que, fébrile d'impatience, elle préparait la piqûre. Et elle ajoutait : Je finirai par terre dans la cour comme la pauvre Benigna ; mais elle le disait avec une telle expression de bonheur qu'Isma ne comprenait pas quelle relation il pouvait y avoir entre elles. Il revoyait Benigna, quand elle leur donnait des leçons dans le vestibule, chez elle, et l'après-midi où il était allé lui apporter une commission et où elle ne l'avait pas reconnu parce qu'elle avait la tête dans les nuages. Il se souvenait aussi de ce qu'avaient dit Mme Maura et une autre voisine quand on avait trouvé son cadavre dans la cour, tout picoré par les poules, il savait qu'elle était morte depuis au moins deux jours, même s'il n'avait pu la voir, parce qu'on avait interdit aux enfants d'entrer.

Ou tu nous montres ce que tu as dans tes poches, ou je t'arrache l'oreille, insista Tomasín, en tirant encore plus fort. Juan Pototo prit sa défense : Laisse-le, tu lui fais mal. La rouste, c'est toi qui vas te la prendre, lui dit Tomasín, lâchant Isma et s'attaquant à Juan Pototo, qui recula, effrayé. Le Rat intervint, conciliateur : Allez, mec, montre-nous seulement ce que tu as là et on te laisse filer. Isma leva la tête et les regarda. Je n'ai rien, insista-t-il, se retenant de pleurer à grand-peine. Alors, Chuchi, qui avait ramassé une crotte de cheval, la lui écrasa sur le visage. Tiens, mange, lui dit-il en riant. Puis ce fut le tour de Tomasín, et ensuite du Rat. Ils prenaient des crottes et les lui frottaient sur le visage, parce qu'ils trouvaient drôle qu'il ne voulût même pas sortir les mains de ses poches pour se protéger. C'est alors que Chuchi le frappa avec la pierre. Au lieu de ramasser une crotte, il saisit une pierre et lui en donna un coup sur la tempe. Isma chancela et tomba sur les genoux, mais, même à ce moment-là, il ne sortit pas les mains des poches. Merde, Chuchi, s'écria le Rat, ne fais pas le con ! Isma se mit à saigner, et ils prirent peur. Tu lui as cassé la tête ! s'exclama Juan Pototo. Isma était par terre, et le sang coulait sur sa tête et sur son visage. Il avait fermé les yeux, parce qu'il lui semblait que s'il ne les regardait plus, ils disparaîtraient. La plus jeune des sœurs Goya vint à son secours. Elle les avait vus le battre du seuil du magasin et elle était sortie, prête à le défendre à coups de balai. Mais le Rat, Juan Pototo, Chuchi et Tomasín étaient partis en courant en l'entendant crier. Hé, l'assistant, dit-elle, c'était le surnom qu'elle lui donnait, ça va ? Isma ouvrit les yeux et la vit se pencher sur lui. Avec un mouchoir, elle épongea le sang sur le visage d'Isma. Ça n'a pas l'air d'être bien méchant, dit-elle, mais il faut que le docteur te voie. Elle l'aida à se lever, et, remarquant qu'il s'obstinait à ne pas sortir les mains de ses poches, elle lui demanda : Mais qu'est-ce que tu as donc là ? Rien, dit tout bas Isma, et, se libérant d'une secousse, il partit en courant. La petite Goya le vit traverser la place à toute vitesse et disparaître à l'angle d'une rue. Elle ne pensa pas à sa blessure, mais à l'agilité de ses mouvements, à la détermination avec laquelle il avait tourné le coin, comme s'il se préparait, une fois hors de sa vue, à s'envoler. Diables d'enfants ! murmura-t-elle pour elle-même. En se retournant, elle vit le soleil illuminer le magasin, faire briller les vitres, qui semblaient lavées depuis peu.

*Perdue ! Une heure d'or*
*Avec ses soixante minutes de diamant,*

dit-elle pour elle-même, se souvenant tout à coup du tableau qu'avait brodé Antonino et qui était resté accroché à un mur chez elles pendant des semaines et des semaines. Elle entra dans le magasin. Les rayons du soleil illuminaient l'intérieur modeste, lui donnaient une apparence imprévue et magnifique. Même le comptoir paraissait différent, plus proche, plus brillant, comme si sa sœur et elle avaient passé la matinée entière à tout astiquer pour recevoir quelqu'un d'autre que les clients qui venaient chaque jour acheter les quatre choses habituelles, les bougies, l'huile, le savon, la morue, parfois des pantoufles, quelqu'un qui venait faire de vrais achats. Mais pouvait-elle s'attendre à la visite d'un tel

317

client ?, et, s'il venait, qu'aurait-elle à lui proposer ? Rien, ce serait à lui de choisir. Alors, elle eut une étrange envie : monter sur le comptoir. Elle se dit que ce qu'il y avait d'étrange, ce n'était pas de le faire, mais d'avoir vécu toutes ces années sans jamais en éprouver le désir. Alors, elle mit une chaise devant le comptoir, monta et alla se placer à l'endroit que le soleil illuminait. Puis elle imagina que quelqu'un entrait pour acheter vraiment quelque chose, et que quand sa sœur, qui servait, lui demandait ce qu'il désirait, il se tournait vers elle et, après l'avoir longuement regardée, répondait, en se penchant sur le comptoir, qu'il voulait l'acheter, elle. Sa sœur la regardait aussi, se demandant visiblement si elle n'avait pas perdu la tête, et bredouillait quelques propos incohérents. Non, non, ce n'est pas possible, les gens, ça ne se vend pas ; et alors, elle, toujours debout au soleil, lui faisait signe de s'approcher, et, en aparté, lui soufflait à l'oreille : Pourquoi pas ? Pourquoi as-tu besoin de moi ? Une heure d'or, se dit-elle.

Mais que fais-tu ? lui demanda sa sœur, d'un air stupéfait. Elle revenait de l'arrière-boutique, chargée de paquets, et sa première réaction, en l'apercevant perchée sur le comptoir, fut de lui ordonner de descendre de là, mais elle vit alors le mouchoir dans sa main et pensa que le sang venait des poumons de sa pauvre cadette, qui venait de tousser. Tu le vois bien, lui répondit celle-ci, encore un peu troublée d'avoir été découverte dans cette posture, je suis là, quoi. L'aînée alla dans le fond de l'épicerie et feignit de ranger quelques marchandises, mais sans pouvoir détacher les yeux du mouchoir. La cadette s'en rendit compte, comprit que sa sœur regardait le mouchoir en croyant qu'elle venait de cracher du sang. Elle le porta à ses lèvres et toussa de nouveau. Elle vit sa sœur frémir et tendre les mains en un geste de protection. Et elle comprit que dès à présent, grâce à ce mouchoir, elle allait pouvoir obtenir certaines choses qui, sans cette circonstance, ne lui auraient jamais été accordées. Guillerma, lui dit-elle, car l'aînée des Goya s'appelait Guillerma, et elle Socorro, j'aimerais que tu montes ici, avec moi. Que je monte ?... bredouilla la grande Goya en proie à une confusion croissante. Oui, lui répondit la petite, ici, à côté de moi, sur le comptoir. Pour que nous soyons ensemble. Et... pourquoi ? réussit à demander l'aînée. Je ne sais pas, fit Socorro, d'ici, le magasin paraît différent. À cet instant-là, elle sentit de nouveau la tension monter, le sang cogner dans sa tête. Oh ! Attendez, mon Dieu, se dit-elle, pas encore. Et elle se rappela ce qui lui était arrivé dans la cour, le matin même, quand en se penchant pour prendre un peu de bois, elle avait eu la même sensation et, pendant un moment, n'avait plus su où elle était ni comment elle s'appelait. Viens, je t'en prie, lui dit-elle en lui tendant la main. Elle était pâle comme une morte, mais il y avait sur son visage une incroyable expression de bonheur. L'aînée monta sur la chaise, puis sur le comptoir. Elles se donnèrent la main. N'est-ce pas extraordinaire ? souffla la cadette. Et l'aînée, qui ne pouvait quitter des yeux le mouchoir, dit oui, oui, en réprimant avec beaucoup de peine son envie de pleurer. Il se produisit alors ce qu'elle redoutait, sa cadette se pencha pour lui dire à l'oreille : Je crois que j'ai la tête qui tourne. Attends, je te tiens, lui dit tout bas Guillerma, en la prenant par le bras. Très doucement, la grande Goya soutenant la petite, elles repartirent en sens inverse sur le comptoir, jusqu'à l'endroit où était la chaise. Nous y sommes, fit l'aînée en remettant le pied par terre, et elle accompagna sa sœur jusqu'à la table. Puis elle alla à la cuisine, prépara deux cafés au lait, les porta à table sur un plateau, avec des biscuits. Elles se restaurèrent en silence. La petite Goya ne pouvait lâcher le comptoir des yeux. On était bien, là-haut, dit-elle enfin, on aurait dit deux chanteuses. Ensuite, elle raconta à sa sœur ce que le Rat et les autres garçons avaient fait à Isma, comment elle avait dû courir à sa rescousse, en s'armant du balai. Il avait quelque chose dans les poches, qui sait quoi, et ils n'ont pu le forcer à leur montrer ce que c'était. Elle s'interrompit quelques instants, et ajouta, avec une expression de regret : J'aurais bien aimé savoir de quoi il s'agissait.

Oh, mon pauvre petit, qu'est-ce qu'ils t'ont fait ? Isma était sur le seuil, et quand il lui dit qu'on l'avait battu, Reme le serra sur sa poitrine. Mais, aussitôt, elle sursauta et s'écarta de lui. Tu les as apportées ? lui demanda-t-elle. Isma hocha la tête. Il avait encore les mains dans les poches, et Reme regarda avec soulagement le relief de chaque côté du pantalon. Ce fut seulement à ce moment-là qu'elle s'occupa de lui, l'emmena devant l'évier, lui lava le visage et la blessure avec une serviette mouillée. Tu es comme saint Tarcice, lui dit-elle en l'embrassant sur le front. Elle alla ensuite chercher l'eau oxygénée et désinfecta la plaie, toujours plus nerveuse. Elle se leva, sortit de la cuisine, y revint aussitôt après, si agitée que quand alla prendre quelque chose sur l'évier, elle fit tomber la bouteille d'huile. Donne-moi les ampoules, lui dit-elle ; il les sortit de leur emballage et les lui tendit. Tu devais prendre des boîtes de dix. C'étaient celles qu'Isma lui avait apportées les fois précédentes, mais il en restait peu et, de peur que don Arturo, le pharmacien, pût le découvrir, il avait pris deux boîtes d'une seule dose. Oh, fit Reme, allons-y, je n'en peux plus. Elle mit de l'eau à bouillir dans une marmite, fit un pas en direction de la porte, mais s'arrêta. Tu m'aides ? demanda-t-elle. Isma se leva d'un bond et grimpa l'escalier en courant. Il entra dans la chambre de Reme et chercha dans sa table de nuit. Là, cachée dans un livre, il y avait la seringue. L'idée du livre, ils l'avaient prise dans un film : de l'extérieur, le livre paraissait normal, mais quand on l'ouvrait, il y avait un creux dans les pages, où l'on pouvait cacher quelque chose. Ils avaient fait la même chose, et ils y rangeaient la seringue et les aiguilles. Reme lui avait dit que c'était un secret et que personne ne devait jamais le savoir. Il retourna à la cuisine avec la seringue et la mit dans la marmite qui était sur le feu. Ne t'en fais pas, lui dit Reme, je vais aller parler aux mères de ces petits voyous, pour qu'elles leur passent un bon savon. Elle se levait à chaque instant pour aller jeter un coup d'œil dans la marmite. L'eau finit par bouillir, les bulles commencèrent à monter du fond, et, en un

320

rien de temps, elles entourèrent, affolées, le tube en verre. Reme récita le premier Credo. À la fin du troisième, l'aiguille était désinfectée. Elle vida la marmite, prit la seringue et l'aiguille. Elle sortait de la cuisine quand elle s'arrêta à la porte. Tu ne viens pas ? lui demanda-t-elle sans même se retourner. Ils montèrent tous les deux à la chambre. Je n'en peux plus, dit-elle, je vais devenir folle. Elle tremblait tellement qu'elle n'arrivait pas à couper l'ampoule avec la petite scie en métal. Ce fut Isma qui le fit, en tira le liquide et tendit à Reme la petite seringue remplie. Reme souleva sa jupe, pinça la chair de sa cuisse et y enfonça l'aiguille, en gémissant faiblement. Son visage était déformé par la souffrance et, quand elle eut fini, elle se laissa tomber sur le lit. Presque aussitôt, son expression changea, elle s'était calmée. Ça y est, murmura-t-elle. Isma l'aida à s'allonger complètement, et épongea la sueur qui avait couvert son front. Elle se mit à appeler Javi, à parler comme s'ils étaient ensemble dans la chambre, comme si c'était lui qui l'aidait à se faire les piqûres. Puis elle ouvrit les yeux. Ah, c'est toi, dit-elle d'une voix faible en voyant Isma, et elle tendit la main pour lui caresser le visage. Tu as été blessé à cause de moi, pour me défendre. Tu es mon chevalier errant. Elle remuait la tête tout doucement, d'un côté à l'autre, et il entendait à peine ce qu'elle disait. Oh, mon Dieu, murmurait-elle, toujours plus lentement, aidez-moi, je ne peux plus vivre comme ça. Sa main, son long bras nu reposaient sur les couvertures ; il les caressa jusqu'à ce qu'elle se fût calmée. Il le faisait tout doucement, l'effleurant à peine, comme s'il dessinait dans le sable. Il lui sembla qu'elle se refroidissait et il alla chercher une courte-pointe pour la couvrir. Reme, lui souffla-t-il à l'oreille, je reviens tout de suite. Il descendit à la cuisine et fouilla les tiroirs. Il cherchait toujours les menottes, surtout quand il sentait cette oppression dans sa poitrine. Il sentait ce poids et devait se mettre à les chercher, ce qui prenait parfois des heures, sans raison particulière, seulement pour s'assurer qu'elles existaient bien et que la scène de ce soir-là avait

321

été réelle. Il vit les emballages des injections sur l'évier, prit l'ampoule qui n'avait pas été utilisée, remonta dans la chambre de Reme, prit aussi la seringue et l'aiguille et rangea le tout à l'intérieur du livre. Ensuite, il s'approcha de Reme, qui avait toujours les yeux fermés. Où sont-elles ? lui demanda-t-il à l'oreille. Reme ouvrit les yeux, regarda autour d'elle, désorientée. Elle ne paraissait pas savoir où elle se trouvait, bien qu'elle eût une expression de béatitude étrange. Que fais-tu ? lui demanda-t-elle. Isma était si près d'elle qu'elle remarqua la mauvaise allure de la blessure à son front. Mon pauvre petit, lui dit-elle, maintenant lucide, se rendant compte de tout, tu devrais t'éloigner de moi. Je n'apporte que du malheur. Elle referma les yeux, et Isma quitta la chambre sur la pointe des pieds. En arrivant à la porte, il se retourna et regarda l'armoire. Il se dit que les menottes devaient être là, mais s'avisa aussitôt que s'il tirait une chaise pour s'en assurer, Reme pouvait se réveiller, et qu'il ferait mieux d'attendre le lendemain, quand elle ne serait pas là. Il sortit, et se dirigea vers la place. Il lui sembla apercevoir quelqu'un derrière les rideaux, chez Víctor ; ce devait être lui, sans doute, qui regardait ce qui se passait dans la rue. Maintenant, il allait souvent à la boulangerie, et, quand il y était, Reme ne le laissait pas entrer : Víctor est là, lui disait-elle en se plaçant dans l'encadrement de la porte de façon à ce qu'il ne pût pas se faufiler à l'intérieur. Une fois, il les avait même vus sortir de la boulangerie et traverser la rue en direction de la maison de Reme. Il lui sembla que les rideaux bougeaient et il se mit à courir. Il ne voulait pas que Víctor le vît, parce qu'il savait qu'il allait lui reprocher de ne plus faire l'espion pour lui. La dernière fois qu'ils s'étaient rencontrés dans la rue, Víctor l'avait arrêté pour lui dire, très sérieusement : Tu ne tiens pas parole, et ça, c'est la pire des choses que puisse faire un homme.

Il alla à la pharmacie. Don Arturo était en plein travail et, en entendant des pas dans le couloir, demanda qui était là. C'est moi, lui répondit Isma. Don Arturo était en blouse blanche et pesait sur la balance les poudres médicinales. Au-dessus de lui, il y avait le tableau de la petite toison, mais le garçon, sur le pont, ne lui rappelait pas du tout Javi, comme le disait Reme. Il l'avait entendue le lui dire dans la fourgon-nette : Don Arturo a à la pharmacie un très beau tableau, où l'on voit un garçon qui te ressemble. Lui avait les yeux bandés, mais il lui suffisait d'être un peu attentif pour entendre tout ce qu'ils se disaient et même le bruit qu'ils faisaient en s'embrassant, un peu pareil à celui des pigeons qui boivent. Et qu'est-ce qu'il représente ? avait demandé Javi. Rien, un navire. Le garçon est sur le pont et il tient quelque chose dans ses mains. Quoi ? avait encore demandé Javi. Reme s'était mise à rire. Je ne peux pas te dire ça main-tenant. Javi insistait. Si tu es sage, tu le sauras quand on arrivera au village, avait promis Reme en riant. Ils s'étaient dit au revoir quand Javi l'avait rappelée : Hé ! et ta promes-se ? Reme ne s'en souvenait plus et avait haussé les épaules. Ce que tu devais me dire, avait insisté Javi. Et Isma, regardant encore le tableau, trouva maintenant que oui, ce garçon res-semblait à Javi, il avait la même expression que lui quand Reme lui avait parlé à l'oreille.

Bon, dit-il à don Arturo, je m'en vais. Toutefois, au lieu de partir, il passa dans la petite officine, où étaient empilées les boites d'injection. Il y en avait beaucoup moins, mais comme il prenait celles de derrière, don Arturo ne s'en aper-cevait pas. Il pensa à Reme, qui devait encore être couchée, sous l'effet du remède, à ce qu'elle avait souffert, depuis le départ de Javi. Elle ne voulait pas manger, elle s'enfermait dans sa chambre et passait des heures à pleurer. Parfois, elle criait, et il avait beau s'efforcer de la consoler, il n'y parve-nait pas. Bien souvent, elle l'avait maltraité. Elle lui disait de s'en aller, qu'elle ne voulait plus le voir. Mais il revenait toujours. Un après-midi, il l'avait trouvée couchée. J'ai mal, disait-elle, en posant les mains sur sa poitrine. Elle était inca-pable de demeurer calme. Elle avait défait le lit, les draps et les couvertures étaient par terre, comme si un coup de vent violent était entré dans la chambre et avait tout bouleversé. Je n'en peux plus, disait-elle entre deux gémissements, je ne veux plus vivre. Isma essayait de la consoler, sans avoir la moindre idée de ce qu'il pouvait faire. Il finit par monter sur le lit et lui tenir les bras, parce qu'il avait peur de la voir tomber. C'est alors qu'il se souvint de Benigna et de ses injections. Un après-midi, il l'avait vue s'en faire une, car, malgré les ordonnances que lui délivrait don César, elle se piquait elle-même. Venu lui apporter un billet, comme elle ne répondait pas, il était entré dans la cour. Benigna était là, la seringue entre les doigts et, sans s'inquiéter d'être vue, elle lui demanda de l'aider, parce qu'elle n'avait pas la main sûre. Il ouvrit l'ampoule, préleva le liquide avec la seringue. Benigna avait le cancer et en parlait comme s'il s'agissait d'un envahisseur, d'une créature vivante qui aurait pris possession d'elle et se serait nourrie de son corps. C'est un salopard, murmura-t-elle, et elle se fit la piqûre dans la cuisse. Il y eut une longue pause, pendant laquelle elle garda les yeux fermés, puis elle se remit à parler, plus doucement, en prononçant chaque mot comme s'ils étaient les perles d'un collier trop vieux qu'elle redoutait de voir se briser d'un instant à l'autre : Ce village est maudit. Il y a trop de douleur. Nous devrions partir d'ici, tout abandonner, on ne perdrait pas grand-chose. Elle évoquait la douleur comme si elle n'était pas individuelle mais collective, affectait tous ceux qui vivaient dans ce village et finissait par les détruire, parce que c'était une condition liée à l'endroit où ils se trouvaient, peut-être même à la vie. Reme avait enfoui son visage dans l'oreiller et poussait des sanglots étouffés, désespérés, et il sembla à Isma que cette douleur générale dont parlait Benigna l'avait atteinte, et qu'elle ne pouvait y échapper. Attends, lui dit-il à l'oreille, je reviens tout de suite. Il était allé tout droit à la pharmacie, et, au moment où don Arturo ne faisait pas attention, il avait pris une de ces injections. Il avait aussi volé une seringue et une aiguille. Il retourna chez Reme. Regarde, lui dit-il en lui montrant ce qu'il avait volé. Reme se tourna avec peine et le regarda, du fond obscur de sa souffrance. Ce sont les injections que se faisait Benigna, lui dit-il. Reme se redressa, stupéfaite, le visage dévasté par les larmes, mais avec une expression de curiosité inespérée. Elle ouvrit l'emballage et regarda l'ampoule. Tu crois que ça servira à quelque chose ? lui demanda-t-elle, dubitative. Isma lui sourit de toutes ses dents. Bon, fit Reme en se levant, essayons toujours. Ils descendirent à la cuisine faire bouillir la seringue et l'aiguille. Quand les premières bulles montèrent, Reme s'exclama : Allez, dehors, les lapins, dehors, les poules, et plus vite que ça ; et Isma la regarda, souriant encore. C'était ce qu'avait dit le pauvre Millán quand sa femme était morte. Incapable de contenir son chagrin, il avait dit aux lapins et aux poules de ficher le camp. Aïe, ma pauvre Silveria, s'était-il écrié, les poules et les lapins ne me disent plus rien. Ouvrez toutes les portes, et qu'ils s'en aillent. Les bulles se précipitèrent, partirent dans toutes les directions, comme si elles s'échappaient du fond de la casserole où elles auraient été enfermées. On avait envie de plonger la main dans l'eau, parce qu'elles donnaient l'impression que l'on n'allait pas se brûler. Puis Reme essaya de se faire la piqûre sur place, dans la cuisine. Mais elle ne se décidait pas à se piquer. Je ne peux pas, chuchota-t-elle, ça me fait un drôle d'effet. Isma n'hésita pas un instant à le faire à sa place. Il lui pinça un peu la peau, comme il l'avait vu faire à Benigna, et lui plongea tout doucement l'aiguille dans la cuisse. Rien, je n'ai rien senti, déclara Reme tout bas, mais avec une petite grimace de douleur. Puis tous deux restèrent là sans bouger, à attendre. Oh ! dit Reme, je sens quelque chose, comme si mon corps n'avait plus de poids. Il restait encore deux larmes sur ses joues, dont Isma admira la transparence, ébloui que de tant de tristesse pussent sortir des larmes pareilles, aussi claires que la plus pure des eaux. Je crois qu'il vaut mieux que je monte, fit Reme, j'ai la tête qui tourne. Ils montèrent l'escalier, elle allait d'un côté à l'autre, sans pouvoir contrôler ses mouvements. Elles bougent, constata-t-elle en regardant les marches. Il la conduisit jusqu'au lit, où elle resta un moment, les yeux fermés. Elle se sentait flotter, au fond d'un puits, mais elle pouvait monter le long de la paroi sans même toucher les pierres. Écoute, dit-elle, c'est fantastique. Et elle demanda à Isma de s'allonger à côté d'elle. Que tu es bon, je n'ai que toi.

Ce fut le commencement, parce que, à partir de ce jour-là, et toujours plus fréquemment, Reme lui demanda de lui apporter des injections. Cependant, elle se conduisit bientôt de façon étrange, surtout à la boulangerie. Elle ne donnait pas aux clients ce qu'ils demandaient, se trompait en leur rendant la monnaie, ne semblait plus connaître la valeur de l'argent. Ses amies étaient très inquiètes et, quand elles rencontraient Isma, elles essayaient de le faire parler, mais il ne leur disait pas grand-chose. Un matin, il se trouva en même temps que Puri et Gabina chez madame Maura. Puri raconta que la veille, dans l'après-midi, elle était allée à la boulangerie et que Reme s'était comportée comme si elle était saoule. Et quand elle demanda à Isma s'il l'avait vue boire, celui-ci se contenta de hausser les épaules.

Il revit Puri dans l'après-midi. Il était à la pharmacie quand on frappa à la porte, et il courut ouvrir. C'était Puri, qui apportait le poisson. Qui est-ce ? cria don Arturo, de l'intérieur. C'est Puri, qui apporte le poisson ! lança Isma. Don Arturo laissa ce qu'il était en train de faire et vint aussitôt la voir. Entre, ma toute belle, lui dit-il. Mais elle refusa. Don Arturo insista. Non, fit Puri, je sais ce qui se passe, ensuite. Je te jure que je me conduirai comme il faut, lui assura don Arturo. Mais Puri fut implacable. La prochaine fois, fit-elle, déterminée, en lui tournant le dos, comme si elle était habituée à commander. Isma la suivit et la rattrapa devant l'école. Don Abelardo a encore été recalé au concours, lui dit Puri. Sais-tu ce qu'a fait doña Carmen ? Elle a lâché tous ses oiseaux. Elle dit que c'est leur faute, qu'ils ne le laissent pas étudier. Les perruches s'étaient posées sur les acacias de la cour de Santa María, et ç'avait été de toute beauté, parce que les couleurs de leurs plumes étaient un régal pour les yeux. Mais, tu sais, ils vont probablement mourir. Isma se rappela ce qu'il avait entendu dire à Benigna. Évidemment, lui rétorqua-t-il, puisque ce village est maudit. Puri en resta pantoise. Quoi ? Mais il répétait seulement la phrase de Benigna sans savoir ce qu'elle voulait dire. Puri le gronda : Pourquoi dis-tu ça ? Tu es un petit idiot, tu ne fais qu'aller d'un côté et de l'autre et répéter tout ce que tu entends. Quelques mètres plus loin, elle n'était déjà plus fâchée. Viens, lui dit-elle, je vais te montrer quelque chose, et, le prenant par la main, elle le mena chez elle, tout près, à côté de la fontaine. Deux bœufs buvaient à l'abreuvoir, aussi noirs et taciturnes que s'ils étaient les habitants du pays de la nuit et se demandaient ce qu'ils faisaient là, dans ce monde d'insupportable clarté. Maman, cria Puri, c'est moi ! Elle ne lui avait pas lâché la main et l'entraîna dans la cour. Là, dans une cage, il y avait une des perruches de don Abelardo. Elle est venue toute seule, lui expliqua-t-elle. Elle étendait le linge et l'avait aperçue en haut de l'étendoir. Je crois qu'elle a été attirée par la blancheur des draps, qui lui a peut-être rappelé quelque chose de son monde. Et Puri lui raconta que l'oiseau devait être si fatigué que quand elle avait tendu la main pour le prendre, il n'avait même pas bougé. Celui-ci ne va pas mourir, lui souffla-t-elle à l'oreille, parce que nous allons nous en occuper, toi et moi. Ils entrèrent dans la cuisine et elle lui prépara une tartine beurrée saupoudrée de sucre. Il faut que tu manges, lui dit-elle, tu es devenu maigre comme un coucou. Elle ouvrit le buffet et en sortit une tasse. Elle était en porcelaine avec de petites fleurs bleues tout autour. Regarde, lui dit-elle, elle est à Andreona, elle me l'a apportée pour que je la lui garde. Toutes les autres, Quico les a cassées. Il glissait le doigt dans l'anse et l'arrachait sans s'en rendre compte. Un après-midi, elle m'a apporté celle-ci en cachette et m'a demandé de la lui garder, parce qu'elle voulait en avoir au moins une, en souvenir. Il les casse rien qu'en les prenant, et elle ne m'a pas dit ça pour se plaindre, mais avec une expression d'approbation émerveillée. Isma fut sur le point de lui confier qu'il voyait encore Quico, que c'était lui qui déterrait les bêtes mortes, mais, au dernier moment, il se retint. Il faut que tu veilles sur Reme, lui dit Puri, devant la porte. Ne la laisse pas faire de bêtises. Il eut l'impression qu'elle voulait lui suggérer que c'était maintenant à lui de jouer le rôle de celui qui garde la dernière tasse qui reste.

Isma retourna sur la place. Les garçons jouaient à la pelote, qui résonnait très fort en frappant les pierres du mur. Il remarqua que Víctor jouait avec eux. Il le faisait rarement, bien qu'il fût un joueur imaginatif et brillant, capable de rivaliser sans difficultés, malgré son handicap, avec les meilleurs joueurs du village. En renvoyant une balle, Víctor l'aperçut. Tiens, mon beau, lui cria-t-il en levant la main droite, celle-ci est pour toi. C'était à lui de jouer, et il frappa de toutes ses forces la balle, qui partit comme un boulet. Mais son rival réussit à la lui renvoyer. La pelote rebondit, lui rendant la main, et il dut courir pour l'atteindre. Il y arriva, malgré sa claudication, en se retournant, dans une position surprenante, et il marqua. Personne n'avait encore vu un pareil coup et les garçons coururent le congratuler. Même Penicilina n'y serait pas arrivé, dit l'un deux. On n'avait pas encore oublié la victoire spectaculaire que le gitan avait remportée sur Javi et Jesu. Víctor se tourna en souriant vers Isma, qui avait suivi le jeu sans broncher, et ils se regardèrent un moment les yeux dans les yeux. La chemise de Víctor était sortie de son pantalon, et la sueur perlait sur son visage. Je ne suis pas celui que tu crois, semblaient dire ses yeux, dans le fond desquels il y avait une infinie tristesse. Mais Isma ne croyait rien, ne l'avait pas davantage jugé, parce que chaque attitude que l'on adoptait était pour lui le commencement de quelque chose, et même les faits les plus inattendus, que Víctor se mêlât aux garçons du village et se conduisît comme eux, par exemple, n'avait pour lui rien d'impossible.

Cette nuit-là, il se réveilla au beau milieu de terribles secousses, et il vit le visage de Felipón incliné au-dessus de lui. Il l'avait saisi par les épaules et lui disait des choses qu'Isma n'arrivait pas à entendre, sauf ses dernières paroles : Je reviens. Isma voulut le retenir, parce qu'il savait que son cousin allait prévenir Pilar, qui se fâcherait si elle le voyait comme ça, mais quand il se fut retourné, Felipón avait déjà passé la porte. Cependant, il vit Reme. Elle était couchée dans le lit de Jose Fausto, directement sur le matelas. Reme tourna la tête vers lui et lui sourit. J'ai tout vomi, lui dit-elle. Elle avait quelque chose de bizarre dans la bouche, et Isma se leva, pour aller voir. Qu'est-ce que tu as ? lui demanda-t-il. Rien, lui répondit Reme, et, mettant les doigts dans sa bouche, elle en sortit une dent et la lui donna. Pas seulement celle-là, mais, une par une, toutes les autres. Avec la plus grande facilité, comme si elles étaient sans attache à l'intérieur de sa bouche. Elles sont pour toi, lui dit-elle, moi, je n'en ai plus besoin. Isma remarqua les draps, qui brillaient d'une façon inhabituelle, inconnue. Reme s'en rendit compte. Dehors, fit-elle, il y en a plein, comme ça. Il se pencha à la fenêtre et vit en bas, dans la cour, plusieurs draps étendus. Ils avaient quelque chose de particulier. On aurait dit qu'ils s'efforçaient de conserver l'éclat des corps et de la lumière du soleil dans la nuit la plus profonde. Il décida de descendre les voir, mais il rencontra Felipón et Pilar, qui montaient l'escalier. Où vas-tu ? lui demanda Pilar. Voir les draps, lui répondit-il. Il pensait que cet éclat blanc était celui qu'avait vu la perruche de Puri et que, dans le monde d'où elle venait, il y avait peut-être des draps semblables. Ou peut-être même des arbres blancs, des arbres qui poussaient par surprise entre les autres et que les perruches cherchaient avidement dans toute la forêt, parce que rien ne leur plaisait davantage que se poser sur leurs branches et rester là à regarder leurs fleurs et leurs feuilles.

Allez, viens, tu vas prendre froid, dit Pilar ; et, le prenant par la main, elle le ramena dans la chambre et l'aida à se mettre au lit. Ça va mieux ? lui demanda-t-elle. La plus grande partie de ses sensations de crise, la surdité, le fourmillement dans la jambe, le délire, avait disparu, seule s'attardait une grande confusion. Il avait du mal à parler, les mots ne voulaient pas sortir. Ils les avaient là, au bout de la langue, mais quand il voulait les dire, ils se dérobaient, s'écartaient de lui comme les oiseaux les plus furtifs. Il se réveilla tellement fatigué que Pilar, ce matin-là, lui dit de ne pas aller à l'école. Il dormit jusqu'au milieu de la matinée. Pilar lui avait laissé le petit déjeuner sur la table et il mangea avec appétit. Après ces crises, il avait toujours faim. Il alla voir Reme, qui n'était pas à la boulangerie. Il alla frapper à la porte de la maison. Ce fut son père, Nino, qui lui ouvrit. Reme n'a pas voulu se lever, dit-il. Je peux monter ? lui demanda Isma. Bien sûr, lui dit Nino, on va voir si tu arrives à la convaincre, toi ; ces derniers temps, elle est insupportable. Il monta en courant à la chambre. Reme dormait encore. Il s'approcha sur la pointe des pieds et lui souleva du bout des doigts et avec précaution les lèvres, pour vérifier si elle avait encore ses dents. Ensuite, il posa la chaise près de l'armoire, monta et palpa le dessus du meuble, à la recherche des menottes. Reme ouvrit les yeux. Ah, quelle surprise, murmura-t-elle, somnolente, j'ouvre les yeux, et la première chose que je vois, c'est un ange. Isma était déjà en train de lui caresser les cheveux. Aide-moi, lui demanda-t-elle, et il l'aida à s'habiller. Elle lui demanda même de lui agrafer le soutien-gorge. Ne t'approche pas des filles, lui dit-elle, nous sommes toutes des pestes. Mais il pensa à Puri, à Gabina, à Andreona, à Rosarito et à elle, naturellement, et lui dit que ce n'était pas vrai. Bon, insista Reme, nous sommes toutes un peu folles. Isma nia une fois encore. Non, mais, c'est incroyable ! s'exclama-t-elle. Et elle s'agenouilla à côté de lui. Elle sentait la vanille et le feu de bois. Voyons un peu, insista-t-elle encore, amusée, d'après toi, qu'est-ce qui nous manque ? Isma se souvint des après-midi où elles se lavaient les cheveux, du chahut qu'elles faisaient dans la cour, allant même jusqu'à s'envoyer des seaux d'eau pour s'amuser, et comment, pour finir, elles s'asseyaient au soleil pour se sécher et continuaient de parler les yeux fermés, parce qu'elles avaient toujours des choses à se dire. Rien, lui répondit-il. C'est-à-dire que nous sommes parfaites, conclut-elle. Isma acquiesça en souriant. Elle le serra très fort sur sa poitrine. Comme le serpent, lui dit-elle en se coiffant. Son visage était illuminé par l'émotion, et quand elle eut fini de se coiffer, elle lui posa un baiser sur les paupières. Ces yeux sont de petits escargots, murmura-t-elle, miam, miam, un vrai régal. Pourtant, son visage s'était brusquement assombri. Il faut que tu m'en apportes plus, lui dit-elle à voix basse. Ses yeux brillaient de l'éclat vif de la fièvre. Je recommence à avoir mal ici, ajouta-t-elle avec un geste de désespoir sombre, en montrant sa poitrine.

Mais, cet après-midi-là, Isma dut aller à la campagne avec Rojo pour couper de la luzerne, et ils ne revinrent que peu avant la nuit. Pilar les accueillit, hors d'elle, se mit à battre Isma et à crier. Tu vas me rendre folle, tu m'as toujours fait une vie impossible ! Rojo essaya de la calmer, en se plaçant entre eux. Qu'est-ce qu'il y a, ma chérie ? Calme-toi. Pilar s'assit à table et se prit la tête à deux mains. Cet enfant va me tuer, vous allez me tuer, entre tous. Elle s'interrompit un instant, et ajouta : Il a volé, à la pharmacie. Rojo la regarda, stupéfait. Don César, continua Pilar, a dit qu'il voulait le voir. Don César ? demanda Rojo, abasourdi. Oui, ce qu'il a volé, ce sont des drogues. Il les portait à la boulangerie. Rojo et Isma sortirent et se rendirent chez don César. En chemin, Rojo ne lui adressa pas la parole. Toutefois, en arrivant devant la porte, il lui caressa la tête. Dis seulement la vérité, lui murmura-t-il avec douceur à l'oreille. Don César était dans son bureau avec don Arturo, Reme et son père. Que fait-il là ? s'écria Reme en le voyant entrer, il n'a rien à voir là dedans. Don César lui demanda de se taire. Reme nous a dit, fit-il en s'adressant à Isma, que c'était toi qui lui apportais les injections. C'étaient bien celles-ci ? Et il lui montra une boîte d'acétate de morphine. Isma acquiesça d'un signe de tête. Et tu peux nous dire pourquoi ? Reme intervint de nouveau, en criant, cette fois. Je vous l'ai déjà dit, c'est moi qui

331

l'envoyais les chercher ! Si tu cries encore une fois, lui dit don César en donnant un coup de poing sur la table, je te fous dehors ! Il était très nerveux, et on voyait que cette situation le faisait souffrir. Et n'oublie pas, poursuivit-il en s'adressant toujours à Reme, que tu as commis un délit et que tu peux finir en prison. Reme n'osa pas répliquer. Pourquoi ? redemanda don César en se tournant de nouveau vers Isma. Elle avait mal là, lui répondit-il, en posant les deux mains sur sa poitrine.

Don César les regarda, regimba, grommela plusieurs fois, se dirigea vers la fenêtre, revint peu après vers son bureau, devant lequel il finit pas se rasseoir. Il y avait là, posé devant lui, le portrait de son fils, mort à l'âge de dix ans. Très lentement, comme si chaque parole qu'il prononçait lui causait une douleur nouvelle, il parla. Il allait essayer de faire en sorte que l'affaire ne s'ébruite pas, mais ils devaient bien comprendre que la faute qu'ils avaient commise était très grave. Premièrement, parce qu'il s'agissait d'un vol ; deuxièmement, parce que ces injections étaient une drogue aussi puissante que les poisons les plus violents, et ne pouvaient être employées que sous contrôle médical. Il fit une pause, et, s'adressant maintenant à Reme, lui dit qu'elle allait devoir porter sa croix sans elles. Ça va être très dur au début, ajouta-t-il, mais tu es jeune, et tu y arriveras. Et ses yeux retournèrent se poser avec tristesse sur le portrait de son fils. Pourquoi ? lui dit Reme, avec rage, pour vivre entourée de merde ? Nino lui donna une gifle, elle la lui rendit. Ne t'avise pas de recommencer, lui dit-elle, avec une expression de haine incommensurable, c'est toi qui es coupable de tout. Nino, honteux, détourna les yeux, don Arturo et don César firent de même. À ce moment-là, aucun d'eux n'aurait pu supporter la puissance de son regard, son défi inouï. Isma attendit qu'elle le prît par la main et l'emmenât avec elle, mais Reme sortit du cabinet comme s'il n'y avait au monde rien d'autre que sa douleur. Et, quand il fit le geste de la suivre, Rojo, qui le tenait par la main, l'en empêcha en la serrant très fort. Isma se souvint alors de Miguel Óscar, qui, un jour, avait eu exactement le même geste que Rojo. C'était au moment où il était fasciné par une chèvre, qu'il essayait de suivre partout. La chèvre, agacée par cette sollicitude, s'enfuyait du plus loin qu'elle le voyait venir. Un après-midi, il était allé à l'Île, et la chèvre était là, au soleil, entre les tomates, aussi belle que le roi Salomon. Il allait s'approcher d'elle quand Miguel Óscar l'avait retenu. On ne doit pas suivre sans arrêt, à n'importe quel moment, les êtres qu'on adore, lui avait-il dit en lui souriant. Et cette main de Rojo qui serrait la sienne lui disait la même chose, qu'il valait mieux laisser Reme partir.

Quand il rentra à la maison, Rojo lui dit de monter dans sa chambre sans passer par la cuisine, pour éviter de rencontrer Pilar. Au bout d'un moment, il lui apporta un morceau de pain et un peu de lard. Tiens, lui dit-il, et, comme il allait sortir, il ajouta : Ne t'inquiète pas, ça lui passera. Mais Isma ne pouvait pas dormir. Il avait encore à l'esprit l'image de Reme sortant du cabinet de don César sans même le regarder, et il avait peur qu'elle pût le croire coupable de quelque chose, que c'était lui qui l'avait dénoncée, par exemple. Il sortit en cachette pour aller la voir. En arrivant devant chez elle, il l'entendit crier. Je t'en prie, disait-elle à Nino, dis à don Arturo de m'en donner encore une, rien qu'une, la dernière ! Nino, excédé, lui répondait : Tais-toi une bonne fois, tu me pourris la vie ! Et elle pleurait, pleurait comme si rien au monde ne pouvait plus la consoler qu'une autre de ces injections. Rien qu'une, je te jure que ce sera la dernière ! Ses cris étaient devenus tellement insistants que les voisines se montrèrent aux fenêtres. Elles s'agitaient derrière les rideaux, et quand Isma levait les yeux, elles se cachaient. L'une d'elles le traita de voleur. Isma partit en courant vers la rivière. L'obscurité était presque complète, et son cœur cognait dans sa poitrine, aussi follement d'un oiseau qui ne serait pas arrivé à prendre son envol. En arrivant aux aires, il lui sembla voir Quico. Il était arrêté sur le chemin, avec son éternelle charge sur les épaules, mais il tourna à gauche pour éviter de le croiser. Ne regarde pas en arrière, se dit-il. Il arriva à la rivière et se tapit sur la rive. Le vent berçait les joncs et les cannes, et il entendit dans l'obscurité des barbotements et des bruits de pattes. Les bêtes nocturnes sortaient chercher leur pitance. Il sentit un début de fourmillement, tout d'abord au pied gauche, puis tout au long de la jambe et du bras, du même côté, qui finit par gagner tout son corps. Ses sens étaient bouleversés. Il perdit l'ouïe, l'odorat, mais sa vue s'intensifia, au point qu'il put voir dans l'ombre épaisse. Quand il reprit conscience, son visage et son bras étaient pleins de salive. Une brebis se dirigeait vers lui. Elle s'arrêta à ses côtés. Elle broutait l'herbe, et lui, toujours étendu sur le sol, vit sa tête allongée et son air d'égarement infini. Les nuits sont de véritables merveilles, lui dit la brebis, nous faisons ce que nous voulons. Et sans plus manifester le moindre intérêt pour lui, elle s'éloigna. Il la vit se diriger vers la rivière, qu'elle traversa le plus naturellement du monde, comme si elle possédait un pouvoir étrange, celui de marcher sur les eaux sans s'y enfoncer. Les secousses devinrent alors plus fortes et Isma perdit de nouveau conscience. Dès lors, tout devint très confus. Il lui sembla que quelqu'un le portait dans ses bras et appelait pour qu'on vînt l'aider. Ensuite, qu'ils roulaient en voiture. Il entendait le bruit du moteur, pareil à celui de l'eau des écluses du canal. Il se souvenait aussi du visage d'une jeune femme. Elle était penchée au-dessus de lui et lui lavait le visage. Chut, murmurait-elle en le voyant ouvrir les yeux, ne bouge pas, ça va aller mieux... La clarté du jour le réveilla. Il était dans une salle immense, et il y avait deux infirmières à côté de lui. Il baissa les paupières pour qu'elles ne pussent pas voir qu'il les épiait. Qui c'est ? fit l'une. Pauvre petit, lui répondit sa collègue, on l'a emmené hier et, depuis, il n'a pas ouvert la bouche. Une troisième s'approcha. Begoña, dit-elle à l'une des deux autres, le docteur Torres te demande. Et elle ajouta : Celui-là, on peut dire que tu l'as à tes genoux. Le seul problème, répondit l'autre, amusée, c'est qu'avec lui, on a intérêt à revoir sa culture classique. Avant de s'en aller, celle que l'on venait d'appeler Begoña s'approcha du lit et lui caressa le front avec douceur. Le pauvre ne sait pas ce qui l'attend, dit-elle à ses collègues. Il paraît qu'on le remet à l'hospice.

À midi, il se sentait beaucoup mieux. Un médecin, l'infirmière appelée Begoña et une sœur entrèrent dans la salle. Voyons un peu ce jeune garçon, dit le docteur en s'arrêtant devant son lit. Il l'ausculta et examina ses yeux avec une petite lampe de poche. Parfait. Bientôt, nous allons le voir courir dans les couloirs. Et, regardant Begoña, il ajouta : Comme Hippomène. Begoña sourit et la sœur lui jeta un regard réprobateur. Tu ne sais pas qui c'est, petit ? lui demanda le docteur tandis qu'ils se dirigeaient vers le lit du malade suivant. Eh bien, demande à ton infirmière, elle te le dira. Les visites terminées, ils sortirent tous les trois de la salle. Peu après, Begoña revint vers lui. Je viens voir mon malade préféré, lui dit-elle en refaisant son lit. Puis elle s'assit à côté de lui. Veux-tu que je te dise qui c'était, Hippomène ? Isma hocha la tête. Il a conquis une jeune fille très fière qui s'appelait Atalante. Atalante avait été élevée par une ourse, et elle était si forte et si agile que la plupart des hommes, qu'elle ne pouvait pas voir en peinture, parce que les Grecs... bref, ils étaient comme ceux d'ici, tous des brutes. Mais, quand elle eut grandi, son père, qui était roi, lui dit qu'elle devait se marier, et elle conçut une ruse pour remettre sa décision à plus tard. Les défier à la course. Celui qui la battrait deviendrait son époux, et les perdants auraient la tête coupée. Begoña fit un geste des doigts, qu'elle glissa sur son cou comme si c'était un couteau, avec une expression de plaisir. Un par un, elle les battit tous, car, comme elle avait été élevée parmi les animaux, nul ne la dépassait ni en force ni en adresse. Bientôt, tous les chemins qui menaient à son palais furent hérissés de lances au sommet desquelles pendaient les têtes de ses prétendants. Un décor merveilleux qui, au moins parmi les jeunes filles, eut un succès impression-

335

nant : elles ne faisaient plus rien que se promener sur ces chemins, ravies de reconnaître tous ceux qui leur avaient joué de mauvais tours. Mais Hippomène apparut. C'était un homme tendre, un rêveur, différent de tous les autres, et il tomba éperdument amoureux d'elle. La question demeurait, bien entendu : comment allait-il s'y prendre pour la vaincre, alors que les plus doués, les plus brutaux des prétendants avaient payé de leur vie leur tentative ? C'est alors qu'intervint la déesse de l'amour, qui le protégeait, et qui lui remit trois pommes d'or. Il devait les jeter pendant la course, de manière qu'Atalante, éblouie par leur éclat, s'arrêtât pour les ramasser, ce qui donnerait à Hippomène le temps nécessaire pour la battre. C'est ce qu'il fit. La course commença, il jeta la première pomme, qu'Atalante ramassa en se baissant. Elle était sur le point de le rattraper quand il lança par-dessus son épaule la deuxième, et, une nouvelle fois, elle était presque arrivée à sa hauteur quand il lança la troisième. Le but était tout près, et Atalante comprit que si elle s'arrêtait pour prendre cette pomme, elle perdrait la course. Mais elle ne put résister à la tentation, et Hippomène remporta la victoire. Voilà toute l'histoire, ou, du moins, ce qu'en croit le docteur Torres, mais sais-tu ce que j'en pense, moi ? Que ces pommes d'or arrivaient à pic pour Atalante, qui était amoureuse de ce garçon. Elle avait vu Hippomène s'entraîner, elle était tombée amoureuse de ses expressions, de sa douceur, et de ses yeux dans lesquels semblaient palpiter toutes les formes et tous les mouvements de la vie, des petites fourmis laborieuses jusqu'à la rapidité des lièvres et la folie des singes, et son choix s'était porté sur lui. Se pencher pour ramasser les pommes, ce n'était qu'un simple leurre, parce qu'avant même de s'élancer dans la course, elle avait décidé de lui accorder la victoire. Et, regardant Isma avec douceur, elle ajouta : Il en va toujours ainsi avec les femmes, et il en ira toujours ainsi, aussi longtemps que durera le monde. Les hommes nous tendent des pommes en nous disant qu'elles sont en or, pour nous conquérir, et nous faisons semblant d'y croire. Mais nous ne sommes pas idiotes et tout ce qu'ils obtiennent jamais de nous, c'est ce que nous voulons bien leur donner.

Elle s'interrompit, ses yeux demeurèrent un moment rivés sur la fenêtre, et elle ajouta, maintenant sérieuse : Nous le leur donnons gratuitement, pour pouvoir leur voler leur cœur. C'est ce qu'a fait Atalante, quand elle a été mariée. Elle se réveillait la nuit, prenait le cœur d'Hippomène, et en mangeait chaque fois un petit morceau, et c'était cela, son grand bonheur, parce que les hommes ont dans leur cœur une substance très douce, qui rend les femmes folles et dont elles ne se lassent jamais, elles en veulent encore, et toujours plus. C'est pourquoi toutes les femmes deviennent méchantes quand elles tombent amoureuses, parce que, une fois qu'elles ont goûté au cœur de l'homme qu'elles aiment, elles ne peuvent plus s'en passer et sont capables de tout pour s'en emparer quand elles en ont envie. Alors, se tournant vers Isma, elle lui dit, sourire aux lèvres, tout en lui faisant des chatouilles du côté gauche de la poitrine : Et toi, méfie-toi, parce qu'un de ses jours, je vais venir chercher le tien. Et, se levant du lit, elle le couvrit et lui dit qu'elle devait s'en aller. Mais, avant de s'éloigner, elle regarda ses mains. Pourquoi ne les ouvres-tu pas ? Isma avait les poings serrés et refusait de les ouvrir, avec un tel entêtement qu'il ne pouvait même pas saisir une cuillère. Honteux, il les cacha sous les couvertures. Bon, lui dit-elle, peu importe. Je reviendrai et je passerai un moment avec toi.

Il était très fatigué et se rendormit. Mais, à midi, la sœur le réveilla. Tu as une visite, lui dit-elle. C'était Rojo. Il était très nerveux et osait à peine le regarder dans les yeux. Il lui parla du village, lui donna des nouvelles de Pilar, de Felipón et des autres enfants. Il lui transmit les pensées affectueuses de Puri et de madame Maura, mais il n'osa pas parler de Reme. Tu sais, lui dit-il, la petite Goya est morte. C'est Celerina, celle de l'auberge, qui l'a trouvée. Elle est entrée à l'épicerie et la petite Goya était assise à la table, devant son café au lait. Comme elle ne répondait pas, Celerina s'est approchée et s'est rendu compte qu'elle était morte en prenant son goûter, toute droite, comme si elle avait craint de tacher la nappe. Il fit une pause, lui demanda comment il allait, s'il était bien traité. Isma répondit d'un mouvement de tête. Rojo lui dit que Pilar n'avait pas pu venir parce que la pauvre avait trop à faire. Elle viendra peut-être une autre fois. Elle est complètement anéantie, avec ce qui est arrivé, Jose Fausto, la petite, et elle a eu vraiment très peur en sachant que ça recommençait, que tu avais cette nouvelle crise. Elle dit qu'on ne peut pas te garder tant que tu ne seras pas guéri, et c'est compréhensible, elle ne le supporterait pas, s'il arrivait un nouveau malheur. Alors, on a décidé que tu resterais ici, à l'hospice. Seulement pour quelques mois, jusqu'à ce que tu sois complètement guéri. Cet été, on viendra te chercher et on te ramènera au village. Rojo s'était tu, et ils se regardèrent un long moment sans rien trouver à se dire. Bon, fit-il. Je m'en vais. Tu sais, je pense beaucoup à toi, surtout quand je vais couper la luzerne. Je tourne la tête et il me semble que tu es là, en haut de la charrette. Tu te souviens de ce que tu m'as dit, une fois, quand tu étais petit ? Isma le regarda avec une expression de surprise. Tu m'as demandé pourquoi on ne la mangeait pas, nous, lança Rojo, en riant. Tu étais tellement heureux de porter toute cette luzerne que tu pensais que c'était dommage de la donner aux bêtes.

Rojo lui dit au revoir, et Isma se pelotonna dans le lit. Il pensait au champ de luzerne, aussi plein qu'une citerne, et aux fleurs presque bleues. Elles ne sont pas bleues, lui dit Reme. Les fleurs bleues n'existent pas. C'est pour ça qu'on dit que si on en trouve une, tous nos souhaits se réalisent. Quand on apporta la nourriture, il ne voulut pas manger. Il avait toujours les poings serrés et il refusait de prendre les objets, mais il gardait aussi la bouche fermée, si bien que, malgré leur insistance, il ne voulut rien avaler. Peu après, Begoña vint le voir. On m'a dit que tu ne voulais pas manger, fit-elle, eh bien, c'est bête, parce que, comme ça, tu ne grandiras jamais, et nous, les filles, nous aimons les hommes forts,

forts et grands. Et elle ajouta, avec une expression un peu absente : Ils doivent pouvoir nous porter dans leurs bras. Elle fit quelques pas autour du lit. Tu me laisses essayer, moi ? Isma lui dit que oui. Elle alla à la cuisine et revint au bout d'un moment avec une omelette. Mais, comme Isma refusait encore d'ouvrir la main, ce fut elle qui dut le faire manger. Quand il eut fini, elle lui caressa les poings. Isma la laissait faire, mais quand elle essayait de lui écarter les doigts, il les serrait plus fort. Elle renonça. Tu veux que je te montre quelque chose ? lui demanda-t-elle. Isma la regarda. Ces sorcières nous obligent à mettre la coiffe, mais regarde ce qu'il y a dessous. Elle enleva la coiffe blanche, et des cheveux très noirs, tout bouclés, se répandirent sur son cou et ses épaules. Pas vrai que je suis mieux comme ça ? lui dit-elle en se dandinant légèrement, les mains sur les hanches. Tu connais *La Fille yé-yé* ? Begoña se mit à chanter cette chanson tout en dansant dans le passage entre les deux lits :

*Tu ne veux pas voir, yé-yé*
*que je t'aime vraiment, yé-yé-yé-yé.*

Elle remuait la tête d'un côté à l'autre, et ses cheveux s'agitaient comme des feuillages agités par le vent. On aurait dit que d'un instant à l'autre la salle allait se remplir d'oiseaux.

*Trouve-toi une fille une fille yé-yé*
*qui ait le rythme dans la peau et parle anglais,*
*avec des cheveux fous et des bas de couleur*
*une fille yé-yé, une fille yé-yé*
*qui te comprendra comme moi.*

Begoña chantait tout bas, pour que les autres malades ne pussent l'entendre, et ses gestes étaient lents et parfaitement contrôlés. Mais, même ainsi, ses cheveux et les pans de son uniforme valsaient d'un côté à l'autre, comme emportés par la force de sa volonté, sa volonté d'exhorter chacun à s'estimer, et bien davantage qu'une montagne, qu'une planète, que l'univers entier. Mais des bruits se firent entendre derrière la porte, et elle cessa aussitôt de danser et de chanter et dut remettre sa coiffe. Bon, lui dit-elle, tu connais mon secret. Maintenant, je m'en vais, sinon, ça va barder.

En arrivant au fond de la salle, elle se retourna pour lui lancer un clin d'œil. Isma se coucha en chien de fusil et serra très fort les poings. Il éprouva les symptômes d'une nouvelle crise. La sœur lui avait dit que si ça arrivait, il devait l'appeler tout de suite, mais il ne le fit pas. Il se rendit compte qu'il attendait ces crises avec anxiété. C'était alors qu'il voyait ces choses : Reme avec les menottes, la brebis. Cette fois, il pensa au bouton. Il l'avait enterré dans le pot de géranium et n'était pas encore allé le chercher. Était-il toujours là ? Il se dit qu'il devrait retourner au village pour le rendre à Reme. Quand il reprit conscience, l'oreiller était tout mouillé. Il se leva du lit et s'engagea dans le couloir. Il entendit des voix très lointaines. Ils ne savait pas d'où elles venaient, mais il lui sembla que l'une d'elles était celle de Begoña. Il alla dans sa direction. Ce devait être le matin, parce que le soleil entrait à grands flots par la fenêtre. Il monta l'escalier ; en haut, il y avait un autre couloir. Il le parcourut lentement. Les voix, ici, étaient plus claires, le sol et les murs semblaient imprégnés d'eau. Il ouvrit la porte, qui donnait sur une terrasse, une terrasse couverte. Plusieurs infirmières et aides-soignantes s'y étaient réunies pour prendre le soleil et fumer. Elles avaient enlevé leurs blouses, pour que le soleil pût hâler leurs épaules et leurs jambes. La première qui le vit fut celle qui servait les repas. Regarde, Begoña, dit-elle, ton amoureux. Begoña se tourna vers lui et lui fit signe de s'approcher. Elles lui firent de la place et Isma s'assit entre elles. Le soleil l'assoupit ; alors, il tendit la main et caressa Begoña, qui poussa du coude l'une de ses collègues. Isma avait fermé les yeux et lui caressait les cheveux. Sa main s'était ouverte et ses doigts s'enfonçaient dans sa chevelure noire, s'enlaçaient à ses boucles. Quand il rouvrit les yeux, Begoña le regardait. Et il lui sembla alors qu'elle savait tout de lui, de quel village il venait, ce qui s'était passé avec les injections, et pourquoi il serrait les poings. Tu n'es pas un cerf, lui dirent ses yeux, être un enfant, c'est beaucoup mieux.

Il voulut dormir, sur son sein, cette fois. Il les entendait chuchoter et rire, comme quand il allait chez Reme et restait avec elle, et Puri, et Gabina, et Rosarito et Andreona, pendant qu'elles se lavaient les cheveux. Ou encore quand il allait à la rivière épier les poules d'eau. Il restait caché entre les joncs et guettait chacun de leurs bruits et de leurs mouvements secrets, en essayant de découvrir leurs nids. Mais il réussissait rarement, parce qu'elles étaient trop malignes, comme si elles pouvaient voir à travers les obstacles, et, quand il essayait de s'approcher d'un peu trop près, elles s'échappaient, et il ne les revoyait plus.

Déjà parus :
Walter Abish, *Les esprits se rencontrent*
Walter Abish, *Eclipse Fever*
Miroslav Acímovíc, *La porte secrète*
Giovanni d'Alessandro, *Si Dieu a pitié*
Julianna Baggott, *Comme elle respire*
Lluis-Antón Baulenas, *Le fil d'argent*
Bai Xianyong, *Garçons de cristal*
Bai Xianyong, *Gens de Taïpei*
John Banville, *Kepler*
John Banville, *Le livre des aveux*
John Banville, *Le monde d'or*
John Banville, *La lettre de Newton*
John Banville, *L'Intouchable*
William Bayer, *Mort d'un magicien*
William Bayer, *Pièges de lumière*
Jochen Beyse, *Ultraviolet*
Maxim Biller, *Ah ! Si j'étais riche et mort*
Maxim Biller, *Au pays des pères et des traîtres*
Raul Brandão, *Humus*
Nicolae Breban, *Don Juan*
Philip Brebner, *Les mille et une douleurs*
A. S. Byatt, *Possession*
A. S. Byatt, *Des anges et des insectes*
A. S. Byatt, *Histoires pour Matisse*
A. S. Byatt, *La vierge dans le jardin*
A. S. Byatt, *Nature morte*
A. S. Byatt, *La tour de Babel*
Andrea Camilleri, *Pirandello*
Maria Cano Caunedo, *Le miroir aux Amériques*
Gianni Celati, *Narrateurs des plaines*
Gianni Celati, *Quatre nouvelles sur les apparences*
Gianni Celati, *L'almanach du paradis*
Evan, S. Connell, *Mr. & Mrs. Bridge*
Flavia Company, *Donne-moi du plaisir*
Avigdor Dagan, *Les bouffons du roi*
Paloma Díaz-Mas, *Le songe de Venise*
James Dickey, *Là-bas au nord*
E. L. Doctorow, *La machine d'eau de Manhattan*

Juan José Saer, *Quelque chose approche*
Adolf Schröder, *Le garçon*
Steinunn Sigurdardóttir, *Le voleur de vie*
Elizabeth Smart, *J'ai vu Lexington Avenue se dissoudre dans mes larmes*
Sarah Stonich, *Cet été-là*
Lytton Stratchey, *Ermynstrude et Esmeralda*
Amy Tan, *Le club de la chance*
Adam Thorpe, *Ulverton*
Adam Thorpe, *Mauvais plan*
Colm Tóibín, *Désormais notre exil*
Colm Tóibín, *La bruyère incendiée*
Colm Tóibín, *Bad Blood*
Colm Tóibín, *Histoire de la nuit*
Victoria Tokareva, *Le chat sur la route*
Victoria Tokareva, *Première tentative*
Victoria Tokareva, *Happy End*
Su Tong, *Épouses et concubines*
Su Tong, *Riz*
Tarjei Vesaas, *Le germe*
Tarjei Vesaas, *La maison dans les ténèbres*
Tarjei Vesaas, *La blanchisserie*
Tran Vu, *Sous une pluie d'épines*
Paolo Volponi, *La planète irritable*
Paolo Volponi, *Le lanceur de javelot*
Kate Walbert, *Les jardins de Kyoto*
Wang Shuo, *Je suis ton papa*
Alan Wall, *Loué soit le voleur*
Eudora Welty, *Le brigand bien-aimé*
Eudora Welty, *Les débuts d'un écrivain*
Eudora Welty, *La mariée de l'Innisfallen*
Eudora Welty, *Les pommes d'or*
Eudora Welty, *Oncle Daniel le Généreux*
Mary Wesley, *La pelouse de camomille*
Mary Wesley, *Rose, sainte nitouche*
Mary Wesley, *Les raisons du cœur*
Mary Wesley, *Sucré, salé, poivré*
Mary Wesley, *Souffler n'est pas jouer*
Mary Wesley, *Une expérience enrichissante*
Mary Wesley, *Un héritage encombrant*
Mary Wesley, *Une fille formidable*
Mary Wesley, *La mansarde de Mrs K.*
Edith Wharton, *Le fruit de l'arbre*
Edith Wharton, *Le temps de l'innocence*

Achevé d'imprimer en juillet 2002
par Normandie Roto Impression s.a.s.
61250 Lonrai
Dépôt légal : juillet 2002
N°d'imprimeur : 021526
N° d'éditeur : FF 821701

*Imprimé en France*

MA